Les enfants viennent du paradis

John Gray

LES ENFANTS VIENNENT DU PARADIS

COMPRENDRE SES ENFANTS POUR MIEUX LES ÉLEVER

Traduit de l'américain par Chuck Real

Titre original : *Children are from Heaven*
Publié en accord avec Linda Michaels Literary Agents, Inc.

© Mars Productions, Inc., 1999
© Éditions Michel Lafon, 2000, pour la traduction française
7-13, boulevard Paul-Émile-Victor – Île de la Jatte
92521 Neuilly-sur-Seine Cedex

Je dédie ce livre du fond du cœur à ma femme,
Bonnie Gray, dont la sagesse et l'inspiration
ont permis à ces pages de voir le jour.
Son amour, sa gentillesse
et sa joie de vivre ont enchanté ma vie
comme celle de nos enfants.

Introduction

Un an après mon mariage, j'étais à la fois le père d'une nouveau-née, Lauren, et le beau-père de deux fillettes, Juliet et Shannon, respectivement âgées de neuf et onze ans. Si Bonnie, ma femme, était une mère avertie, je n'avais, pour ma part, aucune expérience en matière parentale. Se retrouver du jour au lendemain chargé d'un bébé, d'une petite fille et d'une préadolescente n'était pas une mince affaire. Ayant animé de nombreux ateliers avec des jeunes de tous les âges, je voyais bien comment les enfants jugeaient leurs parents, et j'avais aidé des dizaines d'adultes à surmonter des traumatismes hérités de leur enfance ; quand ils ne soignaient pas suffisamment tel ou tel aspect de l'éducation de leur progéniture, j'en ai aidé plus d'un à se « re-parentaliser ». Mais il me restait encore à en passer par là moi-même.

À chaque pas que je faisais, je reproduisais immanquablement les faits et gestes de mes propres parents. Certains étaient très bons, quelques-uns moins efficaces, d'autres, enfin, étaient franchement négatifs. En m'appuyant sur ma propre expérience, comme sur celle des milliers d'individus avec lesquels j'avais pu travailler, j'appris au fur et à mesure à exercer mon rôle de père de manière plus judicieuse.

Je me souviens très précisément de l'une de mes premières « révélations ». Shannon et sa mère,

Bonnie, étaient en train de se disputer. Je décidai d'entrer dans la danse pour défendre mon épouse. À un certain point de la discussion, je perdis patience et élevai la voix. Je repris aussitôt le dessus. Shannon finit par se taire, blessée et amère. À cet instant, je compris que j'avais fait du mal à ma belle-fille.

Je venais de commettre une erreur. Mon attitude n'avait rien apporté de bon. En intimidant Shannon, je me comportais comme mon père lorsqu'il ne voyait pas d'autre solution pour me faire taire. C'était la seule issue qui me venait à l'esprit, et, pourtant, j'étais conscient qu'elle était mauvaise. Depuis ce jour, je n'ai plus jamais crié après nos enfants. Avec le temps, ma femme et moi avons trouvé des moyens plus appropriés pour les remettre dans le droit chemin.

L'AMOUR NE SUFFIT PAS

Je suis très reconnaissant envers mes parents pour leur affection et leur soutien, néanmoins, malgré tout leur amour, ils ont commis certaines erreurs qui m'ont meurtri. Je sais qu'ils ont toujours fait de leur mieux, dans la limite de ce qu'ils connaissaient des besoins des enfants. Quand des parents font fausse route, ce n'est pas parce qu'ils n'aiment pas leurs rejetons, mais simplement parce qu'on ne leur a jamais montré comment les élever. C'est aussi en refermant ces plaies que je suis devenu un meilleur père.

Ce qui compte le plus dans l'éducation des enfants, c'est l'amour qu'on leur dispense, ainsi que le temps et l'énergie qu'on leur consacre. L'amour a beau être la pièce maîtresse, il ne suffit pas en tant que tel. Si les parents ne sont pas capables de saisir les désirs spécifiques d'un enfant, ils ne sauront les assouvir.

En d'autres termes, leur maladresse risque de nuire à l'épanouissement de leur enfant.

Sans une bonne perception des besoins de leurs enfants, les parents ne seront pas en mesure de leur apporter ce qu'il faut.

À l'inverse, certains parents aimeraient consacrer plus de temps à leur famille, mais n'y arrivent pas parce qu'ils ne savent pas comment s'y prendre, ou que leurs efforts se heurtent à une fin de non-recevoir. Beaucoup essaient alors de crever l'abcès en parlant avec leurs fils ou leurs filles, mais ceux-ci se renferment souvent dans leur carapace et restent muets. Malgré toute leur bonne volonté, ces adultes ne parviennent pas à instaurer le dialogue.

Si certains crient, lèvent la main, ou punissent, ce n'est pas par choix, mais seulement parce qu'ils ne savent pas réagir autrement. La voie du dialogue ayant échoué, il ne leur reste plus que la menace et la sanction.

Pour en finir avec les vieilles méthodes d'éducation, de nouvelles voies doivent être explorées.

Pour que le dialogue fonctionne, vous devrez d'abord cerner les besoins de votre enfant, apprendre à l'écouter pour qu'il ait envie de se confier, savoir lui demander pour qu'il accepte de coopérer, et lui accorder progressivement plus de liberté sans pour autant renoncer à votre autorité. C'est en acquérant ces facultés que vous pourrez vous défaire des recettes qui ont fait leur temps.

TROUVER UNE MEILLEURE APPROCHE

Ayant conseillé des milliers de parents et enseigné à des centaines de milliers d'autres, je voyais bien quelles étaient les mauvaises approches, mais il me restait encore à en définir les bonnes. Il ne suffisait pas, pour devenir un meilleur père, de renoncer aux punitions et aux accès de colère. Pour cesser de manipuler mes enfants à coups de menaces et de sanctions, il me fallait inventer des méthodes infaillibles. En développant la philosophie des *Enfants viennent du paradis*, et les cinq techniques clés de l'éducation positive, j'ai peu à peu découvert une approche alternative aux méthodes traditionnelles.

Pour devenir de meilleurs parents, il ne suffit pas de rompre avec les méthodes stériles.

Il m'a fallu plus de trente années pour mettre au point les méthodes d'éducation positive décrites dans cet ouvrage. Ayant officié durant seize ans auprès d'adultes souffrant de problèmes individuels ou relationnels, j'ai eu l'occasion d'étudier les blessures de leur enfance. Puis, en tant que parent, les quatorze années suivantes m'ont permis de développer et d'utiliser de nouveaux procédés. Ces découvertes n'ont pas seulement fonctionné pour mes propres enfants ; elles sont entrées chez des milliers de familles.

Marge, mère célibataire, appliqua ces techniques à sa fille, Sarah, qui se refusait à tout échange et semblait toujours à deux doigts de la fugue. Quand Marge révisa sa façon de communiquer, sa fille et elle parvinrent à surmonter leurs différends. Sarah changea littéralement du jour au lendemain. Avant que Marge ne participe à un atelier *Les enfants viennent du paradis*, Sarah prenait la mouche dès que sa mère lui adressait la parole. Quelques mois plus tard, Sarah parlait de sa vie, écoutait sa mère, et se montrait coopérative.

Tim et Carol rencontraient des difficultés avec leur cadet, Kevin, âgé de trois ans. Il montait sans cesse sur ses grands chevaux, piquait de violentes crises de rage, et n'en faisait qu'à sa tête. En renonçant aux fessées et en lui imposant des temps morts (sur lesquels nous reviendrons plus loin), Kevin devint beaucoup plus calme et Tim et Carol reprirent le contrôle de leur foyer.

Philippe était un brillant homme d'affaires. Après avoir suivi un atelier *Les enfants viennent du paradis*, il comprit combien ses enfants avaient besoin de lui et ce qu'il pouvait faire pour les aider à s'épanouir. Lui-même avait été élevé uniquement par sa mère, et il ne mesurait pas l'importance de la figure paternelle au sein d'un foyer. Ayant découvert les attentes de ses enfants et ce qu'il pouvait leur apporter, il eut envie de passer plus de temps auprès d'eux. S'il bénit aujourd'hui cette formidable prise de conscience, ce n'est pas seulement parce que ses bambins sont plus heureux, mais parce qu'il se sent lui-même comblé. Sans le savoir, les joies de la paternité lui manquaient énormément.

De nombreux hommes peu investis dans l'éducation de leurs enfants ne mesurent pas tout le plaisir qu'ils manquent.

Tom et Karen se disputaient sans cesse sur la façon dont ils devaient éduquer leurs enfants. Élevés chacun de manière très différente, ils n'avaient pas la même conception de la discipline et de l'autorité. Après avoir suivi un atelier *Les enfants viennent du paradis*, ils adoptèrent une approche commune de l'éducation. Aujourd'hui, leurs enfants bénéficient non seulement d'une plus grande attention, mais aussi du fait que leurs parents ont arrêté de se quereller en permanence.

La liste des foyers qui ont tiré parti des enseignements et des préceptes de cet ouvrage est infinie. Si vous avez le moindre doute quant à leur validité, faites l'essai vous-mêmes et voyez le résultat. L'efficacité de ces techniques est facilement vérifiable. Car leur effet est immédiat.

L'efficacité de ces techniques est facilement vérifiable. Adoptez-les ; elles ont un effet immédiat.

Toutes les propositions présentées dans *Les enfants viennent du paradis* parlent d'elles-mêmes. Le plus souvent, elles ne feront que confirmer ce que vous pressentiez comme étant juste ou efficace pour vous-mêmes. Dans d'autres cas, elles vous permettront de déceler vos erreurs et fourniront des réponses aux questions que vous vous posez. Le but de cet ouvrage n'est pas tant de dresser l'inventaire exhaustif des soucis qui émaillent le quotidien de parents que d'exposer une méthode radicalement nouvelle pour résoudre divers problèmes. Ce nouvel éclairage sur les besoins de votre enfant vous permettra d'élaborer vous-mêmes vos propres solutions.

La philosophie complète d'éducation exposée ici, applicable à toutes les phases de la vie de l'enfant, vaut aussi bien pour les nourrissons, les tout-petits, et les jeunes enfants, que pour les préadolescents et adolescents. En outre, elle fonctionne rapidement avec ces derniers, même s'ils ne l'ont pas connue étant plus jeunes.

Les enfants viennent du paradis *dresse une philosophie complète d'éducation valable pour toutes les phases de l'enfance.*

Pour ma part, j'ai constaté que mes deux belles-filles réagissaient instantanément à cette nouvelle approche non coercitive, bien qu'elles aient connu auparavant des méthodes plus traditionnelles incluant la punition et le sermon.

Ces nouvelles techniques fonctionnent même avec les enfants qui ont été victimes de cruauté ou de négligence. Et si ces abus engendrent chez l'enfant des troubles spécifiques du comportement, cette nouvelle approche sera encore le meilleur moyen de panser ces plaies. Les enfants s'adaptent et évoluent remarquablement vite dès lors qu'on leur apporte l'amour et l'attention dont ils ont besoin.

LA NOUVELLE CRISE DE L'ÉDUCATION PARENTALE

Le monde libre occidental connaît une crise du modèle parental. Il ne se passe pas un jour sans que l'on entende parler de violence chez les mineurs, d'enfants sans repères livrés à eux-mêmes, de drogue dans les écoles, de grossesses précoces et de suicides chez les adolescents. La plupart des parents ne savent plus à quel saint se vouer, constatant aussi bien l'impasse des vieilles recettes que l'inefficacité des recettes éducatives en vogue. Rien ne semble fonctionner, et les problèmes de nos enfants ne font qu'empirer.

Si les uns voient en ces maux la conséquence d'un trop grand laxisme envers les « enfants rois », les autres incriminent à l'inverse l'effet néfaste des vieilles pratiques autoritaires. D'aucuns, enfin, imputent ces nouveaux désordres à la décadence de nos sociétés. La télévision, la publicité et le cinéma, pour l'excès de violence et de sexe qu'ils véhiculent, sont souvent montrés du doigt comme étant de véritables pousse-au-crime. S'il est évident que l'image de la société offerte à nos enfants joue pour beaucoup sur leur comportement, et que le législateur aura un rôle utile à tenir dans ce domaine, il n'en demeure pas moins que la plupart des problèmes naissent à la maison. Et que c'est donc au sein du foyer qu'ils devront être traités. Avant de prétendre changer la société, les parents doivent d'abord comprendre qu'ils ont à eux seuls le pouvoir de faire de leurs enfants des êtres solides, confiants, coopératifs et ouverts d'esprit.

Les problèmes de nos enfants commencent à la maison, et c'est là qu'ils doivent être traités.

Pour répondre aux changements de la société, il faut redéfinir le métier de parents. Au cours des deux derniers siècles, nous avons franchi un bond considérable dans le domaine des libertés et des droits individuels. Mais bien que nos civilisations occidentales soient désormais régies par les principes de la liberté et des droits de l'homme, les parents continuent d'appliquer des méthodes d'éducation héritées du Moyen Âge.

Or, pour faire de nos enfants de jeunes gens sains et responsables, nous devons les actualiser. Pour rester compétitive dans un contexte d'économie de marché, une entreprise doit sans cesse remettre à jour ses techniques de production et de vente, et rester à la page des avancées technologiques. De la même manière, c'est en adoptant les méthodes d'éducation les plus modernes et efficaces que les parents offriront à leurs enfants les armes néces-

16

saires pour se faire une place dans ce monde de compétition.

L'AMOUR PLUTÔT QUE LA PEUR COMME MOTEUR D'ÉDUCATION

Autrefois, on contrôlait ses enfants par la domination, la peur, et la culpabilité. Pour qu'ils se tiennent sages, on leur laissait croire qu'ils étaient mauvais et indignes d'être bien traités s'ils ne se montraient pas obéissants. La crainte de perdre l'amour et l'attention de leurs parents jouait comme une puissante force de dissuasion. Quand cela ne suffisait pas, on alourdissait la peine afin d'accroître la terreur et de briser la volonté récalcitrante de l'enfant. Pour qualifier les plus indociles, on parlait de fortes têtes. Alors que du point de vue de l'éducation positive, la force de caractère est justement la première chose à inculquer à l'enfant pour qu'il acquière la confiance en soi, qu'il se montre coopératif et qu'il fasse preuve de compassion.

> *Préserver et nourrir la force de caractère de l'enfant est la première chose à faire pour instaurer des valeurs de confiance, de coopération, et de compassion.*

L'ancienne approche visait à forger des êtres obéissants. L'éducation positive vise pour sa part à former des enfants à la fois déterminés et attentifs. Ce n'est pas en brisant la volonté que l'on obtient leur concours. Les enfants viennent du paradis. C'est quand ils se sentent écoutés et encouragés qu'ils se montrent enclins à coopérer.

Le but de l'éducation positive est de forger
des tempéraments à la fois déterminés
et coopératifs.

Les parents d'antan prétendaient faire de « bons » enfants. Notre méthode engendre des enfants pleins de compassion, qui n'ont pas besoin de menaces pour se plier aux règles, et dont les faits et gestes procèdent spontanément de leurs convictions profondes. S'ils rejettent la tricherie ou le mensonge, ce n'est pas en vertu des interdits mais parce qu'ils sont foncièrement justes et bons. Pour eux, la morale n'est pas une contrainte imposée de l'extérieur, mais un élan naturel acquis à force de coopération avec les parents.

L'éducation positive ne cherche pas tant à créer
de « bons » enfants qu'à créer des êtres
doués de compassion.

Si les approches ancestrales reposaient sur la soumission, l'éducation positive a pour objectif de créer des décideurs, capables de prendre en main leur destin loin des sentiers battus. Ces enfants confiants et déterminés savent ce qu'ils valent et ce qu'ils veulent.

Les enfants confiants savent résister à la
pression de l'entourage, sans pour autant
éprouver le besoin de se rebeller.

L'assurance de ces enfants les protège des mauvaises influences et leur apprend que l'on peut être soi-même sans se dresser contre les autres. Ils sont capables de penser par eux-mêmes, mais restent ouverts aux conseils et à l'aide de leurs parents. Une fois adultes, ils ne se laissent pas brider par l'étroi-

18

tesse d'esprit de ceux qui les entourent. Ils suivent leur propre étoile et décident seuls du cours de leur existence.

LES ENFANTS D'AUJOURD'HUI NE SONT PAS CEUX D'HIER

À l'image de ce monde métamorphosé, les enfants d'aujourd'hui ne sont pas identiques à ceux d'autrefois. Brandir la menace et la peur se révèle désormais inefficace. L'éducation « à la baguette » ne fait que rendre les parents impuissants, créant des conflits avec leurs enfants en les poussant à se rebeller. Les différentes formes d'intimidation, qui vont du cri à la fessée, ne fonctionnent plus. Elles ne font qu'entraver la volonté d'écoute et de coopération de l'enfant. Désormais, on cherche à instaurer une meilleure communication avec ses enfants, afin de les préparer aux exigences toujours plus grandes de la vie actuelle, mais pour ce on ne semble, hélas, disposer que de procédés obsolètes.

La menace et la punition ne font que dresser les enfants contre leurs parents, et les incitent à se rebeller.

Mon père commettait cette erreur. Il prétendait nous éduquer, ma sœur, mes cinq frères et moi, à coup de punitions. Ancien sergent dans l'armée, il ne semblait connaître que la manière forte. Dans un sens, il nous traitait comme des petits soldats. Dès que nous osions lui tenir tête, il reprenait le dessus en proférant des menaces. Quand elles restaient sans effet, il pratiquait l'escalade :

— Continue à me parler sur ce ton, disait-il, et tu seras consigné pour une semaine.

Voyant que je persistais, il ajoutait :

— Si tu ne cesses pas tout de suite, tu vas prendre deux semaines !

Constatant la parfaite inefficacité de ses menaces, il mettait alors à exécution :

— Très bien, jeune homme, tu es privé de sortie pendant un mois. Et maintenant file dans ta chambre !

Élever le poids des sanctions ne produit aucun effet positif et ne fait que nourrir le ressentiment de l'enfant. Durant tout ce mois, je ne fis que me répéter combien mon père était injuste et cruel. Loin de m'inciter à l'écouter, son attitude ne fit que m'éloigner de lui. Son influence aurait été bien plus positive s'il avait seulement dit :

— Puisque tu ne veux pas m'écouter, tu vas monter dans ta chambre et je reviendrai te voir dans dix minutes.

La punition avait autrefois pour but de rompre l'entêtement. Si cette méthode a pu amener certains à se montrer plus obéissants, ce n'est plus le cas de nos jours. Les jeunes d'aujourd'hui ne s'en laissent plus conter. Ils savent reconnaître l'injustice et l'abus, et refusent de s'y soumettre. Cela leur reste en travers de la gorge, et ils se révoltent. Pire, la menace et le châtiment détruisent toute forme de communication. Autrement dit, à défaut de trouver une solution, les parents deviennent eux-mêmes une partie du problème.

La punition fait de vous un ennemi à craindre plutôt qu'un allié dans la vie.

Quand les parents prennent l'habitude de crier sur leurs enfants, ces derniers perdent leurs facultés d'écoute. Pour réussir à l'école comme dans leur vie professionnelle et nouer des relations durables avec l'être aimé, les enfants comme les adultes d'aujourd'hui doivent apprendre à mieux communiquer. Ces capacités s'acquièrent lorsque les enfants écoutent leurs parents, et que les parents font de même avec leurs enfants.

> *Les enfants écoutent leurs parents quand les parents apprennent à écouter leurs enfants.*

Que se passe-t-il lorsque vous écoutez de la musique trop fort ? Vous perdez l'audition. Il en va de même lorsque les parents crient sans cesse ou demandent la lune à leurs bambins. Les enfants d'aujourd'hui vous tourneront simplement le dos, et vous n'aurez plus aucune emprise sur eux.

RENONCER À PUNIR

L'Ancien Monde était dirigé d'une main de fer par des dictateurs tyranniques, ce qui n'est heureusement plus le cas à présent. L'opinion publique ne tolère plus l'injustice et la violation des droits de l'homme ; elle les combat vivement. Des gens ont sacrifié leur vie au nom de la démocratie.

De la même façon, les enfants du IIIe millénaire refusent la menace de la punition. Ils s'insurgent contre cette pratique. Ils mesurent pleinement l'injustice qu'elle représente, et rejettent les valeurs et l'autorité parentales de plus en plus tôt. Au sein d'une famille, le recours à la sanction ne fait qu'exacerber les attitudes de résistance, de ressentiment et de rébellion. Avant même d'avoir atteint la maturité suffisante pour voler de leurs propres ailes, les enfants et les adolescents refusent un soutien pourtant déterminant pour leur bon développement. Ils cherchent à se libérer du joug des adultes alors qu'ils ont plus que jamais besoin d'être guidés dans la vie.

Avant d'avoir acquis la maturité suffisante, les jeunes d'aujourd'hui rejettent un soutien parental déterminant.

De nombreux parents ont bien conscience de l'inefficacité des méthodes coercitives, mais ils ne disposent d'aucune alternative. Quand ils renoncent à toute forme de punition, ils ne sont pas plus avancés, car une attitude laxiste les prive de toute influence sur leurs enfants. Donnez-leur un doigt de pouvoir, et ils vous mordront le bras ! Les enfants apprennent vite à user de leur liberté pour, à leur tour, contrôler leurs parents.

Quand on tolère que ses enfants se montrent hargneux, colériques, et effrontés pour parvenir à leurs fins, ce sont eux qui font la loi à la maison. Ils deviennent incontrôlables. Et, au bout du compte, ils finissent par développer les mêmes troubles que les enfants victimes d'un excès d'autorité.

Quand les enfants font la loi, ils échappent à tout contrôle parental.

Qu'il soit élevé dans un style d'éducation contraignant ou permissif, ou s'il n'a pas compris que ce sont les parents qui décident, l'enfant s'opposera à toute tentative de ces derniers pour reprendre ou garder le pouvoir. Imperméable au soutien parental, son développement sera limité. Les techniques d'éducation positive décrites dans cet ouvrage permettront aux parents d'inculquer à l'enfant les sens de l'indépendance et de la responsabilité, par lesquels il pourra se forger une image de soi forte et saine.

LES CONSÉQUENCES D'UNE ÉDUCATION FONDÉE SUR LA PEUR

Les vieilles méthodes qui consistaient à tenir nos enfants par l'intimidation, la critique, le reproche et la punition sont non seulement obsolètes, mais, pire, elles se révèlent contre-productives. Les enfants sont plus sensibles de nos jours qu'autrefois. Ils sont plus éveillés, mais aussi plus vulnérables. Les cris, les fessées, les punitions, l'humiliation ont un effet déplorable. Ces approches pouvaient fonctionner quand les jeunes avaient la peau plus dure, mais elles sont désormais plus néfastes qu'autre chose.

Jadis, la peur de la gifle était un bon moyen de leur imposer certaines règles. Aujourd'hui, cette pratique produit l'effet inverse. Qui dit violence à la maison dit violence à l'extérieur. C'est une conséquence directe de la plus grande fragilité des jeunes. Bien qu'ils soient plus intelligents et créatifs que leurs aînés, ils n'en sont pas moins plus impressionnables.

Pour des enfants plus impressionnables qu'autrefois, la violence à la maison se traduit en violence à l'extérieur.

À l'aube du IIIᵉ millénaire, la meilleure façon pour un enfant d'apprendre à respecter les autres, ce n'est pas la peur, mais le mimétisme. Les enfants sont programmés pour imiter leurs parents. Les enfants n'ont de cesse d'enregistrer nos gestes, réactions, attitudes, pour mieux les reproduire. C'est ainsi qu'ils apprennent la quasi-totalité de ce qu'ils savent.

Quand les parents donnent l'exemple d'un comportement respectueux d'autrui, les enfants apprennent peu à peu à en faire autant. Quand les parents savent garder leur calme face à un enfant en colère, ce dernier apprend à son tour à se contenir dans des situations extrêmes. Les parents sont capables de rester calmes, détendus, et attentionnés quand ils savent comment traiter un enfant récalcitrant.

Les parents savent rester calmes, détendus et attentionnés lorsqu'ils savent gérer les écarts de conduite de leurs enfants.

Frapper son enfant pour reprendre le contrôle, c'est lui signifier que c'est ainsi que l'on parvient à ses fins. Combien de fois ai-je vu une mère frapper son enfant en lui disant : « Cesse de taper ton frère » ? Elle voulait peut-être qu'il comprenne ce que ça fait de recevoir des coups, mais c'était une bien mauvaise solution. En corrigeant son fils, elle l'incitait *de facto* à recourir à la violence pour obtenir ce qu'il voulait.

La violence sur les enfants n'a plus aucune vertu de nos jours. Les méthodes d'éducation fondées sur la peur freinent le bon développement de nos enfants, et rendent le métier de parent à la fois plus accaparant et moins enrichissant.

DE MOINS EN MOINS DE TEMPS POUR EXERCER SON RÔLE DE PARENT

C'est un fait, les parents ont de moins en moins de temps à consacrer à leurs enfants. D'où l'importance de savoir ce dont ces derniers ont le plus besoin. Cela permettra non seulement aux pères et mères d'utiliser au mieux le peu de temps dont ils disposent, mais les incitera également à se dégager du temps libre. Une bonne perception des besoins de l'enfant conduit naturellement les parents à se rendre plus disponibles.

Pris dans le stress et l'agitation du quotidien, les adultes se consacrent en général soit à ce qu'ils *doivent* faire, soit à ce qu'ils *peuvent* faire. Souvent les femmes se sentent débordées par tout le travail qui les attend, tandis que les hommes se soucient davantage de ce qu'ils sont en mesure d'accomplir. Quand ils ne savent pas comment s'y prendre avec leurs enfants, les pères ont tendance à démissionner. Quand les mères ne cernent pas bien les besoins de leurs enfants, elles attachent de l'importance à des choses secondaires.

Lorsque les parents comprennent quels sont les véritables besoins de leurs enfants, ils cherchent moins à gagner de l'argent que du temps pour profiter pleinement des chères têtes blondes. Le temps est aujourd'hui la richesse première des parents. Et le temps se trouve d'autant plus facilement que l'on mesure pleinement ce que l'on *peut* et *doit* faire pour ses enfants.

METTEZ À JOUR VOS MÉTHODES D'ÉDUCATION

Cet ouvrage vous offrira un éclairage pratique permettant de mettre à jour votre façon d'élever vos enfants. Il ne se contentera pas de vous décrire ce qui ne marche pas, mais vous proposera des solutions alternatives. Vous découvrirez de nouvelles méthodes pour inciter vos enfants à se montrer d'eux-mêmes coopératifs et à viser la réussite, sans devoir recourir à des stratégies fondées sur la menace.

Les enfants d'aujourd'hui n'ont pas besoin de la peur pour réussir. Ils savent très tôt distinguer le bien du mal, pour peu qu'on leur en donne les moyens. Les meilleurs facteurs de motivation seront

25

encore les récompenses et le désir naturel de faire plaisir à ses parents.

Les huit premiers chapitres des *Enfants viennent du paradis* vous apprendront à utiliser les différentes techniques de l'éducation positive, afin de renforcer votre communication avec l'enfant, d'obtenir de lui une meilleure coopération, et de l'encourager à donner le meilleur de lui-même. Les six derniers chapitres vous présenteront les cinq messages clés qu'il sera bon d'avoir toujours en tête, à savoir :

1. On a le droit d'être différent.
2. On a le droit de commettre des erreurs.
3. On a le droit d'exprimer des sentiments négatifs.
4. On a le droit de réclamer davantage.
5. On a le droit de dire non, mais il ne faut pas oublier que ce sont papa et maman qui décident.

Ces cinq messages donneront toute latitude à vos enfants pour développer les qualités que Dieu a placées en chacun de nous. Associés aux différentes techniques de l'éducation positive, ils inculqueront les vertus nécessaires à une vie épanouie. Parmi celles-ci, notons : l'indulgence – vis-à-vis des autres comme de soi-même –, le sens du partage, la gratitude, l'estime de soi, la patience, la persévérance, le respect de soi et d'autrui, la coopération, la compassion, l'assurance, et l'aptitude au bonheur. Cette nouvelle approche, combinée à votre amour et à votre soutien, permettra à l'enfant de franchir avec succès toutes les étapes de son cheminement vers la vie adulte.

Fort de ces découvertes, vous acquerrez l'assurance nécessaire pour dispenser une bonne éducation sans vous faire trop de mauvais sang. Dans les moments de tension ou de doute, vous disposerez de précieux éléments d'analyse et de réflexion pour imaginer des solutions et vous rappeler aussi bien les besoins de votre enfant que ce que vous êtes en mesure de lui apporter.

Par-dessus tout, vous aurez conscience que les enfants viennent du paradis. Que, dès la naissance, ils portent en eux les ressources pour grandir et s'épanouir. Votre rôle, en tant que parents, consiste seulement à les accompagner dans ce voyage. En vous appropriant les cinq messages clés et les différentes techniques de l'éducation positive, non seulement vous serez assurés d'agir au mieux, mais vous saurez que, grâce à vos efforts, vos enfants auront l'opportunité d'accomplir leur destin.

CHAPITRE 1

Les enfants viennent du paradis

Tous les enfants naissent bons et innocents. C'est en ce sens qu'ils viennent du paradis. Chaque nouveau-né est unique et spécial. Il porte déjà en lui les germes de sa propre destinée. Un pépin de pomme engendre un pommier, qui ne pourra en aucun cas produire des poires ou des oranges. Notre premier devoir, en tant que parents, sera de reconnaître, de respecter, puis de favoriser le processus naturel et unique de développement de notre enfant. Nous n'avons pas à décider à sa place de ce qu'il deviendra, à le couler dans un moule ou à lui imposer un modèle à suivre. Nous devrons seulement l'aider à réaliser le potentiel qu'il porte en lui.

Si les enfants n'ont pas besoin qu'on les corrige ou qu'on les améliore, ils ont, en revanche, besoin de tout notre soutien. Nous sommes là pour fournir le terreau dans lequel germeront les graines de leurs talents. Ils se chargeront très bien du reste. Dans un pépin de pomme se trouve déjà inscrit le code de son développement. Il en va donc de même pour l'enfant : son esprit, son cœur et son corps sont programmés pour mener à bien son processus de maturation. Cessons de croire que c'est à nous de faire

28

de nos bambins des gens biens. Reconnaissons une fois pour toutes qu'ils le sont depuis le début.

L'esprit, le cœur et le corps de chaque enfant contiennent dès le début le programme de son développement.

Les parents ne doivent jamais perdre de vue que seule Dame Nature décide de l'évolution de nos enfants. Comme je demandais un jour à ma mère selon quels principes elle nous avait élevés, elle me répondit :

— Ayant la charge de six fils et d'une fille, je finis par comprendre que je ne n'avais guère les moyens de les faire changer. Dieu avait tranché pour eux. Alors je fis ce que je pus, et je laissai Dieu se charger du reste.

Cette prise de conscience lui permit de laisser la nature poursuivre tranquillement son œuvre. En plus de lui simplifier grandement la tâche, cela lui évita également de contrarier l'évolution naturelle de nos tempéraments. Cette découverte sera primordiale pour chaque parent. Et si l'on ne croit pas en Dieu, il suffit de raisonner en termes biologiques : « Tout est dans les gènes. »

L'éducation positive donne la possibilité aux parents d'accompagner le processus naturel d'évolution de leurs enfants sans créer d'interférence. La méconnaissance de ce processus est souvent source de frustration, de perplexité, d'inquiétude, de culpabilité. Les parents se retrouvent sans le savoir à bloquer ou à freiner tout ou partie du développement de l'enfant. Par exemple, lorsqu'on ne parvient pas à comprendre la sensibilité particulière de son enfant, non seulement celui-ci en ressent une certaine frustration, mais il en vient à se dire qu'il n'est pas normal. Cette idée s'ancrera solidement dans sa tête, gâchant bêtement sa sensibilité.

CHAQUE ENFANT A SES PROBLÈMES BIEN À LUI

Hormis leur bonté et leur innocence, les enfants arrivent dans ce monde avec leurs propres difficultés. Le rôle de parent consiste dès lors à les aider à relever ces défis. Dans ma famille, bien que nous ayons eu les mêmes parents et des chances égales dans la vie, mes cinq frères, ma sœur et moi avons des tempéraments radicalement différents. De même que mes trois filles, âgées de vingt-cinq, vingt-deux, et treize ans, ont toujours eu et auront toujours chacune sa personnalité, avec ses propres forces et faiblesses.

En tant que parents, nous pouvons aider nos enfants, mais nous ne pouvons supprimer d'un coup de baguette magique leurs difficultés ou leurs faiblesses. Prendre conscience de cela, c'est s'éviter bien des tourments. Nul ne peut résoudre les problèmes de son enfant à sa place. En revanche, en lui accordant toute notre confiance et en le laissant libre d'être lui-même, nous l'aiderons à relever les défis de l'existence. C'est dans un climat de confiance et de sérénité que l'enfant a les meilleures chances de croire en lui-même, en ses parents et en l'avenir.

Chaque enfant a son propre destin. Accepter cette vérité une fois pour toutes, c'est cesser de se sentir responsable de tous les obstacles qui se dresseront sur son chemin. Combien de temps et d'énergie gaspille-t-on bêtement à se demander quelles erreurs on a bien pu commettre, au lieu d'admettre que tous les enfants sont vulnérables ? Nous sommes là pour leur apprendre à les surmonter avec succès. Ils ont tous, comme vous et moi, leurs qualités et leurs défauts, et il n'y a pas moyen de revenir là-dessus. En revanche, c'est à nous de mettre toutes les chances de leur côté pour qu'ils donnent le meilleur d'eux-mêmes et réalisent pleinement leurs potentialités.

Il faut accepter les enfants tels qu'ils sont.

Lorsqu'il nous arrive, dans les moments difficiles, de nous dire que notre enfant a un sérieux problème, rappelons-nous toujours qu'il vient du paradis. Que ce sont à la fois ses forces et ses faiblesses qui font de lui un être parfait. Ses échecs lui seront aussi utiles que notre amour et notre soutien, car c'est dans l'adversité qu'il apprendra à donner le meilleur de lui-même. Les écueils que la vie lui réservera lui apprendront à trouver le soutien des autres et forgeront sa personnalité.

Si les enfants ont besoin de compassion et de soutien, leurs difficultés personnelles sont tout aussi utiles à leur développement.

Pour un enfant, grandir implique toujours une succession d'épreuves. C'est en assimilant peu à peu l'ensemble des limites imposées par les parents et le reste du monde que les enfants acquièrent des valeurs aussi essentielles que le pardon, la gratitude, la tolérance, la coopération, la créativité, la compassion, le courage, la persévérance, l'autodiscipline, l'estime de soi, l'autonomie, et l'indépendance. Voici quelques exemples :

- Les enfants ne peuvent apprendre le pardon que s'ils ont quelqu'un à pardonner.
- Les enfants ne peuvent apprendre la patience et la gratitude si tout leur est servi sur un plateau.

- Les enfants ne peuvent apprendre à admettre leurs propres faiblesses s'ils ne sont entourés que de gens parfaits.
- Les enfants ne peuvent apprendre à coopérer s'ils ont toujours le dernier mot.
- Les enfants ne peuvent apprendre la créativité si on leur mâche sans cesse le travail.
- Les enfants ne peuvent apprendre la compassion et le respect que s'ils ont eux-mêmes connu la peine et la douleur.
- Les enfants ne peuvent apprendre le courage et l'optimisme que dans l'adversité.
- Les enfants ne peuvent apprendre la force et la persévérance si tout leur est facile.
- Les enfants ne peuvent apprendre l'autodiscipline que s'ils ont connu des revers, des échecs, ou commis des erreurs.
- Les enfants ne peuvent apprendre la fierté et l'estime de soi s'ils n'ont jamais eu d'obstacle à surmonter pour atteindre un objectif.
- Les enfants ne peuvent apprendre l'autonomie que s'ils ont connu l'exclusion ou le rejet.
- Les enfants ne peuvent apprendre l'indépendance que s'ils ont l'occasion de défier l'autorité et/ou de ne pas obtenir ce qu'ils veulent.

À bien des égards, les épreuves et les obstacles sont aussi nécessaires qu'inévitables. Les parents ne sont pas là pour épargner ces difficultés à leurs enfants, mais pour les aider à en tirer les bons enseignements. *Les enfants viennent du paradis* vous montrera comment aider vos bambins à prendre leur parti des contretemps de l'existence. Si vous n'avez de cesse de régler leurs problèmes à leur place, ils ne seront jamais en mesure de développer toutes ces qualités qu'ils portent en eux et qui ne demandent qu'à s'accomplir.

Un papillon s'extrait de son cocon au prix d'une

lutte intense. Si on l'ouvre soi-même afin de lui épargner cette peine, il n'y survivra pas. Parce que c'est au cours de cette lutte que ses ailes acquièrent la force nécessaire pour prendre leur envol. Épargnez-lui cette épreuve, et il restera cloué au sol. De la même façon, pour que nos enfants soient suffisamment armés pour s'épanouir dans ce monde difficile, il leur faudra passer par certaines épreuves et bénéficier d'une certaine forme de soutien.

Sans notre amour et notre appui, les difficultés que rencontreront nos enfants peuvent prendre des proportions inquiétantes, pouvant causer des troubles du comportement allant jusqu'aux attitudes criminelles. S'il est vrai qu'en leur mâchant le travail nous n'en ferons que des gens faibles et incapables de s'assumer pleinement, il n'en est pas moins vrai qu'en les laissant seuls face à leur destin, nous les priverons tout autant de la ressource nécessaire pour franchir avec succès les obstacles de l'existence. Ils ne pourront s'en sortir s'ils restent livrés à eux-mêmes. L'enfant ne peut approfondir ses aptitudes en société sans l'aide de ses parents.

LES CINQ MESSAGES DE L'ÉDUCATION POSITIVE

Nous aurons cinq messages fondamentaux à inculquer à nos enfants afin qu'ils sachent puiser en eux toute l'énergie nécessaire pour affronter les aléas de la vie et développer pleinement leurs facultés. *Les enfants viennent du paradis* vous présentera toute une série de techniques pour transmettre chacun de ces cinq messages, qui sont, répétons-le :

1. On a le droit d'être différent.
2. On a le droit de commettre des erreurs.
3. On a le droit d'exprimer des sentiments négatifs.

33

4. On a le droit de réclamer davantage.

5. On a le droit de dire non, mais il ne faut pas oublier que ce sont papa et maman qui décident.

Étudions à présent ces cinq messages dans le détail :

1. On a le droit d'être différent. Chaque enfant est un être unique, avec ses propres dons, faiblesses et besoins. Notre rôle de parent consiste à cerner ces besoins spécifiques pour les assouvir. Certains besoins seront plus développés chez les garçons que chez les filles, et réciproquement. D'autres besoins seront indépendants du sexe de l'enfant, mais intimement liés à ses particularités physiques et morales.

Les enfants diffèrent également par leur façon d'apprendre. Cette vérité doit être comprise par les parents, pour qu'ils ne tombent pas dans le travers qui consiste à comparer son enfant aux autres, ce qui est souvent source de frustration et d'incompréhension. En matière d'apprentissage, nous pouvons distinguer trois catégories d'enfants : les sprinters, les marcheurs, et les sauteurs. Les premiers apprennent très vite. Les deuxièmes avancent à un rythme régulier en démontrant jour après jour des signes de progrès. Enfin, il y a les sauteurs. Ce sont en général les plus difficiles à élever. Ils semblent faire du surplace, se reposer sur leurs acquis et rester hermétiques à toute nouveauté, jusqu'au jour où se produit un déclic. Ils semblent attendre pour mieux sauter le pas. Tels des fruits tardifs, ils ont besoin de plus de temps que les autres.

Les parents doivent moduler la façon dont ils expriment leur amour selon le sexe de leur enfant. Les filles, par exemple, demandent souvent beaucoup d'attention, alors qu'un garçon trop couvé aura facilement tendance à croire qu'on ne lui fait pas confiance. Les garçons ont besoin de sentir cette confiance, tandis que les filles percevront un excès de confiance comme un signe d'indifférence. Les pères se comportent trop souvent avec leurs filles comme si c'étaient des garçons, tandis que les mères croient déceler chez leurs fils des besoins propres aux filles. Comprendre ces différences entre les genres est une des clés d'une éducation efficace. En outre, cela évite aux parents de se reprocher à longueur de temps leurs méthodes d'éducation respectives. N'oublions pas que les pères viennent de Mars et les mères de Vénus !

2. On a le droit de commettre des erreurs. Tous les enfants commettent des erreurs, ce qui est parfaitement normal et prévisible. Se tromper ne veut pas dire qu'on soit mauvais ou incapable, à moins que les parents n'appuient l'idée contraire en faisant preuve d'intransigeance. L'erreur est humaine, c'est-à-dire naturelle, normale, et inévitable. Et c'est avant tout par l'exemple que les enfants prendront conscience de cela. La meilleure façon d'inculquer ce principe sera pour les parents de reconnaître leurs propres erreurs, aussi bien envers leurs enfants qu'envers leur entourage en général.

Car c'est en voyant régulièrement leurs aînés faire amende honorable que les enfants apprennent peu à peu à reconnaître leurs propres erreurs. L'art de demander pardon ne s'enseigne pas, il s'illustre. Un bon exemple vaut mieux qu'un bon discours. En suivant le modèle de leurs parents, les enfants apprendront non seulement à reconnaître leurs torts, mais également à pardonner les fautes que les parents auront pu commettre à leur endroit.

Les enfants naissent avec la faculté d'aimer leurs parents, mais ils ne savent pas s'aimer ni se pardonner eux-mêmes. L'amour de soi dépend de la façon dont nous traitons l'enfant, et notamment de la manière dont nous réagissons à ses erreurs. C'est quand les parents se gardent de blâmer leurs enfants que ceux-ci peuvent acquérir cette nécessaire estime de soi et accepter leurs propres imperfections.

Cette dernière aptitude naît du constat que les parents restent dignes d'amour malgré les fautes qu'ils peuvent commettre. À l'inverse, la punition et l'humiliation renforcent l'idée que l'erreur est inadmissible et la perfection de rigueur. Ce qui empêchera l'enfant de s'accepter tel qu'il est. *Les enfants viennent du paradis* propose de nombreuses alternatives à l'humiliation, à la punition, à la fessée, qui reposent toutes sur l'art de demander au lieu d'ordonner, de récompenser plutôt que de punir, d'imposer des temps morts au lieu de donner des coups. Ces nouvelles techniques positives seront abordées en détail entre les chapitres 3 et 8. Un « temps mort », choisi au bon moment et utilisé à bon escient, se révélera tout aussi efficace et dissuasif qu'une punition morale ou physique.

3. On a le droit d'exprimer des sentiments négatifs. Les sentiments négatifs tels que la colère, la tristesse, la peur, le chagrin, la frustration, la déception, l'inquiétude, la gêne, la jalousie, la douleur, l'insécurité, et la honte sont non seulement naturels et inévitables, mais font partie intégrante du processus d'évolution de l'enfant. Ils ne sont nullement condamnables et ne doivent jamais être gardés pour soi.

C'est aux parents de définir le bon cadre pour que les enfants expriment ces tourments. Si de tels troubles sont toujours acceptables en soi, la question du moment, de l'endroit et de la manière de les dire est, en revanche, plus nuancée : les accès de colère constituent, certes, un passage obligé de la vie de l'enfant, mais ils ne doivent pas éclater n'importe où et n'importe quand. En même temps, l'enfant ne doit pas se sentir censuré, au risque que ses crises de rage ne se produisent juste au moment où vous êtes le moins en mesure d'y répondre.

Il est primordial de définir et d'approfondir de nouveaux modes de communication avec l'enfant afin qu'il sache lui-même analyser ses émotions. Faute de quoi il deviendra incontrôlable, refusera toute forme d'autorité, et demeurera sous l'emprise néfaste d'une détresse accumulée. Ce livre a également pour objet d'apprendre aux parents à gérer leur propre contrariété. Ce que taisent les parents, les enfants le reprennent souvent à leur compte, en plus de leur malaise à eux. C'est en vertu de ce principe que les enfants « choisissent » souvent le pire moment pour sortir de leurs gonds, c'est-à-dire dans des périodes de stress ou de fatigue que les parents prétendent dissimuler.

Selon l'éducation positive, les enfants ne doivent pas être tenus pour responsables des humeurs de leurs parents. Quand les enfants ont l'impression que leurs sentiments comme leur besoin d'écoute et d'affection constituent un poids pour leurs parents, ils en viennent à refouler leurs sentiments, à se composer une image artificielle pour faire bonne figure, et renoncent ainsi à tous les bienfaits que procure une attitude sincère et authentique.

Les parents « éclairés », ceux qui mesurent toute l'importance des sentiments, commettent souvent l'erreur de décrire de long en large les leurs. Le meilleur moyen de sensibiliser l'enfant au langage des émotions est encore de l'écouter et d'analyser avec lui les tenants et les aboutissants de ce qu'il ressent. La seule manière de faire partager ses sentiments négatifs consiste à raconter, sous forme d'histoires, comment l'on a soi-même tiré les enseignements de certaines épreuves de son enfance. En procédant autrement, on risque de charger l'enfant d'une lourde responsabilité. Il aura vite fait de se sentir coupable, et d'ignorer alors ses propres sentiments, ce qui l'amènera à se replier sur lui-même et à refuser de se confier.

Si vous lui dites, par exemple : « Quand tu grimpes à cet arbre, j'ai toujours peur que tu tombes », il aura l'impression de subir un chantage affectif. Il vaut mieux lui dire : « C'est toujours un peu dangereux de grimper dans les arbres. Tu n'as le droit de le faire que lorsque je suis dans les parages. » Non seulement c'est plus efficace, mais cela lui apprend à prendre des décisions autrement qu'en fonction d'émotions négatives. L'enfant suivra ces conseils non pour éviter à ses parents de se faire du souci, mais parce qu'ils lui auront demandé de faire quelque chose de précis.

Les parents peuvent aider les enfants à assimiler la gamme des sentiments humains en leur portant de l'attention, de la compréhension et de l'écoute, mais ils devront s'abstenir d'étaler leurs propres émotions. Parfois, le simple fait de demander tout de go à l'enfant ce qu'il ressent ou ce qu'il désire, c'est déjà lui donner trop de pouvoir. L'art d'écouter son enfant pour saisir la portée de ses attentes passe par l'acquisition de nouvelles techniques de communication. Celles-ci apprendront aux parents « permissifs » à ne pas se laisser déborder ou manipuler par des exigences, et montreront aux plus « autoritaires » comment leur attitude revient à rendre l'enfant coupable de leurs propres soucis.

En apprenant à analyser et à confier leurs émotions négatives, les enfants parviennent à se différencier de l'adulte, à prendre pleinement conscience d'eux-mêmes et à se découvrir peu à peu une mine de créativité, d'intuition, d'amour, d'envies, de confiance, de joie, de compassion, de convictions, comme la capacité à tirer les leçons de leurs erreurs. Toutes ces précieuses qualités, qui permettent aux individus de se faire une place dans ce monde et de réussir leur vie, reposent sur une bonne connaissance de ses sentiments comme sur la faculté de se débarrasser des plus négatifs d'entre eux. Les gens heureux ont tous leur lot de peine et de contrariété, mais c'est leur capacité de rebondir qui les préserve de l'abattement. La plupart des individus en situation d'échec personnel restent sourds à leurs sentiments profonds, fondent leurs décisions sur leurs émotions négatives, ou restent simplement embourbés dans des comportements défaitistes. Dans tous les cas, ils ne laissent aucune chance à leurs rêves de se réaliser.

4. On a le droit de réclamer davantage. On laisse trop souvent croire aux enfants qu'ils sont vilains, égoïstes et trop gâtés lorsqu'ils demandent plus que ce qu'ils ont déjà, ou se plaignent de ne pas obtenir ce qu'ils demandent. Les parents semblent bien plus soucieux de leur enseigner les vertus de la gratitude que de leur donner la permission de réclamer. « Contente-toi de ce que tu as » ne peut être une réponse satisfaisante.

Les enfants ne savent pas quelle est la limite à ce qu'ils peuvent demander, mais comment la connaîtraient-ils ? Nous autres adultes avons déjà bien du mal à fixer un plafond raisonnable à nos exigences pour ne pas paraître trop difficiles ou ingrats. Alors comment voudrait-on que nos rejetons s'y retrouvent ?

L'éducation positive apprendra aux enfants à formuler clairement leurs attentes sans pour autant manquer de respect envers leurs parents qui, pour leur part, sauront dire non autrement qu'en montant sur leurs grands chevaux. Les enfants oseront expliquer ce qu'ils veulent sans avoir peur de se faire gronder, mais comprendront également qu'il ne suffit pas de réclamer pour obtenir gain de cause.

S'ils ne se sentent pas libres d'exprimer leurs envies, les enfants ne sauront jamais ce qu'ils sont

39

en droit d'attendre. En outre, le fait de dire clairement ce qu'ils veulent leur enseigne avec brio l'art
de la négociation. Les adultes sont bien souvent de
piètres négociateurs. Ils n'osent demander que
lorsqu'ils sont sûrs d'obtenir un oui. Au premier
refus, ils repartent la queue entre les jambes, quitte
à se sentir abattus, amers ou franchement mécon-
tents.

Libre de demander ce qu'il veut, l'enfant peut
développer cette force intérieure qui lui permettra
de parvenir à ses fins. Plus âgé, il ne se satisfera pas
d'un non. En apprenant à négocier, il trouvera les
moyens de vous convaincre d'accéder à ses requêtes.
Il y a une grande différence entre céder aux caprices
d'un enfant pleurnicheur et se laisser convaincre par
les arguments d'un brillant négociateur. Les parents
« positifs » gardent d'un bout à l'autre le contrôle de
la négociation et savent fixer des limites à sa durée.

En autorisant l'enfant à demander davantage, vous
en ferez une personne déterminée et ambitieuse.
Trop de femmes se sont laissé marcher sur les pieds
faute d'avoir pu dire librement ce qu'elles attendaient
de la vie, ayant été élevées dans l'idée que les besoins
des autres passaient avant les leurs et que l'insatisfaction était une maladie honteuse.

Le plus grand service qu'un père ou une mère
puisse rendre à sa fille, c'est de lui apprendre
comment demander plus que ce qu'elle a déjà. De
nombreuses mères n'ont jamais eu cette chance. Si
bien qu'au lieu de dire clairement ce qui leur manque,
elles procèdent par des voies détournées consistant
à donner plus aux autres en espérant qu'ils leur rendront la pareille. Mais ce procédé porte rarement ses
fruits et les voue à une grande frustration.

Si les filles ont surtout besoin qu'on les aide à
exprimer leurs souhaits, les garçons ont surtout
besoin qu'on les aide à surmonter les refus. Bien
souvent, les parents tentent de freiner les ambitions

de leur fils dans le but de lui épargner les affres d'une déception. C'est refuser de comprendre qu'il importe moins d'atteindre ses objectifs du premier coup que de savoir admettre les revers pour mieux rebondir et persévérer. Tandis que les filles ont besoin d'encouragements pour apprendre à revendiquer, les garçons parviendront à analyser leurs sentiments et à surmonter leurs déceptions grâce à un soutien accru. Le mieux sera en l'occurrence d'analyser avec eux la succession des événements, tout en se gardant bien de leur donner des conseils ou de leur mâcher le travail. Car, à l'inverse, une attitude trop compatissante risque de les dissuader de confier leurs problèmes.

Les mères commettent souvent l'erreur de poser trop de questions. De nombreux garçons se braquent quand on les pousse à parler ou qu'on les abreuve de bons conseils. Dans ces moments difficiles où rien ne se passe comme prévu, le garçon n'a pas besoin qu'on en rajoute en lui disant comment il aurait dû s'y prendre ou en pointant du doigt ses erreurs.

Imaginons, par exemple, qu'il rentre à la maison fort dépité par une sale note. Sans penser à mal, sa mère lui reproche d'avoir trop regardé la télévision et de ne pas se donner les moyens de réussir.

Elle croit sans doute bien faire, mais elle ne fait que l'inciter à garder ses problèmes pour lui. Ces bons conseils, qu'il n'a pas sollicités, passeront au mieux comme une critique, au pire comme le signe qu'on ne le croit pas capable de résoudre ses problèmes tout seul.

5. On a le droit de dire non, mais il ne faut pas oublier que ce sont papa et maman qui décident. Si les enfants doivent effectivement pouvoir dire non, ils ne doivent pas croire pour autant qu'ils sont les rois à la maison. Ajoutée à la permission de ne pas se contenter de ce qu'ils ont et de négocier avec leurs parents, la possibilité de dire non constitue un réel pouvoir. La plupart des parents rechignent à leur conférer ce pouvoir de peur qu'ils ne deviennent trop gâtés. L'un des plus gros problèmes, avec les enfants d'aujourd'hui, c'est qu'ils jouissent d'une trop grande liberté. Si les parents ont fini par comprendre que les enfants avaient leur mot à dire, ils semblent y avoir laissé toute leur autorité. Résultat : à moins d'employer des techniques d'éducation positive telles que des temps morts réguliers pour maintenir un esprit de coopération, les gamins deviennent insatiables, égoïstes et irritables.

Laisser les enfants dire non ne veut pas dire céder à leurs moindres caprices. Ce n'est pas parce que l'on dit non que l'on obtient toujours gain de cause. Néanmoins, le simple fait d'être écouté et entendu rend l'enfant plus coopératif. Qui plus est, cette coopération devient possible sans que l'enfant ait besoin de s'autocensurer.

Il y a une grande différence entre le fait d'ajuster ses exigences et celui de les taire tout simplement. Ajuster ses demandes consiste à les rendre compatibles avec le point de vue des parents, alors que les taire revient à nier ses aspirations pour se soumettre totalement aux souhaits des adultes. Or la soumission brise la volonté de l'enfant. Un cheval bien dressé est certes obéissant, mais il a perdu tout esprit de liberté.

Le fait de briser la volonté de l'enfant fait d'eux des proies rêvées pour les dictateurs de tous poils. Une personne dépourvue de personnalité et incapable de penser par elle-même devient facilement manipulable. Sans une forte conscience de soi, un individu sera facilement entraîné dans des rapports d'exploitation ou de domination, victime de sa propre déconsidération et de sa peur de s'affirmer.

Ajuster ses désirs et envies s'appelle la *coopération,*

contrairement à *l'obéissance* qui revient en somme à courber l'échine. Le but de l'éducation positive n'est pas de créer des êtres obéissants, mais souples de caractère. Il n'est jamais sain pour un enfant de se plier les yeux fermés au bon vouloir de ses parents. Ceux qui sont obéissants se contentent d'appliquer les ordres. Ils restent donc passifs ; leur sensibilité ou leur réflexion n'est nullement sollicitée. Les enfants coopératifs mettent en revanche toute leur personnalité dans la balance, ce qui leur permet de s'épanouir pleinement.

Le but de l'éducation positive n'est pas de créer des enfants obéissants, mais coopératifs.

Les enfants coopératifs ont leurs exigences comme les autres, mais ils souhaitent par-dessus tout faire plaisir à leurs parents. Autoriser vos enfants à vous contredire n'est pas une forme de capitulation ; c'est au contraire une façon de mieux les maîtriser. Chaque fois que l'attitude récalcitrante de l'enfant se heurte à une fin de non-recevoir, vous lui faites comprendre que ce sont papa et maman qui décident. C'est pour cela qu'il est crucial de leur imposer des « temps morts », à l'image d'un entraîneur de basket qui demande une interruption à l'arbitre afin de faire le point avec ses joueurs. Ces moments de pause et de réflexion aident l'enfant à exprimer ses sentiments et son désaccord, mais lui imposent un effort d'introspection d'une durée déterminée. D'une manière générale, la durée nécessaire sera proportionnelle à son âge, à raison d'une minute par année de vie. Par exemple, un enfant de quatre ans aura besoin d'un temps mort de quatre minutes. Il n'en faudra pas plus pour qu'il redécouvre la sécurité que lui procure votre autorité. Les sentiments négatifs s'envoleront aussitôt, et l'enfant renouera avec le désir vertueux de faire plaisir et de coopérer.

Sans le savoir, les parents qui se montrent trop permissifs, ou ne recourent pas suffisamment aux temps morts, ne font que renforcer le sentiment d'insécurité de l'enfant. Celui-ci a beau se sentir grisé par le pouvoir, il n'est pas en mesure de l'assumer pleinement. Imaginez que l'on vous confie du jour au lendemain la mission d'embaucher deux cents travailleurs pour bâtir un immeuble en six mois. Ou que l'on vous amène un homme aux portes de la mort en vous demandant de l'opérer d'urgence pour déloger une balle. Si vous n'êtes pas rompu à ce genre d'exercices, vous n'en mènerez sûrement pas large. Quand un enfant a l'impression d'être le roi, il développe le même type d'anxiété, ce qui le rend d'autant plus difficile.

Un enfant capricieux aura davantage besoin de recul que les autres. Pour un adolescent gâté, le périmètre de sa chambre ne sera pas suffisant. Il sera bon de l'envoyer à l'étranger dans le cadre d'un projet humanitaire, en randonnée avec des scouts, ou dans la famille, chez un oncle, une tante, ou des grands-parents qu'il apprécie, afin qu'il se ressource et retrouve les bienfaits de l'autorité. Le placer sous la responsabilité de tierces personnes lui remettra les idées en ordre, lui rappellera combien ses parents comptent pour lui, et ranimera son envie de leur faire plaisir.

L'enfant se sent en sécurité
quand il se sent écouté,
mais qu'il a conscience de ne pas être le chef.

Chez tous les enfants, un instinct prédomine : satisfaire leurs parents. Les techniques de communication positive renforceront cet instinct dans le sens d'une plus grande coopération. Pour que cette attitude avenante ne vire pas à la soumission pure et simple, il faut leur permettre de dire non. C'est par cette faculté de résistance qu'ils développeront leur propre personnalité.

Les enfants privés de ce droit manifesteront une attitude excessivement rebelle au moment de la puberté. Bien que l'adolescent ait plus que jamais besoin du soutien parental pour franchir cette étape délicate de son existence, il prendra systématiquement le contre-pied de ses parents s'il n'a jamais eu l'occasion d'affirmer son propre caractère.

Beaucoup considèrent cette rébellion comme un passage obligé. Mais cela n'est vrai que si l'enfant n'a pas été suffisamment soutenu dans sa prime enfance – s'il n'a jamais pu dire non et par là même forger son caractère. Si les enfants ayant appris à coopérer librement prennent effectivement quelque distance au moment de l'adolescence, ils demeurent néanmoins réceptifs à l'amour et à l'attention que vous leur témoignez.

L'éducation positive permet également d'améliorer la communication avec ceux qui n'auront pas été élevés dans l'esprit des cinq messages fondamentaux. Car il n'est jamais trop tard pour devenir d'excellents parents.

UNE VISION CLAIRE DES POSSIBILITÉS QUI S'OFFRENT À VOUS

Pour efficaces qu'ils soient, les cinq messages de l'éducation positive ne rendront jamais la tâche de parent facile. L'éducation des enfants est un art qui s'apprend sur le terrain. Vous devrez sans cesse repousser vos limites. Aussi performant que vous soyez, vous vous retrouverez sans cesse plongé en territoire inconnu, vous demandant : « Et maintenant, comment faire ? » Vous devrez avoir une vue d'ensemble des possibilités qui s'offrent à vous. Le présent ouvrage vous guidera tout au long du parcours. Quand vos efforts vous paraîtront vains ou que vous serez à court d'idées pour débloquer une situation donnée, vous pourrez réviser les cinq messages de l'éducation positive. Ils vous permettront de combler vos lacunes et de prendre les bonnes décisions.

Nous ne sommes guère préparés à assumer avec brio notre rôle de parents. Nous nous retrouvons du jour au lendemain confrontés à l'énorme responsabilité de prendre soin d'un être vulnérable, et nous n'y excellons pas toujours. Même si nous savons qu'il vient du paradis et qu'il porte en lui les germes de son destin, il reste que son avenir est littéralement entre nos mains. La manière dont nous l'élèverons influera de façon déterminante sur sa capacité de réaliser pleinement son potentiel.

Si la tâche de parent est extrêmement ardue, sachez que le jeu en vaut toujours la chandelle. Les parents ne « démissionnent » que lorsqu'ils ne savent plus comment s'y prendre ou qu'ils ont l'impression que leurs actions ne font que jeter de l'huile sur le feu. L'étude attentive de ces cinq principes faciles à comprendre (mais moins faciles à retenir) vous rappellera que vos enfants ont besoin de vous, et qu'en procédant à quelques ajustements vous parviendrez toujours, au bout du compte, à répondre à leurs attentes.

Surtout, dites-vous que vous êtes irremplaçables, que personne ne pourra jamais faire aussi bien à votre place. Les enfants viennent du paradis, mais ils sont aussi le sang de votre sang, et à ce titre vous leur êtes indispensables. Apprendre à devenir un bon parent est le meilleur service que vous puissiez rendre à votre famille. Les parents étrangers à

46

l'éducation positive ne mesurent pas combien ils comptent pour l'enfant et pour son bien-être. Et passent ainsi, comme leurs enfants, à côté d'une chose merveilleuse.

Si le métier de parent est le plus difficile au monde, il est également le plus gratifiant. C'est à la fois une lourde tâche et un grand honneur. En mesurant à quel point l'enfant a besoin de nous et combien nous pouvons l'aider, nous déploierons des efforts pour le bien-être de notre famille qui nous procureront une grande fierté.

En adhérant activement aux principes de l'éducation positive, vous devenez les valeureux pionniers d'un nouveau monde, qui offre aux enfants des opportunités de réussite que vous-mêmes n'avez jamais eues.

Faire du présent ouvrage votre livre de chevet ne vous empêchera pas de commettre certaines erreurs, mais ces dernières vous permettront d'inculquer à vos enfants la vertu du pardon. Nous ne pouvons pas toujours satisfaire les envies ou les besoins de nos enfants, mais nous pouvons leur apprendre à tirer parti de leurs déceptions pour devenir plus forts et plus confiants. Vous ne répondrez pas toujours présents lorsqu'ils auront besoin de vous, mais vous saurez réagir pour panser leurs plaies, en redoublant d'efforts pour qu'ils se sentent de nouveau pleinement aimés et soutenus. En appliquant les cinq messages de l'éducation positive et en vous rappelant que les enfants viennent du paradis, vous leur offrirez les meilleures chances de réaliser leurs rêves, ce qui est, en définitive, le but que recherchent tous les parents.

CHAPITRE 2

Ce qui fait l'efficacité des cinq messages

Pour mettre en œuvre les cinq messages de l'éducation positive, il faut savoir qu'ils ne fonctionnent pas dans n'importe quelles conditions. Ils resteront vains si nous persistons à contrôler nos enfants par la fessée, la punition, ou la culpabilité. Les méthodes fondées sur la peur empêchent l'enfant d'être sensible aux techniques positives. Si nous ne parvenons pas à remplacer les sanctions par des méthodes favorisant la coopération et la motivation de l'enfant, les cinq messages resteront lettre morte. Il ne suffit pas de renoncer à la punition ; encore faut-il disposer d'une stratégie alternative.

L'éducation fondée sur la peur rend les enfants imperméables à cette méthode. Vous devrez y renoncer une fois pour toutes. Celle qui consiste à faire un pas en avant, un pas en arrière ne fonctionne pas. On ne peut à la fois traiter ses enfants comme des êtres innocents afin qu'ils donnent le meilleur d'eux-même, et leur donner la fessée à la moindre bêtise.

On ne peut à la fois traiter ses enfants comme des êtres innocents afin qu'ils donnent le meilleur d'eux-mêmes, et leur donner la fessée à la moindre bêtise.

Si nous voulons que nos enfants se fassent une bonne idée d'eux-mêmes, nous devons cesser de les culpabiliser. Si nous voulons qu'ils se sentent en sécurité, nous devons cesser de les tenir par la peur. Si nous voulons qu'ils respectent les autres, nous devons d'abord leur accorder tout le respect qu'ils méritent. Les enfants apprennent par l'exemple. Élevés dans la violence, ils auront tendance à reproduire cette violence, en se montrant cruels ou insensibles dès qu'ils se sentiront déstabilisés.

LA PRESSION QUE SUBISSENT LES PARENTS

Depuis l'apparition de la psychologie occidentale, nous savons combien notre petite enfance influe sur nos succès futurs. Notre capacité de réussir ce que nous entreprenons ainsi que notre aptitude au bonheur dépendent des circonstances et conditions qui ont présidé à notre éducation. Si cette vérité nous semble aujourd'hui évidente, c'était loin d'être le cas il y a cinquante ans encore.

Autrefois, on attachait peu d'importance au genre d'éducation que l'on dispensait aux enfants. On attribuait le succès et la réussite principalement à l'hérédité, aux origines sociales, au travail, au caractère, à l'appartenance religieuse, ou tout simplement à la chance. Dans les cultures orientales, qui adhéraient souvent au concept de vies antérieures, le précédent karma était considéré comme le facteur prédominant. Si l'on s'était bien comporté dans une vie précédente, alors le présent regorgeait de promesses.

Si de tous temps les parents ont aimé leurs enfants, ce n'est que depuis peu qu'ils s'attachent à transcrire cet amour dans leurs méthodes éducatives. Après cinquante ans de psychologie appliquée, nous avons compris que la manière dont les parents manifestent leur amour fait toute la différence. Seulement, comprendre le rôle clé de l'enfance charge les parents d'aujourd'hui d'une lourde responsabilité. Et cette pression qui vise à les transformer en parents modèles les induit, hélas, souvent en erreur.

Les parents ont ainsi facilement tendance à vouloir donner toujours plus. Mais le « plus » en question s'avère souvent contre-productif : plus d'argent, de jouets, de loisirs, de soutien, de louanges, de temps, de responsabilités, de liberté, de discipline, de surveillance, de punitions, de permission, de communication, etc. Les enfants d'aujourd'hui n'ont pas forcément besoin de toutes ces choses en plus grande quantité. Comme bien souvent, qui dit plus ne veut pas dire mieux. Les enfants n'ont pas tant besoin d'obtenir *plus* que d'obtenir des choses *différentes*. Notre mission consiste à développer une approche différente de celle de nos aînés.

RÉINVENTER LE MÉTIER DE PARENT

Un défi majeur nous est lancé : réinventer l'éducation des enfants. Il devient de plus en plus évident que notre rôle de parents ne consiste pas tant à modeler nos enfants en adultes responsables et épanouis, qu'à nourrir et à faire fructifier ce qu'ils portent déjà en eux. En chacun d'eux se trouvent les germes de la réussite. Notre mission consiste dès lors à leur offrir un environnement sain et fertile qui leur donnera toutes les chances de réaliser pleinement leurs potentialités.

50

Les techniques d'antan ne sont guère adaptées aux enfants d'aujourd'hui. Ceux-ci sont plus sensibles qu'autrefois, et cette nouvelle conscience de soi induit de nouveaux besoins. Chaque génération cherche à résoudre les problèmes du passé, tandis que de nouveaux enjeux voient le jour.

Pour réussir ce que nous entreprenons, nous devons sans cesse nous adapter à cette nouvelle donne : face aux nouveaux besoins de l'enfant, nous devons passer d'une éducation reposant sur la peur à une éducation fondée sur l'amour.

L'éducation positive marque le passage
d'une éducation basée sur la peur
à une éducation fondée sur l'amour.

L'éducation positive emprunte de nouvelles voies pour motiver les enfants à force d'amour, et non à coup de sanctions, de brimades ou de chantage affectif. Aussi évident que cela puisse paraître, c'est une approche radicalement nouvelle. Car l'éducation fondée sur l'amour contrecarre nos habitudes dès que nous avons l'impression – ou la peur – de perdre le contrôle de la situation.

Notre approche repose donc sur l'art de motiver les enfants sans devoir recourir aux menaces. Tous les parents connaissent cette réaction machinale qui consiste à dire : « Si tu continues, je vais faire ci ou ça », ou encore la vieille rengaine du : « Si tu refuses de m'écouter, je le dirai à ton père quand il rentrera. » Qu'on le veuille ou non, nous avons tous tendance à jouer sur la peur pour canaliser nos enfants. De nombreux professeurs brandissent l'épouvantail de la sélection à l'entrée de l'université pour obtenir le meilleur de leurs élèves. Mais cette pression ne fait qu'accroître le stress et l'anxiété de nos enfants. Certains se retrouvent ainsi à préparer leurs études supérieures dès le cours primaire !

Renoncer aux fessées, aux menaces, et aux sanctions part d'un bon sentiment, mais quand votre enfant piquera une colère dans une file d'attente et que tout l'amour du monde ne suffira pas à le raisonner, vous ne verrez pas d'autres solutions que de recourir à ces méthodes « éprouvées ». Quand il tardera à s'habiller pour partir à l'école ou qu'il refusera de se brosser les dents avant de se coucher, vous y viendrez automatiquement pour le faire obtempérer. Vous le ferez sûrement à contrecœur, mais vous y serez bien obligés, faute de mieux. Et cela durera tant que vous n'aurez pas assimilé les techniques d'éducation positive que nous allons bientôt expliquer.

Quand votre enfant pique une colère
dans une file d'attente, les menaces
ou une bonne fessée semblent
être l'unique solution.

Nous ne pourrons nous défaire des vieilles méthodes d'éducation que lorsque nous aurons trouvé des alternatives vraiment fiables. Vous ne renoncerez aux approches fondées sur la peur que lorsque vous saurez éveiller et tirer parti de l'inclination naturelle de votre enfant à coopérer et à satisfaire vos attentes.

UNE BRÈVE HISTOIRE DE L'ÉDUCATION PARENTALE

Dans l'Antiquité, on traitait les enfants comme on n'oserait aujourd'hui traiter les bêtes. Quand ils avaient le malheur de désobéir à leurs parents, **ils** étaient durement battus ou punis, parfois même assassinés. Des vestiges de sépultures romaines vieilles de deux mille ans ont révélé les corps de centaines de milliers de jeunes garçons battus, mutilés ou tués par leurs pères pour avoir osé leur tenir tête. Avec le temps, nous avons heureusement renoncé à des pratiques aussi extrêmes.

Aujourd'hui, la plupart des parents ne recourent à la violence physique qu'en dernier ressort, quand ils ont épuisé les autres solutions ou qu'ils finissent par perdre leur sang-froid. Mais l'héritage du passé a la peau dure. Même dans les foyers les plus tranquilles, il est fréquent d'entendre un enfant dire « Si tu fais ça, je te tue », ou bien « Tu vas te faire tuer ! ». Si, de toute évidence, il ne s'agit là que d'expressions imagées, elles prouvent néanmoins que la menace demeure une arme courante pour maintenir l'ordre.

Certains parents persistent à croire que les enfants ont besoin de fessées. À ce titre, il me revient en mémoire une terrible anecdote. Il y a dix ans, j'ai eu une longue discussion avec un chauffeur de taxi yougoslave. Il m'expliquait que les problèmes des États-Unis venaient de ce que nous étions trop tendres avec nos bambins, puisque nous refusions de les battre. Je lui demandai s'il avait lui-même été battu dans sa jeunesse. Il me répondit fièrement que oui, ajoutant que cela leur avait permis, à lui comme à ses enfants, de devenir des gens biens. Aucun d'entre eux n'avait jamais passé la nuit en prison. Il me dit qu'enfant, il ne se passait pas un jour sans que son père ne le frappe. Et il lui en était infiniment reconnaissant. Il m'assura que cette pratique était courante dans son pays, et qu'elle l'avait empêché de sombrer dans la délinquance.

Cette réaction psychologique est impressionnante, mais somme toute fréquente. Bien souvent, les enfants battus se sentent encore plus proches de leurs bourreaux. À la longue, ils en viennent à justifier les coups en se disant qu'ils les méritent. Au lieu de s'estimer martyrisés, ils défendent leurs parents. Plus tard, ils considèrent à leur tour que leurs enfants méritent le même sort. Voilà pourquoi certains auront tant de mal à se convertir aux méthodes de l'éducation positive. Ils resteront attachés aux techniques fondées sur la peur, car ils auront grandi dans l'idée que la punition est la norme. Convaincus de tout devoir au « dressage » qu'ils auront subi, ils réserveront le même sort à leur progéniture. Il n'est pas rare d'entendre un enfant battu dire : « J'étais tellement méchant qu'il fallait qu'on me frappe. »

---

*Les enfants battus développent
une forte dépendance affective vis-à-vis
de leurs bourreaux, ce qui les amène
à cautionner tous leurs abus.*

Il est certain que nombre de parents ayant été battus dans leur enfance reconnaissent le caractère inique de ces méthodes, et n'y recourent qu'en désespoir de cause. Ils n'aiment pas donner la fessée ou infliger des punitions, mais ils n'ont pas d'autres choix. D'aucuns renonceront définitivement à lever la main sur l'enfant, mais perdront du coup toute emprise sur lui, ou le verront développer certains troubles du comportement. Pour en finir avec la violence et la punition, il faut trouver des méthodes performantes pour contenir ses enfants et susciter leur coopération.

QUI SUBIT LA VIOLENCE LA REPRODUIT

Comme de nos jours les enfants sont réceptifs, sensibles, et ouverts, ils ne sauraient garder pour eux la violence dont ils sont victimes. Soyez assurés qu'un enfant élevé dans la peur et la culpabilité, à coup de menaces et de sanctions, usera des mêmes procédés pour se faire entendre et obtenir ce qu'il demande. Tout ce que nos sociétés contemporaines connaissent de pathologies sociales et de violences domestiques résulte de cette incapacité à répondre aux émotions humaines autrement que par la force.

Quand il était de mise de ravaler ses sentiments, la violence et la punition faisaient l'affaire. Mais ce temps-là est révolu. Les parents sont à présent plus attentifs et réfléchis, à l'image de leurs enfants. Si nous ne changeons pas profondément notre façon d'exercer notre autorité, ils seront de plus en plus violents et leurs troubles comportementaux iront *crescendo*. Soit ils développeront une attitude rebelle et agressive, soit ils retourneront cette violence contre eux-mêmes en se dévalorisant. Ils détesteront les autres ou eux-mêmes, quand ce ne sera pas les deux à la fois.

Les enfants exposés à la violence détestent les autres ou se détestent eux-mêmes.

Je ne puis m'empêcher de rire quand j'entends quelques experts me rétorquer qu'aucune étude scientifique n'a démontré que la fessée rendait les enfants violents. Déjà, du temps de mes premiers séminaires *Les hommes viennent de Mars, les femmes viennent de Vénus*[1], il y a plus de quinze ans, ils me demandaient :

– Sur quelles études vous appuyez-vous pour affirmer que les hommes et les femmes sont différents ?

Ce n'était pour moi qu'une simple question de bon sens.

---

1. Paru aux éditions Michel Lafon.

La science est très utile pour élargir le champ de nos connaissances, mais quand nous ne jurons plus que par elle, au point de perdre tout bon sens, c'est que nous sommes allés trop loin. La recherche scientifique devient dès lors aussi dangereuse que les superstitions dont elle nous a délivrés. Heureusement, tous les chercheurs ne sont pas bornés au point de réfuter les plus criantes vérités.

Quand nous ne jurons plus que par la science,
au point de perdre tout bon sens,
c'est que nous sommes allés trop loin.

Outre l'évidence de cette idée de violence contagieuse, de nombreuses études ont montré que le simple spectacle de la violence induisait à lui seul des comportements violents. Après les émeutes de Los Angeles en 1989, on projeta devant plusieurs groupes d'enfants un film de trois minutes retraçant ces événements. Ils furent ensuite emmenés dans une pièce contenant à la fois des jouets « violents » et des jouets « non violents ». Après avoir dit au premier groupe que les scènes du film avaient été simulées par des acteurs, on constata qu'ils se tournaient davantage vers les jouets éducatifs ou inoffensifs que vers les jeux violents. En revanche, ceux qui savaient que les images étaient tout à fait réelles se tournèrent à la quasi-unanimité vers les jouets violents, et de nombreuses disputes éclatèrent. Avoir assisté à d'authentiques scènes de rixes sanglantes développait clairement leur agressivité.

Par ailleurs, un enfant ne sait ce qu'est la fiction avant l'âge de quatorze ans. Même si on lui dit que ses héros télévisés font semblant de s'entre-tuer, il ne s'en souviendra pas. Et quand bien même il s'en souviendrait cinq ou dix minutes plus tard, il présentera les mêmes réponses émotionnelles que si le spectacle était bien réel. Avant un certain stade de développement cognitif, les impressions de l'enfant ont pour lui valeur de vérité. Si bien que les enfants exposés à des images de violence ou de délinquance auront plus de mal que les autres à développer des sentiments d'innocence, de sérénité, et de sensibilité.

Les enfants relativement préservés de la violence et de la cruauté montrées à la télévision sont sans conteste plus calmes, plus confiants, et plus sereins que les autres.

Quand un parent décide que son enfant peut voir un film, mais qu'au fond de lui un doute subsiste, il sera plus sage d'attendre que le long métrage sorte en vidéo. Visionné sur petit écran, dans une salle de séjour avec la lumière allumée, il aura moins d'impact que projeté dans l'obscurité d'une salle de cinéma. Le grand écran permet à l'adulte de mettre son discernement entre parenthèses pour se laisser totalement porter par une histoire et les émotions qu'elle provoque. Les salles de cinéma sont conçues pour permettre aux adultes de s'évader dans une autre dimension, de perdre provisoirement leur recul pour adhérer à une autre réalité. Alors qu'il s'agira au contraire, pour nos enfants, de leur rappeler sans cesse le caractère fictif de ce qu'ils regardent.

Un excès de télévision ou de cinéma, même dépourvus de violence, sera chez l'enfant une source de surexcitation, et l'une des causes les plus fréquentes de dissipation ou d'énervement. N'oublions pas que les enfants fonctionnent avant tout par mimétisme. Ils reproduisent ce qu'ils voient. Une stimulation sensorielle excessive les rendra irritables, insatiables, lunatiques, susceptibles, pleurnicheurs et réfractaires.

Pourtant, les plus grands pourfendeurs de la violence télévisée sont souvent les mêmes qui prétendent élever leurs enfants à coup de menaces et de sanctions. Ils n'ont raison qu'en partie. S'il est certain que la violence véhiculée par les médias exerce un fort impact sur le comportement de nos jeunes, celui-ci reste secondaire par rapport à l'influence des parents et de leurs choix éducatifs.

**L'influence des parents reste bien supérieure
à celle de la télévision.**

Quand les enfants grandissent avec l'idée qu'ils sont mauvais et qu'ils méritent d'être punis, ils sont d'autant plus vulnérables aux méfaits de la violence-spectacle. À l'inverse, si les enfants élevés loin des fessées, des punitions, et de la culpabilité ne sont jamais immunisés contre les images violentes, elles susciteront chez eux une moins grande fascination.

Certes, les parents doivent veiller à préserver leurs enfants d'une surconsommation de sexe et de violence. Pour autant, nous ne pouvons tenir Hollywood pour responsable de tous les maux de la jeunesse. L'industrie cinématographique ne nous propose que ce que nous voulons bien voir. Les enfants resteront friands de violence tant qu'ils seront élevés dans la peur et la culpabilité.

QUAND LES ENFANTS DEVIENNENT RÉFRACTAIRES ET TURBULENTS

Les raisons pour lesquelles nos écoliers se montrent si agités, indisciplinés, irrespectueux, et violents ne sont guère un mystère. L'agressivité physique et morale qu'ils subissent à la maison entraîne chez les garçons une hyperactivité que l'on qualifie de déficit d'attention. Les filles, quant à elles, retournent cette agressivité contre elles-mêmes en se dévalorisant ou en devenant boulimiques.

Visitez n'importe quelle prison, et vous verrez que ceux qui purgent une peine pour meurtre ou violence aggravée ont pour la plupart été sévèrement punis ou battus dans leur enfance. Mais l'éducation fondée sur la peur ne peuple pas seulement les prisons. Elle remplit les cabinets psychiatriques de millions de personnes dépressives, angoissées, apathiques, et autres.

À l'inverse, nombre d'enfants difficiles et instables paient le prix d'une éducation dite « douce ». Les parents conservateurs ont raison de se méfier de ces méthodes prétendument modernes. Bien qu'elles reposent à juste titre sur le principe d'amour, les techniques qu'elles préconisent mènent droit à l'impuissance. La liberté et le pouvoir que les cinq principes procurent aux enfants doivent être contrebalancés par des moyens tout aussi efficaces de garder le contrôle et de susciter la coopération. Pour rouler vite, il faut s'assurer d'avoir de bons freins. Accorder plus de liberté aux enfants n'a de sens que si l'on sait imposer dès le départ certains garde-fous.

Vous ne pouvez accorder plus de liberté
à vos enfants que si vous êtes en mesure
de leur imposer des garde-fous.

De nombreux parents ayant connu la maltraitance se sont jurés de ne jamais frapper, gronder, ou punir leurs propres enfants. Premiers témoins de l'inefficacité de ces méthodes, ils ont choisi d'y renoncer. Le seul problème, c'est qu'ils n'ont pas su comment leur substituer d'autres techniques. Bien souvent, le fait de renoncer à inculquer toute forme de discipline finit par corrompre les enfants. Dès lors, ce type d'éducation « permissive » est aussi peu convaincant que les vieilles approches coercitives.

Le renoncement à la peur ne porte ses fruits que si l'on dispose d'une méthode de rechange plus efficace. Si les enfants d'aujourd'hui expriment de nouvelles attentes, ils ont toujours besoin de l'autorité parentale. Autrement, vous aurez beau leur offrir tout l'amour du monde, ils n'en feront jamais qu'à leur tête.

L'éducation positive préconise l'usage de temps morts, adaptés à l'âge de l'enfant, au lieu des fessées et des punitions. Mais ces moments particuliers ne seront qu'un dernier recours. De nombreuses autres techniques devront être tentées avant d'en arriver là. Autrement, le temps mort devient à son tour une menace comme les autres et perd tout son rendement.

L'éducation positive préconise l'usage des temps morts au lieu des fessées et des punitions.

Au moment où nous nous apprêtons à renoncer à la peur et à la culpabilité pour élever nos enfants, posons-nous une bonne fois la question suivante : au nom de quoi un individu mérite-t-il d'être battu ou moralement blessé parce qu'il a commis une erreur ? Personne ne mérite jamais d'être puni. Tout le monde au contraire mérite d'être aimé et soutenu. La punition a toujours constitué une injustice, bien qu'elle ait longtemps été l'unique moyen dont disposaient nos parents pour asseoir et maintenir leur autorité. Les sanctions et les coups leur permettaient d'avoir le dernier mot et obligeaient leurs rejetons à se tenir à carreau. Aujourd'hui, la violence physique ou morale produit exactement l'effet inverse.

Si, par le passé, la punition permettait
aux parents d'asseoir leur autorité,
elle produit aujourd'hui l'effet inverse.

Si vous persistez à croire fondé le recours à la punition, posez-vous la question suivante : s'il existait de meilleurs outils que la peur, la punition, et la culpabilité pour parvenir à ses fins, seriez-vous prêt à les essayer ? Je suis sûr que oui. Nous nous raccrochons à ces vieilles méthodes seulement parce que nous n'en connaissons pas d'autres. Vous verrez que les différentes techniques exposées dans cet ouvrage sont non seulement sensées, mais réellement efficaces. C'est tout l'intérêt de ce livre. Notre but n'est pas tant de mener une étude comparée des grandes théories éducatives que de vous offrir une approche alternative immédiatement opérationnelle.

Des milliers de personnes ayant suivi mes séminaires ou participé à mes ateliers ont tiré de cette approche de formidables résultats. Car non seulement elle marche, mais elle vous permet d'agir en harmonie avec votre cœur. Alors, dès aujourd'hui, laissez-vous guider par votre cœur et votre bon sens, et découvrez enfin les vertus de l'éducation positive.

UNE PRISE DE CONSCIENCE COLLECTIVE

La psychologie occidentale s'est développée au cours du XXe siècle en réponse aux nouveaux besoins de la conscience collective. Auparavant, on se souciait peu des tourments de l'âme humaine. Il s'agissait avant tout de survivre et d'assurer la sécurité des siens. La plupart des gens ne se demandaient même pas ce qu'ils ressentaient dans leur cœur. Et peu savaient définir leurs besoins psychologiques et affectifs.

Les enfants sont en première ligne dans ce bouleversement des mentalités. Les miens se montrent souvent plus au fait de leurs propres attentes et aspirations que moi des miennes. Les notions d'amour, de compassion, de coopération, et de pardon ne sont plus de lointains concepts réservés aux élites intellectuelles ou spirituelles, mais font partie intégrante de notre quotidien.

À mesure que progresse la conscience de l'humanité, notre esprit se développe, tout comme notre intelligence. Quand les hommes sont incapables de distinguer le bien du mal, il faut leur imposer de nombreuses règles, et se doter d'une large panoplie de sanctions pour les faire respecter. Mais dès lors que l'être humain dispose d'une conscience, la punition devient un outil obsolète. Plutôt que d'enseigner ce qui est bien et ce qui est mal, l'éducation positive vise à développer la faculté innée de l'enfant à faire lui-même la part des choses.

Au lieu de dire à vos enfants ce qui est bien et ce qui est mal, apprenez-leur à faire d'eux-mêmes la part des choses.

Avoir une conscience, c'est être capable de discerner par soi-même le bien du mal. C'est un peu comme si nous étions équipés d'une boussole interne nous indiquant en permanence la direction à suivre. Notre conscience est capable de nous guider même si nous ne connaissons pas le chemin à l'avance, et que certaines questions demeurent sans réponse. Autrefois, certains la décrivaient comme une voix intérieure. De nos jours, nous dirions plutôt : « Quelque chose me dit que... » ou encore « Je sens que... ».

Nos sentiments sont des portes ouvertes sur notre esprit. Les individus psychorigides se contentent de suivre les règles établies et de condamner ceux qui s'en écartent. Ceux qui savent écouter leur cœur trouvent par eux-mêmes ce qui est bon pour eux. Appliquée au monde qui nous entoure, cette forme de connaissance intérieure se nomme l'intuition. Appliquée à un problème donné, elle s'appelle la créativité. Appliquée à nos relations affectives, cette force est notre capacité d'aimer (ou de reconnaître la valeur de l'autre) sans préalable, ainsi que de pardonner. S'il est certes important de développer l'esprit des enfants, le plus grand service que nous puissions leur rendre est encore de développer leur conscience.

Aujourd'hui les enfants naissent avec la faculté de développer leur propre conscience. Mais cette nouvelle sensibilité peut également induire des attitudes d'autodestruction s'ils demeurent soumis aux vieilles recettes autoritaires fondées sur la peur. Quel que soit le traitement qu'on leur réserve, il se répercute toujours soit sur leur relation à autrui, soit sur le sort qu'ils se réservent eux-mêmes.

Les enfants d'aujourd'hui réagissent
aux méthodes autoritaires par une attitude
d'autodestruction.

Les méthodes de l'éducation positive éveillent cette aptitude chez l'enfant de se forger lui-même sa conscience. Un enfant animé d'une forte conscience sera sage et raisonnable, sans pour autant obéir aveuglément aux ordres qui lui seront donnés. Il respectera les autres non par contrainte, mais par plaisir. Il sera capable et désireux de négocier. Il saura penser par lui-même. Il n'aura pas peur de se mesurer aux figures de l'autorité. Il se montrera créatif, coopératif, compétent, confiant, fera montre de compassion et d'amour. En apprenant et en appliquant les méthodes de l'éducation positive, non seulement les parents se faciliteront la tâche, mais ils permettront à leurs enfants de s'épanouir pleinement. Et il n'y a pas de plus belle récompense dans la vie que de les voir réaliser leurs rêves et se sentir bien dans leur peau.

CHAPITRE 3

De nouvelles techniques pour susciter la coopération

Plus tôt vous découvrirez les vertus de l'éducation positive, et plus il vous sera facile de renoncer aux vieilles recettes. Donnez-vous rien qu'une semaine pour mettre en pratique les idées proposées dans ce chapitre, et vous ne voudrez plus jamais revenir en arrière. Attention : vos efforts seront vains si vous recommencez à menacer ou à punir vos enfants. À mesure que vous progresserez, vous verrez que vos enfants deviendront soudain merveilleusement conciliants, et ce, quel que soit leur âge. Même les adolescents répondront positivement à ce changement de cap. Ce processus nécessite un peu plus de temps lorsque les enfants ont été habitués à se soumettre à la peur et aux sanctions, mais les résultats seront toujours au rendez-vous. Il n'est jamais trop tard pour adopter les techniques de l'éducation positive. En outre, elles vous permettront bien souvent de mieux communiquer avec votre conjoint.

SACHEZ DEMANDER SANS DONNER D'ORDRE

Amener l'enfant à coopérer, c'est faire naître en lui la volonté d'écouter et de répondre à vos requêtes. La première étape consistera à apprendre à le diriger plus efficacement. Donner des ordres en permanence ne marche pas. Aimeriez-vous que votre patron soit sans cesse derrière vous à vous dire quoi faire ? Un enfant reçoit des centaines d'ordres par jour. On comprend mieux, dès lors, pourquoi tant de mères se plaignent de ne jamais être écoutées. Ne finiriez-vous pas par ignorer purement et simplement une personne sans cesse sur votre dos ?

Songez un instant à la quantité de consignes comminatoires qu'un enfant reçoit dans sa vie : « repose ça tout de suite, ne laisse pas ça là, ne parle pas comme ça à ton frère, cesse de frapper ta sœur, fais tes lacets, boutonne ta chemise, va te laver les dents, éteins la télé, viens à table, rentre ton tee-shirt dans ton pantalon, mange tes légumes, utilise ta fourchette, ne joue pas avec la nourriture, arrête de parler, range ta chambre, nettoie ce bazar, tais-toi, mets ton pyjama, va te coucher, va chercher ta sœur, ne cours pas, ne lance pas tes jouets, fais un peu plus attention, ne fais pas tomber ce vase, cesse de crier » – et ainsi de suite. À ce jeu, les parents s'épuisent, et l'enfant renonce à écouter. Les ordres à répétition ne font qu'affaiblir la communication.

L'éducation positive propose de substituer aux exigences et au harcèlement le bon usage de la question et de la requête. Ne préféreriez-vous pas que votre patron (ou votre conjoint) vous *demande* de faire des choses, au lieu de vous *dire* de les faire ? Vous réagiriez sûrement mieux, et c'est pareil pour vos enfants. Cette inflexion est relativement simple, mais elle demande beaucoup d'entraînement. Par exemple, au lieu de dire « Va te brosser les dents », dites « Tu veux bien te brosser les dents ? ». À la place de « Cesse de frapper ton frère », dites : « Veux-tu bien cesser de le frapper ? »

REMPLACEZ LE « PEUX-TU ? » PAR « VEUX-TU ? »

En formulant vos requêtes, veillez à employer les mots « Veux-tu ? » ou « Voudrais-tu ? » à la place des « Peux-tu ? » ou « Pourrais-tu ? ». « Tu veux bien ? » fonctionne à merveille, tandis que les dérivés du verbe pouvoir sont source de confusion et de résistance. Lorsque vous dites : « Tu veux bien ranger ta chambre ? » vous lui demandez de faire quelque chose. Tandis que la question : « Pourrais-tu ranger ta chambre ? » est plus de l'ordre de la compétence. Elle revient à dire : « Es-tu capable de ranger cette chambre ? » Pour obtenir la coopération de votre enfant, vous devrez être tout à fait clairs et précis en formulant vos demandes. La première règle sera d'exprimer votre requête de manière à ce qu'elle induise l'idée de coopération.

Il n'y a aucun problème à dire « Est-ce que tu peux ranger ta chambre ? » si votre question porte effectivement sur la compétence de l'enfant. Mais si votre intention est de l'amener à faire quelque chose, soyez plus directs. La plupart du temps, ce « Peux-tu ? » s'apparente à un ordre empreint d'une certaine gêne. En outre, il ne fait souvent que reproduire machinalement les « Peux-tu ? » que le parent a lui-même connus enfant. Si cette nuance entre vouloir et pouvoir peut paraître anecdotique, sachez qu'elle fait toute la différence quand il s'agit de stimuler la volonté coopérative de votre progéniture.

« Pourrais-tu ranger ce bazar ? » n'est pas une requête ; ce n'est qu'un ordre chargé de non-dits.

Quelle que soit son intention première, lorsqu'un parent exprime d'un air ennuyé, agacé, déçu, ou mécontent une question en forme de « Peux-tu ? » ou de « Pourrais-tu ? », l'enfant peut y entendre de nombreux messages indirects. Dans l'exemple de « Pourrais-tu ranger ce bazar ? », voici tout ce que l'enfant est susceptible de comprendre :

- Tu devrais ranger ce bazar.
- Tu aurais déjà dû ranger ce bazar.
- Je ne devrais pas avoir à te le demander.
- Je t'ai déjà dit que tu devais ranger ce que tu défaisais.
- Tu ne fais pas ce que je te demande.
- On ne fait plus ça à ton âge.
- Tu me rends la vie dingue.
- Tu ne tournes pas rond.
- Je suis débordé(e) et je ne peux pas tout faire.

Même si aucun de ces messages n'est voulu, votre enfant aura très bien pu les entendre. Tous ces sous-entendus jouant sur la culpabilité réduisent à néant vos chances de réussite. Lorsque vous maîtriserez les techniques de l'éducation positive, vous comprendrez que la franchise dénuée de culpabilité est toujours plus efficace.

Pour mieux comprendre ce point fondamental, imaginez que l'on puisse cartographier l'activité cérébrale de l'enfant. Suite à une question de type « Peux-tu ? », nous verrions sûrement s'activer son lobe gauche, cherchant à comprendre le sens précis de ces mots. Alors qu'une question de type « Veux-tu ? » ou « Voudrais-tu ? » stimulerait le lobe droit, là où se situe la volonté de l'enfant.

**L'emploi des « Veux-tu ? » et « Voudrais-tu ? »
abaisse la résistance de l'enfant
et l'invite à participer.**

Projetez-vous un instant dans la peau d'un enfant à qui l'on pose l'une des deux questions suivantes : « Pourrais-tu te coucher en silence ? » ou « Veux-tu bien te coucher en silence ? » De prime abord, le « Pourrais-tu ? » peut sembler plus doux, et le « Veux-tu bien ? » plus autoritaire. Mais à y regarder de près, le « Pourrais-tu ? » dissimule un ordre qui implique ceci : « Je te le demande gentiment, mais tu as intérêt à obéir, sinon... » Tandis que la phrase « Veux-tu bien aller te coucher ? » semble constituer une invitation à coopérer – l'enfant reste libre de refuser. C'est précisément le genre de message que nous voulons transmettre à nos enfants. Quand nous nous contentons de leur dicter des ordres, nous les empêchons en vérité d'apprendre à coopérer.

Ces subtilités linguistiques changent les choses du tout au tout, surtout avec les petits garçons. « Veux-tu ? » et « Voudrais-tu ? » offrent en outre de meilleurs résultats avec les hommes qu'avec les femmes. Celles-ci ont souvent du mal à demander et tendent à le faire de manière indirecte. Or les hommes et, *a fortiori*, tous les enfants ont toujours besoin que l'on joue cartes sur table.

L'emploi des « Peux-tu ? » et « Pourrais-tu ? » envoie des messages brouillés à l'enfant, qui bloquent sa volonté de coopération. Après tout, étant son père ou sa mère, vous ne lui demanderiez pas de faire une chose si vous n'étiez pas certain qu'il en soit capable. Quand vous lui demandez « Peux-tu éteindre la télé ? », la question n'est pas de savoir s'il sait enfoncer une touche. Vous voulez seulement qu'il le fasse, et pour ce faire vous sous-entendez qu'il n'aura aucune raison valable de s'y refuser.

> *Si les « Peux-tu ? » et « Pourrais-tu ? »*
> *semblent de prime abord plus doux, ils s'avèrent*
> *inefficaces. Leur usage répété envoie à l'enfant*
> *une série de messages brouillés qui paralysent*
> *à terme son désir de coopération.*

J'ai commencé à employer cette technique quand Lauren était encore un bébé, d'abord dans le but de permettre à mes trois filles de nourrir des relations épanouies dans leur future vie de femmes. Comme je l'explique dans *Les hommes viennent de Mars, les femmes viennent de Vénus*, l'une des plus importantes facultés que les femmes doivent acquérir est l'art de solliciter le soutien des hommes d'une manière motivante et non contraignante. Or on leur a rarement appris à demander ce qu'elles voulaient lorsqu'elles étaient petites.

Sachant que la meilleure façon d'éduquer un enfant est encore de montrer l'exemple, je me mis à exprimer mes requêtes sous forme de « Veux-tu ? » ou « Voudrais-tu ? ». Je fus ravi de voir que mes filles prenaient elles-mêmes ce pli avec une grande facilité. De nombreux parents furent stupéfiés de voir une gamine de maternelle dire des choses comme : « Voudrais-tu m'aider ? », « Veux-tu me parler autrement ? », ou encore « J'ai eu une dure journée, tu veux bien me lire une histoire ? »

Si mon intention première était de leur apprendre à obtenir ce qu'elles voulaient, je découvris par la même occasion que l'emploi des « Veux-tu ? » et « Voudrais-tu ? » les rendait bien plus coopératives. Autrement dit, les deux choses vont de pair. Le fait de rendre ses enfants coopératifs en leur posant des questions franches est aussi une façon de leur apprendre à demander et à obtenir ce qu'ils veulent.

ABANDONNEZ LES QUESTIONS DÉTOURNÉES

Pire encore que l'emploi des « Peux-tu ? » et « Pourrais-tu ? » : le recours aux questions détournées. Ces dernières sont parfaites pour donner du relief à un discours, mais elles s'avèrent contre-productives dès qu'il s'agit d'obtenir la coopération d'un enfant. Une question détournée implique des non-dits. Vis-à-vis d'un enfant, ces sous-entendus consistent généralement en des reproches que les parents n'osent formuler clairement. Si de nombreuses mères n'ont pas conscience de leur teneur, avec un peu de réflexion, ces messages deviennent clairs comme de l'eau de roche.

Les femmes ont notamment l'habitude d'employer des questions rhétoriques pour obtenir l'obéissance de leurs enfants. Quand une maman veut que son fiston range sa chambre, plutôt que de lui demander simplement : « Voudrais-tu ranger ta chambre ? », elle agit sur la honte et la culpabilité de l'enfant en lui demandant par exemple : « Pourquoi cette chambre n'est-elle toujours pas rangée ? » Explorons ensemble quelques exemples :

Questions détournées	Ce que l'enfant pourra entendre
Pourquoi cette chambre n'est-elle toujours pas rangée ?	Tu aurais dû ranger cette chambre. Tu es vilain. Tu es un porc. Tu refuses de m'écouter, etc.
Quand vas-tu te décider à grandir ?	Tu te comportes de manière immature. Tu me fais honte. Tu es un vrai bébé. Tu devrais apprendre à te tenir.

Pourquoi frappes-tu ton frère ?	Tu es un vilain garçon. Tu n'as rien dans la cervelle. Tu n'as aucune raison de faire ça, et pourtant tu persistes.
Tu te sens bien ?	Tu as un sérieux problème. Ton comportement m'inquiète. À moins que tu n'aies une bonne raison d'agir de la sorte, ton attitude est inexcusable.
Comment as-tu pu oublier de faire ça ?	Soit tu es complètement stupide, soit tu es méchant et insensible. Tu es un poids dans ma vie. On ne peut jamais compter sur toi.
Qu'est-ce que tu fais encore debout ?	Tu devrais dormir à l'heure qu'il est. Tu n'es vraiment pas gentil. Je te redis sans cesse les mêmes choses, et tu ne m'écoutes jamais.

En renonçant à poser des questions détournées pour exprimer une requête, les parents augmenteront leurs chances d'obtenir ce qu'ils demandent ; autrement, les enfants cesseront simplement de les écouter. Abandonner la rhétorique ne favorise pas seulement la bonne volonté de l'enfant, elle évite également de l'exposer aux conséquences d'une communication défaillante. Autrement dit, ni vous ni l'enfant n'aurez à payer le prix fort pour quelques paroles malheureuses. Quand on n'a pas conscience de l'impact négatif de ces messages, on a bien du mal à comprendre le refus qu'ils provoquent.

SOYEZ DIRECTS

Les mères doivent également apprendre à être directes, surtout avec les petits garçons. Elles ont pourtant tendance à dire ce qui les chagrine, mais sans que cela débouche sur une requête précise. Ce qui revient à donner un coup d'épée dans l'eau. En procédant ainsi, elles ont peu de chances de voir l'enfant répondre favorablement à leurs vœux. Voici quelques exemples de ce manque de clarté :

Message négatif	Ordre sous-entendu
Vous faites trop de bruit.	Soyez moins bruyants.
Ta chambre est de nouveau sens dessus dessous.	Range ta chambre.
Je n'apprécie pas la façon dont tu traites ta sœur.	Sois gentil avec ta sœur.
Tu ne devrais pas frapper ton frère.	Ne frappe pas ton frère.
Tu recommences à m'interrompre.	Ne me coupe pas la parole.
Tu ne peux pas me parler comme ça.	Ne me parle pas sur ce ton.
Tes lacets sont défaits.	Refais tes lacets.
Tu étais en retard la dernière fois.	Sois à l'heure.

Dans chacun de ces exemples, le parent cherche à obtenir quelque chose de son enfant en pointant du doigt ce qui ne va pas, mais sans rien lui demander de précis. Bien souvent, l'enfant n'entendra pas de lui-même la requête implicite, et se contentera donc

73

d'encaisser ces reproches d'une oreille passive. Pour susciter une réaction satisfaisante, la requête doit être directe. Ce n'est pas en insistant sur les erreurs ou les torts de l'enfant qu'on l'encouragera à coopérer. Apprenons donc à reformuler ces messages négatifs en requêtes claires :

Message négatif	Requête positive
Vous faites trop de bruit.	Voulez-vous bien faire moins de bruit ?
Ta chambre est de nouveau sens dessus dessous.	Veux-tu bien ranger ta chambre ?
Je n'apprécie pas la façon dont tu traites ta sœur.	Veux-tu être gentil avec ta sœur ?
Tu ne devrais pas frapper ton frère.	Ne frappe pas ton frère.
Tu recommences à m'interrompre.	Veux-tu éviter de me couper la parole ?
Tu ne peux pas me parler comme ça.	Je te prie de ne pas me parler sur ce ton.
Tes lacets sont défaits.	Veux-tu bien refaire tes lacets ?
Tu étais en retard la dernière fois.	J'aimerais que tu arrives à l'heure.

CESSEZ DE VOUS JUSTIFIER

En même temps que vous veillerez à exprimer des requêtes au lieu d'ordonner ou d'exiger, ne vous justifiez pas. De nombreux spécialistes suggèrent, en toute bonne foi, de systématiquement expliquer à

74

l'enfant le bien-fondé des actions que l'on attend de lui. Mais ça ne marche pas. Un parent qui prend soin de justifier ses requêtes abdique son pouvoir. Il perturbe l'enfant plus qu'autre chose. Trop de parents bien intentionnés cherchent à convaincre leurs enfants au lieu de leur rappeler qu'ils ont le droit de s'opposer, mais que ce sont papa et maman qui commandent.

Vous n'avez pas besoin de dire : « C'est l'heure d'aller se coucher ; une dure journée t'attend demain. Veux-tu bien te brosser les dents ? » Gardez vos explications pour vous. Quand les enfants tiennent tête à leurs parents, ce sont généralement leurs arguments qu'ils contestent. Privés de ces raisons, ils seront moins en mesure de résister.

La plupart des hommes connaissent bien ce phénomène avec leurs épouses. Les femmes ont souvent tendance à les abreuver d'explications pour justifier leurs requêtes, alors qu'ils préféreraient qu'elles se montrent plus concises. Plus elles insisteront sur les raisons de leur demande, et plus ils auront tendance à se fermer. De la même façon, plus votre requête sera brève, et plus votre enfant sera disposé à s'y plier.

Lorsque vous désirez qu'un jeune enfant comprenne l'importance de se coucher tôt, expliquez-le-lui plus tard, une fois qu'il aura montré de bons gages de coopération. En allant le border, vous pourrez lui dire : « Je suis très content(e) de toi. Tu t'es brossé les dents comme je te le demandais, et maintenant tu vas pouvoir bien dormir pour être en forme demain. C'est une longue journée qui t'attend, et tu en profiteras mieux si tu es bien reposé. » C'est lorsqu'ils ont fait quelque chose de bien que les enfants se montrent les plus réceptifs à ces petites conversations.

La plupart des parents expliquent leur position quand l'enfant leur tient tête ou se conduit mal. Ce moment est mal choisi, dans la mesure où ces discours ne font que renforcer son sentiment de culpabilité ou d'erreur, ce qui, à terme, inhibe sa volonté naturelle de coopération. Cela peut parfois donner l'impression de fonctionner avec les plus jeunes, mais au moment de la puberté, dans la mesure où ils se seront conformés à vos attentes en se montrant obéissants et dociles, ils éprouveront le besoin de se rebeller. Pour favoriser l'esprit de coopération, il sera donc préférable de renoncer aux explications.

Voici quelques exemples d'erreurs communément commises par les parents, avec leurs solutions alternatives :

Explication	Une meilleure façon de demander
Tu as trop regardé la télé aujourd'hui ; il est grand temps de l'éteindre. Je veux que tu te consacres à des activités plus enrichissantes.	Voudrais-tu éteindre la télé et faire autre chose de ton temps libre ?
Dès qu'arrive le moment de partir à l'école, tu ne retrouves plus tes chaussures. Je veux que tu les ranges toujours au même endroit pour les retrouver facilement.	Veux-tu bien trouver une place fixe pour ranger tes chaussures, afin que nous puissions facilement remettre la main dessus ?
J'ai passé la semaine à ramasser tes affaires. Je veux que tu reprennes ton bazar sur-le-champ.	Voudrais-tu ramasser immédiatement tes affaires ?

Je suis épuisée ce soir. Je n'ai pas le courage de faire la vaisselle. J'aimerais que tu laves ton assiette.	Voudrais-tu laver ton assiette ce soir ? Cela me ferait très plaisir.

ÉVITEZ LES SERMONS

Plus désastreux que les explications précédant les requêtes sont les sermons. Quoi qu'on en pense, il est tout à fait contre-productif de dire : « Ce n'est pas gentil de frapper son frère. Ce n'est pas bien de faire du mal aux autres. Veux-tu cesser tout de suite ? » Outre que cela manque de naturel et sonne un peu faux, ça ne sert tout bonnement à rien. S'il n'est pas mauvais, en soi, d'édicter ou de rappeler certaines règles de bonne conduite, ce n'est pas ainsi que l'on motive un enfant. Lorsque la morale est utilisée à cette fin, l'enfant n'écoute plus son instinct de coopération, mais cherche d'abord à comprendre ce qui est bien et ce qui est mal avant d'agir. Or, avant neuf ans, les enfants ne sont pas prêts pour ce genre de gymnastique mentale. Quant aux autres, ils cesseront simplement de vous écouter.

Le seul moment approprié pour faire la leçon à l'enfant, indépendamment de son âge, c'est lorsqu'il le demande. Beaucoup se plaignent que leurs enfants rechignent à parler. Mais cela se produit justement lorsqu'on les abreuve de bons conseils et de sermons en tous genres. Cette forme d'allergie aux leçons de morale se développe notamment lorsque les parents s'en servent pour obtenir une chose précise, ou pour démontrer que l'enfant a tort. Dans les deux cas, le procédé est non seulement vain, mais franchement néfaste. Voici un exemple de sermon classique :

77

« Ton frère n'a pas voulu te faire mal. Il ne faisait que jouer, et t'a bousculé accidentellement. Si tu as quelque chose à lui reprocher, dis-le avec des mots. La violence n'est jamais une solution. Elle ne fait qu'envenimer les choses. Tu aimerais, toi, être brutalisé par un plus grand que toi en cour de récréation ? Eh bien, c'est pareil pour ton frère. Les mots valent mieux que la violence. Au lieu de lui rendre ses coups, il suffit que tu lui dises : "Je n'aime pas qu'on me frappe. Je te prie d'arrêter." Et s'il persiste, redis-le-lui jusqu'à ce qu'il comprenne. On n'est jamais obligé de frapper. Il existe toujours une meilleure solution. Parfois il te suffira de t'éloigner pour montrer ta désapprobation. Maintenant, si tu tiens à te battre, je veux bien que tu me fasses quelques prises de judo, ou bien on peut enfiler des gants de boxe. C'est utile de savoir se défendre lorsqu'on se fait agresser, mais tu ne dois pas te battre avec ton frère. Vous êtes tous les deux capables de vous servir de votre langue, et vous pouvez toujours m'appeler à la rescousse... Alors ne lui fais pas de mal. »

À moins qu'il ne l'ait explicitement sollicitée, l'enfant ne pourra que se braquer face à cette avalanche de propos, aussi fondés soient-ils.

NE PRENEZ PAS VOTRE ENFANT PAR LES SENTIMENTS

Les sentiments sont faits pour être partagés sur un pied d'égalité. En voulant sensibiliser leurs enfants à l'importance et à la variété des émotions humaines, les parents commettent l'erreur de confier les leurs. De nombreux livres abondent d'ailleurs dans ce sens, qui préconisent de parler toujours à cœur ouvert. Si leurs auteurs ne pensent sûrement pas à mal, il est un fait que cette habitude n'incite en rien l'enfant à se montrer coopératif.

78

On apprend ainsi aux parents à appliquer la formule suivante : **« Quand je dis X, je pense Y, et je veux Z. »**

Exemple 1 : « Quand tu grimpes aux arbres, j'ai peur que tu tombes. Alors descends tout de suite. »

Exemple 2 : « Quand tu frappes ton frère, je ne suis pas contente parce que je veux que vous vous montriez gentils l'un envers l'autre. »

Les formules de ce genre sont efficaces quand il s'agit d'aider les enfants à se confier à leurs camarades ou les adultes à communiquer entre eux. Mais elles ne se prêtent guère aux échanges intergénérationnels. Quand les parents, qui se trouvent par définition en position de force, expriment des sentiments négatifs pour obtenir quelque chose de leur enfant, cela revient à l'accabler d'une trop lourde responsabilité. Soit il obtempérera parce qu'il se sentira coupable d'avoir contrarié ses parents, soit il se sentira manipulé et leur tournera le dos. Les sentiments négatifs des adultes ne le concernent pas. Le « chef » n'a pas à se comporter comme l'égal de l'enfant. Ou c'est au risque d'y perdre toute son autorité.

Les parents qui ont pris ce mauvais pli se demandent souvent : « Pourquoi mes enfants me résistent-ils tant ? » Puis, lorsque ces derniers atteignent la puberté, ils constatent que la communication est totalement rompue. De nombreux hommes ont du mal à écouter leur femme se confier parce qu'ils se sont jadis sentis manipulés par les sentiments de leur mère. Voici l'exemple ultime de cette forme de chantage : « Quand tu agis de la sorte, tu me déçois énormément. Je me plie en quatre pour t'offrir tout ce qu'il te faut, mais tu ne fais aucun effort. Alors maintenant tu vas faire ce que je te dis. » L'enfant qui entend ces mots a le choix entre deux attitudes : sombrer dans la culpabilité ou se retrancher dans l'indifférence. Ni l'une ni l'autre n'est souhaitable.

Quand les parents éprouvent le besoin de se confier, c'est auprès d'adultes qu'ils doivent chercher soutien et réconfort. Les enfants ne sont pas là pour ça. Autant il sera bon de leur faire part de vos joies, autant vos peines leur feront l'effet d'un pistolet dans le dos.

Certains pensent qu'en disant « Je suis très mécontent », cette forme d'intimidation poussera leurs enfants à coopérer. Certes, ils pourront ainsi obtenir une forme d'obéissance, mais cela ne fera, à terme, que brider l'inclination naturelle de l'enfant à satisfaire ses parents. Les garçons, notamment, cesseront de vous écouter, et ne vous regarderont même plus en face.

De nombreux parents expriment au contraire leurs sentiments pour éveiller la sensibilité de l'enfant. Cette approche n'est valable que lorsque vous ne cherchez pas à obtenir qu'il effectue une chose précise. Dans tous les cas, le mieux sera tout simplement d'attendre que l'enfant vous demande comment vous vous sentez, ou s'il vous est arrivé d'éprouver la même chose que lui.

LE MODE PAR EXCELLENCE DE LA COOPÉRATION

Outre qu'il faille se montrer bref, positif, direct, et employer le verbe « vouloir » pour formuler ses requêtes, il reste une dernière technique à acquérir, qui est de loin la plus importante. Il s'agit d'adopter le mode par excellence de la coopération, à savoir la deuxième personne de l'impératif, le nous de « faisons », au détriment de la première, le tu de « fais ».

Dans une large mesure, la conscience de soi ne s'acquière pas avant l'âge de neuf ans. C'est pourquoi les ordres à répétition ne font que creuser un fossé entre le parent et l'enfant, au détriment du lien naturel qui les unit.

Dès que possible, invitez vos enfants à participer avec vous à une activité donnée. Lorsque vous lui demandez par exemple de ranger sa chambre, n'hésitez pas à agrémenter votre requête d'une phrase comme : « Préparons-nous à recevoir tes amis. » En donnant à votre requête la forme d'une invitation et un caractère complice et dynamique, vous favoriserez sensiblement la coopération de l'enfant.

RÉCAPITULONS À TRAVERS QUELQUES EXERCICES

Nous venons d'explorer les différentes techniques de base permettant de susciter la coopération de l'enfant, à savoir :

- Demander sans donner d'ordre.
- S'assurer que l'enfant se place dans une démarche de coopération, et non de simple obéissance ; le laisser libre, le cas échéant, de résister. S'il n'a pas la possibilité de marquer son désaccord, de remettre en cause ce que vous lui dites, ou de négocier, alors votre requête se réduit à un ordre ou à une exigence.
- Veiller à employer le verbe « vouloir », et à l'agrémenter de nombreux « s'il te plaît ».
- Renoncer aux questions détournées, aux explications, aux sermons, comme à toute forme de chantage affectif.
- S'exprimer de manière directe et, tant que possible, positive.
- Dès que l'occasion s'y prête, donner une forme participative à ses requêtes en recourant à la deuxième personne de l'impératif.

81

Stimuler la volonté de coopération de l'enfant n'est pas difficile en soi, mais demande beaucoup d'entraînement. Pour cela, habituez-vous à remplacer vos ordres par de brèves requêtes. Exercez-vous avec la liste suivante :

Ordre	Requête
Range ça tout de suite.	Mettons un peu d'ordre dans cette chambre. Veux-tu bien ranger ceci ?
Ne laisse pas traîner tes affaires.	Soyons un peu plus organisés. Veux-tu bien ranger tes affaires ?
Ne parle pas comme ça à ton frère.	Apprenons à nous respecter. Voudrais-tu parler à ton frère sur un autre ton ?
Cesse de frapper ta sœur.	Je te prie d'arrêter ça tout de suite. Apprenons à nous respecter les uns les autres.
Fais tes lacets.	Préparons-nous à partir. Veux-tu faire tes lacets, s'il te plaît ?
Boutonne ta chemise.	Donnons une bonne image de nous-même. Voudrais-tu boutonner ta chemise, s'il te plaît ?
Va te brosser les dents.	Il est temps d'aller se coucher. Va te brosser les dents, s'il te plaît.

Éteins la télévision.	Veillons à ne pas passer trop de temps devant la télé. Quand ce programme sera terminé, d'ici dix minutes, voudras-tu bien éteindre ?
Viens à table.	Allons dîner. Viens à table, s'il te plaît.
Tais-toi.	Écoutons ce que ta mère a à dire. Cesse de parler, s'il te plaît.
Mange tes légumes.	N'oublions pas qu'il faut manger des légumes pour être en bonne santé. Voudrais-tu manger tes légumes ?
Utilise ta fourchette ; ne joue pas avec la nourriture.	Veillons à nous tenir correctement à table. S'il te plaît, ne mange pas avec tes doigts mais avec ta fourchette.

COMMENT FAIRE QUAND L'ENFANT RÉSISTE

La mise en œuvre de cette nouvelle approche offrira beaucoup de pouvoir à vos enfants. Ils risquent de vous rire au nez et de vous tenir tête. Ne vous inquiétez pas, c'est prévu au programme. Soit ils seront ravis de coopérer, soit ils prendront un malin plaisir à rouspéter. Mais vous-mêmes, faites-vous toujours ce que l'on vous demande ? J'ose espérer que non.

L'emploi de la deuxième personne de l'impératif fonctionne à merveille jusqu'à l'âge de neuf ans. Au-delà, il paraîtra quelque peu saugrenu de dire « Rangeons cette chambre » si vous n'avez manifestement pas l'intention de mettre la main à la pâte. Ce type d'invitation requiert donc de l'entraînement, mais vous verrez qu'il deviendra vite une seconde nature.

Quand l'enfant décline une première requête, le moment est alors venu de passer à la phase numéro deux. Si les techniques décrites ci-dessus permettent de jeter les bases de la coopération, une seconde phase sera nécessaire pour convaincre et motiver l'enfant récalcitrant. À la longue, les techniques de la première phase gagneront en efficacité et se suffiront à elles-mêmes. Il n'y aura qu'à demander pour être entendu par l'enfant ou l'adolescent. En attendant, tant que ces derniers restent marqués par l'héritage des pratiques fondées sur la peur, la première phase ne sert qu'à préparer le terrain pour les phases suivantes, qui sont au nombre de quatre. Dans le prochain chapitre, nous allons explorer la deuxième phase, qui consiste en une série de techniques permettant de lever les obstacles à la coopération, ce qui passe d'abord par une meilleure compréhension de l'enfant.

CHAPITRE 4

De nouvelles méthodes pour abaisser la résistance

Permettre à l'enfant de résister est un facteur de coopération, et non d'obéissance aveugle. Il vous arrivera sûrement de regretter qu'il ne se contente pas de se plier à vos exigences sans poser de questions, mais sachez que l'éducation positive offre justement une série de techniques conçues pour lever ces obstacles. Dites-vous d'abord que la résistance a du bon. Pour favoriser un esprit de coopération, l'enfant doit constamment sentir que vous l'écoutez vraiment, de la même manière que lui vous écoute. Or c'est en faisant entendre ses désaccords qu'il se forge une forte et saine conscience de soi.

Les enfants ont besoin de sentir que vous les écoutez autant qu'ils vous écoutent.

La résistance de l'enfant, lorsqu'elle est tolérée par les parents, lui permettra d'approfondir progressivement la connaissance de ses propres sentiments, désirs, aspirations et besoins. Au final, c'est ainsi que se renforceront sa volonté et sa détermination. Cette force de caractère fait à elle seule la différence entre l'échec et le succès dans la vie adulte. Les êtres déterminés parviennent à leurs fins, tandis que les autres deviennent facilement des perdants. Ceux qui manquent de volonté n'ont pas été préparés dans leur enfance à affronter les inévitables épreuves de la vie. Ils se résignent à la médiocrité, à défaut de trouver l'énergie nécessaire pour réaliser leurs rêves.

QUATRE FAÇONS DE LEVER LES RÉSISTANCES

Renonçant à l'objectif d'obéissance, l'éducation positive s'appuie sur la capacité de résistance de l'enfant pour renforcer son désir de coopération. Les tentatives répétées pour briser la volonté de l'enfant à coup de menaces, de sanctions et de réprobation reviennent à tuer dans l'œuf cette inclination naturelle. À l'inverse, en prenant soin de respecter et d'encourager la volonté de l'enfant, on renforcera son esprit de coopération et l'on viendra à bout de ses réticences initiales.

Les tentatives répétées pour briser la volonté de l'enfant reviennent à tuer dans l'œuf son désir naturel de coopération.

En redoublant d'efforts pour satisfaire les besoins de l'enfant dans ses moments de résistance, nous parviendrons à réduire cette dernière, sans pour autant nuire à sa volonté. Il existe quatre façons de répondre à ces besoins :

1. Écouter et comprendre.
2. Préparer et structurer.
3. Distraire et orienter.
4. Réguler et rythmer.

Pour vaincre leurs réticences et se laisser guider par leur instinct de coopération, les enfants ont besoin de compréhension, de structuration, de rythme et d'orientation. Si ces besoins ne sont pas satisfaits, rien ne les incite à se montrer conciliants. En apprenant, par exemple, à mieux écouter leur enfant, les parents sauront lui montrer qu'ils voient, entendent, et comprennent ce qu'il ressent, éprouve, désire et demande. Ce qui le rendra aussitôt plus coopératif.

Si ces besoins sont universels, chacun d'entre eux se manifestera plus ou moins fortement selon l'individu, en fonction de sa propre sensibilité. Tel enfant aura surtout besoin d'écoute et de compréhension, tandis que son voisin sera avant tout demandeur de distraction et d'orientation, ce qui ne veut pas dire qu'ils n'aient pas l'un comme l'autre besoin du reste. En vous familiarisant avec les différentes compétences énumérées ci-dessus, vous mesurerez pleinement leur puissance. Vous obtiendrez aussitôt une réaction positive en sachant les adapter aux besoins spécifiques de l'enfant, selon son propre tempérament.

LES QUATRE TEMPÉRAMENTS

Nous pouvons dégager quatre types de tempéraments chez les enfants, en fonction desquels nous privilégierons telle ou telle approche pour lever les obstacles. Ces tempéraments ne sont jamais exclusifs. Ils sont tous les quatre présents en chaque enfant, à différents degrés. Chez tel enfant l'un sera prédominant sur les autres, alors que chez tel autre les quatre joueront plus ou moins à égalité. Aucun de ces caractères n'est meilleur que les autres ; ils sont simplement différents. Et c'est ce nombre infini de combinaisons qui rend chaque être unique. Voyons maintenant en quoi ils consistent au juste.

Les enfants sensibles ont besoin d'écoute et de compréhension

Le premier tempérament est la sensibilité. Les enfants sensibles sont les plus vulnérables, émotifs et passionnés. Ils ont une conscience aigu de la façon dont ils perçoivent leur existence en fonction de leurs besoins, désirs et attentes. Face aux évolutions de la vie, ils ont plus que d'autres besoin d'identifier précisément leurs sentiments pour être prêts à s'adapter. Ils ont par-dessus tout besoin d'écoute et de compréhension.

Si tous les enfants ont besoin de se sentir compris, ce sera pour ceux-là le seul moyen d'abaisser leur résistance. Les enfants sensibles se découvrent eux-mêmes en identifiant leurs attentes et en confiant leurs émotions. Aussi auront-ils naturellement tendance à se plaindre. Mais c'est en leur offrant la possibilité de confier leurs malheurs qu'ils retrouveront leur joie de vivre.

L'enfant sensible dira par exemple :

– Ce fut une journée horrible. Personne ne m'a dit bonjour.

– Ce n'est pas gentil, répondront ses parents.

– Mais Sarah a été très gentille avec moi, ajoutera-t-il. Elle m'a dit que j'avais fait un beau dessin.

Pour peu qu'on leur donne raison, ces enfants retrouvent vite le bon côté de la vie. Ils ont besoin que l'on compatisse, que l'on abonde dans leur sens, et que l'on reconnaisse leurs peines et leurs tourments. Ils ont généralement besoin de plus de temps que les autres. Il faudra veiller à ne pas les brusquer, et se dire qu'ils suivent leur propre rythme psychologique.

Les parents commettraient une grosse bourde en ajoutant :

— Si Sarah s'est montrée si gentille, c'est que cette journée n'était pas si horrible que ça.

Car l'enfant s'empresserait de rectifier :

— Si, c'était vraiment horrible. Personne ne m'aime.

Quand un enfant sensible revient de lui-même à des sentiments positifs, ne touchez plus à rien. N'utilisez surtout pas son changement d'humeur pour invalider ce qu'il exprimait en premier lieu.

Les enfants sensibles ont besoin que l'on compatisse à leurs peines et tourments.

En l'absence de marques régulières de compassion, les enfants sensibles tendront à grossir le trait pour attirer votre attention. Faute d'attention suffisante, le moindre bobo se transforme en maladie. Le manque d'écoute accroît de fait la douleur physique et mentale. Les parents qui ignorent la sensibilité de leur enfant ne font qu'alourdir ses difficultés.

Surtout, n'essayez pas de le revigorer en lui expliquant qu'il n'a aucune raison de se sentir contrarié ou déprimé. Le fait de se concentrer exclusivement sur les aspects positifs de son existence risque de le pousser dans la direction inverse, de le faire insister davantage encore sur tout ce qui va mal, dans l'espoir de gagner enfin votre attention et votre soutien. Pour qu'il se sente mieux, les parents devront veiller à l'écouter pleinement, en se gardant bien d'essayer de résoudre ses problèmes à sa place.

L'erreur à ne pas commettre sera d'essayer de revigorer cet enfant.

Les enfants sensibles ont besoin de sentir qu'ils ne sont pas seuls, et que leurs parents ont aussi leur lot de souffrances. Cette idée est toutefois à manier avec la plus grande précaution. Autant il n'est pas sain que les parents se tournent vers leur enfant pour obtenir du réconfort, autant il pourra s'avérer utile de confier certains de ses soucis à un tel enfant.

Par exemple, lorsqu'il se plaindra d'avoir eu une journée particulièrement pénible, vous pourrez dire : « Je sais ce que c'est. Moi-même, j'ai cru que j'allais devenir dingue. Je me suis retrouvé coincé dans l'embouteillage du siècle ! »

Tant qu'elle n'est pas destinée à susciter la compassion de l'enfant, cette approche répond à un besoin propre aux enfants sensibles.

Les enfants sensibles ont besoin de sentir qu'ils ne sont pas les seuls à souffrir.

Lorsqu'un enfant sensible vous tient tête, il a besoin de phrases bienveillantes du style : « Je comprends que tu sois déçu ; tu prévoyais de faire ceci mais je te demande de faire cela. » Sans les marques de compréhension appropriées, l'enfant sensible campera sur ses positions. Privé de compassion, il aura tendance à se considérer comme une victime et à s'apitoyer sur son sort. Il se focalisera sur ses souffrances, et, en l'absence de soutien de votre part, se sentira facilement coupable.

Ces enfants ont surtout besoin qu'on leur dise qu'ils ont le droit d'éprouver des sentiments négatifs. Ils mettent plus de temps que les autres à surmonter leurs chagrins et leurs frustrations. Mais le fait de pouvoir se confier à une oreille bienveillante leur procure un grand soulagement. Les adultes moins sensibles commettent souvent l'erreur de croire que leur enfant ne tourne pas rond, ce qui ne fait qu'aggraver les choses.

Après avoir écouté se confier un enfant sensible, laissez-lui le temps et l'espace de se sentir mieux. Une fois le moral revenu, ne relevez pas ce changement d'attitude. Montrez-lui que son tempérament vous paraît tout à fait normal et naturel. Ne faites pas comme s'il venait de traverser une mauvaise passe. Dites-vous qu'il n'allait pas plus mal avant.

Ces enfants-là n'aiment pas se sentir poussés vers les autres. Ils ont besoin de temps pour se faire de nouveaux amis. On devra souvent les aider à se créer des opportunités pour rencontrer de nouvelles têtes et tisser des liens. Mais lorsqu'ils auront adopté un nouvel ami, ils se montreront particulièrement fidèles et loyaux, de même qu'ils supporteront très mal d'être trahis. D'où l'importance de leur apprendre à oublier et à pardonner. Quand les parents savent écouter leurs peines et faire preuve de compréhension, ils aident leurs enfants à accepter les aléas de la vie et renforcent leur capacité à pardonner.

Lorsque ces enfants-là reçoivent ce dont ils ont besoin, leurs dons se dévoilent au grand jour. Ce sont des êtres réfléchis, perspicaces, créatifs, originaux et doués d'une grande facilité de communication. Ils sont attentionnés, compréhensifs, doux, généreux et tournés vers les autres.

Les enfants actifs ont besoin de préparation et de structuration

Le deuxième tempérament est actif. Les enfants actifs se soucient moins de leurs propres émotions que de l'influence qu'ils exercent sur autrui comme sur le cours de leur vie. « Action-objectifs-résultats » est leur credo. C'est lorsqu'ils ont une idée en tête ou qu'ils savent comment faire qu'ils se montrent les plus déterminés et coopératifs. Ils sont toujours partants pour aller de l'avant, entraîner les autres, ou accomplir des tâches à leur manière.

Ces enfants ont un grand besoin de structures et de repères, si vous ne voulez pas qu'ils vous filent entre les doigts et n'en fassent qu'à leur tête. Ils doivent savoir à tout moment ce qui est prévu, quelles sont les règles, et qui décide. Ainsi préparés, ils se révéleront particulièrement conciliants. Mais pour minimiser leur résistance, vous devrez toujours avoir une longueur d'avance sur eux, et leur fixer des contraintes, des limites, et des directions précises.

Vous pourrez dire : « Voici ce que nous allons faire. D'abord nous faisons de la balançoire, puis nous grimperons sur la pyramide. Vous aurez chacun deux minutes puis vous inverserez les rôles. » C'est lorsqu'il reçoit des consignes claires que l'enfant actif se montre le plus coopératif.

Les enfants actifs ont besoin de savoir à l'avance quel est le programme, quelles sont les règles, et qui commande.

Les enfants de ce type aiment être le centre d'attention, en plein cœur de l'action, et veulent toujours avoir raison. Faute d'être encadrés par les parents, ils deviennent vite dominateurs. Offrez-leur donc l'occasion de faire leurs preuves. Ils respectent et suivent les meneurs confiants et compétents. Aussi les parents devront-ils éviter de se montrer faibles, hésitants, ou vulnérables.

Évitez par exemple de leur demander directement ce qu'ils préfèrent. Lorsqu'ils sont en désaccord avec vos instructions, prenez acte de leurs suggestions, puis arrêtez de nouveau votre position.

Quand vous direz : « Nous allons d'abord faire de

la balançoire, puis nous grimperons à la pyramide », ils répondront peut-être : « Mais je préfère la pyramide, commençons par ça. » Un parent avisé pourra trancher ainsi : « Bonne idée. Commençons par la pyramide. » Ces enfants adorent avoir raison, et c'est avant tout le fait de se sentir reconnus qui les fait avancer.

Pour minimiser la résistance de ces enfants actifs, le mieux sera de les mettre en avant et/ou de leur confier dès que possible la responsabilité d'une tâche ou d'une action. De l'énergie, ils en ont à revendre, mais les parents devront veiller à la canaliser afin qu'elle ne se disperse pas. Ces enfants auront à cœur de vous faire plaisir, pour peu que vous les placiez en situation de responsabilité.

_____

Pour minimiser sa résistance, mettez l'enfant actif en avant, ou confiez-lui des responsabilités.

_____

Les enfants actifs doivent sentir que l'on a besoin d'eux et qu'on leur fait confiance. Pour reprendre notre exemple, le parent pourra dire : « Nous allons commencer par escalader la pyramide, et tout le monde doit parvenir au sommet. Billy, je te charge de veiller à ce que tout le monde parvienne au moins une fois à atteindre le sommet. Tu n'as qu'à partir le premier pour montrer le chemin aux autres. »

Ainsi placé en position de meneur, avec des instructions précises, l'enfant actif donnera le meilleur de lui-même et deviendra automatiquement plus coopératif. L'enfant actif déborde d'énergie et ne supporte jamais longtemps de rester passif. Il a la bougeotte, ce qui le pousse souvent à agir d'abord et à réfléchir ensuite, avec les risques que cela entraîne. C'est pourquoi ces enfants ont besoin de structures. Le fait de leur assigner une mission précise leur permet de se dépenser pleinement sans pour autant commettre des bêtises.

Une bonne façon de minimiser leur résistance sera de les occuper en permanence. Lorsque vous serez en train d'attendre quelqu'un ou bloqués dans une file d'attente, l'enfant actif aura du mal à rester tranquille. Proposez-lui alors une activité quelconque ou improvisez un jeu, afin qu'il puisse se dépenser. Dites-lui par exemple de courir jusqu'à un point donné et de revenir le plus vite possible, pendant que vous le chronométrerez. Les enfants actifs adorent battre leurs propres records. Couvrez d'éloges leurs exploits, et leur résistance fondra comme neige au soleil.

À terme, les enfants actifs se découvrent eux-mêmes à travers les erreurs qu'ils commettent. Ils ont besoin d'être félicités pour leurs succès et pardonnés pour leurs erreurs. Mais ils ont aussi facilement tendance à s'attirer des ennuis. S'ils craignent d'être punis ou réprimandés, ils chercheront à cacher ou à justifier leurs fautes, et cesseront dès lors d'en tirer les enseignements utiles.

Les enfants actifs ont besoin d'être félicités pour leurs succès et pardonnés pour leurs erreurs.

Les enfants actifs ont du mal à rester sagement assis à écouter ce qu'on leur raconte. Ils ont besoin de bouger, et apprennent essentiellement par les activités collectives. Lorsqu'ils se montrent hostiles à vos requêtes, initiez une activité et invitez-les à vous rejoindre. Prenez garde : les longs discours produiront le contraire de l'effet recherché et seront souvent pris pour une sanction.

Si l'enfant refuse par exemple de ranger sa chambre, avisez-vous rapidement de ce qu'il est en train de faire, puis commencez vous-même à ranger.

Dites alors quelque chose comme : « Je vois que tu préfères jouer plutôt que de ranger ta chambre. Faisons-le ensemble. Je vais te montrer comment faire. » Il ne servira pas à grand-chose d'attendre qu'il agisse de lui-même.

Les enfants actifs baissent la garde en vous rejoignant dans l'action. Même s'ils ne vous aident que maigrement, remerciez-les pour leur contribution, et prenez soin de souligner le résultat du travail accompli, en disant par exemple : « On a fait du bon boulot ! » Les enfants actifs veulent toujours faire partie de l'équipe qui gagne. Rien ne les motive plus que le succès lui-même.

Les enfants actifs veulent toujours faire partie de l'équipe qui gagne.

Les enfants actifs en sauront plus sur eux-mêmes par le biais du résultat de leurs actions. Ils aiment le pouvoir. Quand ils résistent à vos requêtes, ils ont souvent besoin qu'on leur rappelle qu'ils ont le droit de ne pas être d'accord, mais que papa et maman sont les chefs. Dans ce cas, constatez ce qu'ils font puis réitérez votre requête de manière plus directe.

Vous direz par exemple : « Je vois que tu traînes dans ton lit, mais maintenant je veux que tu commences à ranger ta chambre. » Si cela reste sans effet, commencez le travail vous-même et dites : « Commençons par cette partie de la pièce. » Dans le domaine de la vente, cette technique s'appelle « la clause de préemption » ; vous présumez que le client vous est acquis pour passer tout de suite aux détails de la vente.

Les enfants actifs doivent clairement comprendre ce que l'on attend d'eux. Les phrases commençant par « Je veux » permettent d'affaiblir leur résistance en leur rappelant que c'est vous le patron. Sans ces précieuses mises au point, ils auront tendance à se disperser, à mal se comporter, et à abuser des autres. Outre qu'il faille les structurer et les surveiller, ils ont besoin de sentir qu'ils ont droit à l'erreur, et que vous êtes conscient qu'ils font toujours de leur mieux.

Les phrases commençant par « Je veux » affaiblissent la résistance de l'enfant actif en lui rappelant que c'est vous le patron.

S'ils échappent à votre autorité, ils auront tendance, lorsqu'ils n'obtiendront pas ce qu'ils voudront, à brutaliser les autres ou à piquer de grosses colères. De nombreux adultes ont peur d'affronter ce type d'enfants. Les parents fuient la confrontation parce qu'elle est épuisante. Mais cela ne fait qu'aggraver le problème. En complément à des règles de vie claires, il faut habituer ces enfants aux temps morts. Ils ont besoin, plus que les autres, de se sentir encadrés. En leur imposant régulièrement ces pauses, vous préserverez votre autorité. Le bon usage des temps morts sera abordé plus en détail dans le chapitre 6.

On l'a vu, les enfants actifs ont besoin d'avoir raison et n'aiment pas s'entendre dire qu'ils ont tort. Ils détestent notamment être remis à leur place devant les autres. Ces mises au point seront mieux reçues si elles leur sont adressées en privé. Pour ce faire, vous pouvez inventer des signaux secrets qui leur permettront de recevoir le message sans pour autant perdre la face en public. Ils vous en seront grandement reconnaissants. Incitez-les, par exemple, à se calmer en vous pinçant l'oreille. Quand ils se montrent trop bruyants, grattez-vous le menton pour qu'ils baissent d'un ton. Ces enfants apprécient ce genre de signaux. Non seulement ces derniers les aident à mieux se tenir en société, mais ils reviennent implicitement à reconnaître que tout le monde a le droit de commettre des erreurs de temps à autre.

Quand ils ne sont pas en situation de responsabilité, les enfants actifs ont tendance à se heurter aux enfants ou aux adultes plus lents qu'eux. Ils veulent que les choses se fassent vite, et leur énergie leur permet de les obtenir rapidement. Aussi accepteront-ils plus facilement les limites des autres s'ils sont chargés de les aider à avancer. Vous pourrez même inventer de nouvelles activités simplement destinées à leur donner de l'importance.

Quand ces enfants acquièrent automatiquement les structures dont ils ont besoin, ils deviennent plus sensibles, compréhensifs, et généreux. Des temps morts réguliers leur apprendront petit à petit à devenir plus patients et à savoir attendre les récompenses. Ils seront responsables, compétents, et feront de bons dirigeants. Ce seront des bâtisseurs. Avec le temps, à mesure qu'ils accumuleront les succès et acquerront une grande confiance en eux-mêmes, ils se montreront plus ouverts et réceptifs aux sentiments d'autrui.

Les enfants expansifs ont besoin de distraction et d'orientation

Le troisième tempérament est expansif. Les enfants expansifs sont sociables et avenants. Ils se forgent une conscience de soi à travers leurs relations aux autres et leur rapport au monde. Ils sont ouverts à tout ce que la vie leur propose de voir, d'entendre, de goûter, et de découvrir. Ils ont de nombreux centres d'intérêt, parce qu'ils ont sans cesse besoin d'être stimulés.

Chaque nouvelle expérience les enrichit. Ils sont animés d'un besoin constant de nouveauté. Mais même s'ils aiment le changement, ils n'apprécient guère qu'on leur dicte leur conduite. Ils traîneront facilement des pieds ou piqueront une grosse colère quand vous leur demanderez d'enfiler leur manteau ou de suivre une consigne précise. Ils ont besoin de se sentir libres de faire comme ils l'entendent.

Vous constaterez qu'ils ont tendance à se disperser, à passer d'une expérience à une autre sans toujours aller au fond des choses. Il ne faut surtout pas s'en inquiéter. Ces enfants ont besoin de mouvement. Leur apprentissage passe par une certaine désorganisation. Ce n'est que plus tard dans leur vie, en étant libres d'explorer, d'innover, et de s'épanouir, qu'ils apprendront à se concentrer et à approfondir ce qu'ils entreprendront.

Les enfants expansifs sautent du coq à l'âne comme un papillon vole de fleur en fleur. Il faut leur laisser tout le loisir d'assouvir leur curiosité. Ils sont si facilement distraits par leur environnement qu'il faudra souvent leur rappeler ce que l'on attend d'eux. Lorsqu'ils oublient vos consignes, ce n'est pas de la mauvaise volonté, ni un signe de refus. C'est qu'ils ont réellement oublié. Et il faudra bien se garder de leur reprocher cette tendance. Leur faculté de concentration se développera progressivement, étape par étape, à mesure qu'ils apprendront à faire abstraction des merveilles qui les entourent. Leur distraction naturelle s'avérera toutefois fort utile pour minimiser leur résistance.

_____

Les enfants expansifs se découvrent eux-mêmes en multipliant les expériences.

_____

Lorsqu'ils refusent de satisfaire à vos requêtes, les enfants expansifs ont simplement besoin d'être réorientés sur d'autres voies, moyens, ou expériences. Ces enfants ont moins besoin d'être compris et structurés que d'être distraits puis réorientés. C'est en les distrayant que l'on réveille leur instinct de coopération. Voici quelques exemples :

Jusqu'à l'âge de trois ans, l'enfant qui fait un caprice succombera facilement au charme d'objets brillants ou colorés, tel un trousseau de clés, une brosse à dents, des coquillages, des pierres précieuses, ou toute chose agréable à voir, à entendre, à goûter, à toucher, ou à manipuler. Bonnie, ma femme, avait toujours sur elle une sélection de petits « ustensiles » pour faire diversion en cas de caprice. Si cette ruse fonctionne avec tous les enfants, elle est particulièrement adaptée aux enfants expansifs.

Les vertus du chant

Les chansons permettront de détourner l'attention de l'enfant de ce qui l'énerve, et de le ramener ainsi à des sentiments d'apaisement et de confiance. Les enfants adorent qu'on leur chante des ritournelles, ou, quand ils sont plus grands, qu'on les chante avec eux. Bonnie avait ainsi composé une petite chanson pour chacune de nos filles. Dès qu'elles pleuraient, il lui suffisait d'entonner ces airs pour qu'elles se calment rapidement.

Quand les enfants ont un gros chagrin, une chanson toute simple répétée en boucle leur fait vite oublier leurs peines et leur permet de se sentir à nouveau aimés et rassurés. Chanter avec eux, plutôt que d'écouter un disque ou une cassette crée un véritable échange. Ce qui ne veut pas dire qu'un fond sonore musical ne contribuera pas à sa manière à détendre l'atmosphère.

Le chant évite la gravité et la lourdeur du langage parlé. Il permet d'arracher l'enfant à sa morosité en l'incluant dans une activité plaisante. Il n'y a rien de tel pour le distraire et l'amener à faire ce que vous attendez de lui. On ne peut rester triste quand on chante. Le fait d'entonner ou d'écouter des airs connus égaye l'ambiance et rend la vie plus belle. Cela stimule l'activité créative du lobe droit. Or la créativité rend l'enfant plus souple aux nouvelles situations.

Autrefois, mes enfants et moi avions l'habitude de chanter en faisant la vaisselle. J'appelais ça « les cinq minutes de lavage ». Je fredonnais une chanson, pendant laquelle nous devions abattre un maximum de vaisselle en moins de cinq minutes. Suite à quoi je les remerciais pour leur aide et terminais seul le travail. Mes filles raffolaient de ce petit jeu, et s'en souviennent aujourd'hui avec une certaine tendresse.

Donner aux corvées un tour ludique

En chantant ainsi avec mes enfants, nous surmontions l'aspect fastidieux de la tâche. De même qu'en limitant leur participation à cinq minutes, j'évitais qu'elles ne se sentent accablées. N'étant pas contraintes de travailler trop dur pour leur jeune âge, elles offraient leur aide de bon cœur. Maintenant qu'elles sont adultes, elles peuvent pleinement apprécier le travail intense, sans omettre pour autant de s'offrir du bon temps.

Je n'ai pas oublié les tours de vaisselle de mon enfance. Je devais m'y coller une fois par semaine. Mais le fait que j'en sois dispensé les autres jours ne changeait rien à l'affaire. Quand venait mon tour, je pensais invariablement : « C'est toujours sur moi que ça tombe. Je ne peux jamais m'amuser. Tous les autres s'éclatent sauf moi. »

Les enfants vivent dans l'instant présent. Quand une corvée dure trop longtemps, ils ont systématiquement l'impression de ne « faire que ça ». Si vous leur rendez le travail plus agréable et leur offrez votre aide, ils apprendront avant tout à s'amuser, ce qui leur permettra, une fois adolescents, de mieux supporter les devoirs scolaires.

Le schéma idéal est le suivant : jusqu'à l'âge de sept ans, l'enfant doit essentiellement sentir que l'on s'occupe de lui ; entre sept et quatorze ans, il faudra qu'il s'amuse grâce au jeu, au chant, au sport, au théâtre, aux devoirs, à quelques tâches ménagères et aux activités manuelles et artistiques telles que le dessin, la peinture et l'apprentissage d'un instrument. Lui demander de participer à la vaisselle, au ménage, ou à l'entretien des animaux n'est pas abusif en soi, et ne saurait entrer dans la catégorie du « surcroît de travail ».

La meilleure façon d'arrêter le niveau de participation que vous êtes en droit de lui demander sera encore d'écouter son point de vue. Le métier de parent n'est qu'une longue suite d'ajustements...

Un enfant ayant appris à être heureux deviendra un adolescent courageux et travailleur. À l'inverse, celui qui aura été accablé de travail aux dépens de ses loisirs n'apprendra jamais à s'amuser, et fera soit un adolescent allergique au travail, soit un adolescent bûcheur mais désabusé.

Il y a seulement cent ans, les enfants travaillaient encore à l'usine. Si la société a progressivement renoncé à ces pratiques abusives, en Occident du moins, nous devons comprendre qu'ils n'ont pas non plus à travailler à la maison.

Le métier de parent consiste à donner, les enfants ne sont là que pour recevoir. Par la suite, vers l'âge de sept ans, nos chers petits rencontrent un nouveau besoin : s'amuser et jouer avec leurs copains et leurs proches. C'est à cette période qu'ils devront acquérir l'une des plus importantes qualités humaines qui soit : l'aptitude au bonheur.

*Si le métier de parent consiste à donner,
les enfants ne sont là que pour recevoir.*

Nombre d'adultes ne sauront jamais vraiment s'amuser ni apprécier pleinement la vie. Ceci est largement dû au fait qu'on ne leur a jamais donné les moyens d'apprendre à s'amuser. Le bonheur est une faculté qui se développe entre la septième et la quatorzième année de l'enfant. Un excès de devoirs scolaires, de responsabilités ou de corvées avant la puberté restreignent la possibilité d'épanouissement de l'adulte. Au final, ce dernier sera amené à rejeter toute forme de labeur et à se comporter comme un véritable adolescent pour rattraper le temps perdu, ou bien il travaillera d'arrache-pied mais dans une permanente insatisfaction.

Beaucoup croient à tort devoir inculquer les valeurs du travail et de la responsabilité par la contrainte, alors que les enfants deviennent responsables quand leurs parents le sont. Ils apprennent les vertus de l'ouvrage accompli en observant leurs parents. N'oublions pas qu'ils apprennent avant tout par mimétisme. En acceptant cela, les parents seront enfin libres d'écouter leur cœur et d'offrir à leurs bambins une enfance heureuse et épanouie.

Du bon usage des histoires

Quand l'enfant se montre nerveux ou agité au moment de se coucher, vous pouvez non seulement lui chanter des chansons, mais également lui raconter ou lui lire des histoires. C'est une excellente façon de le calmer et de le préparer à un sommeil profond et paisible. Si ces moments privilégiés comptent parmi les plus beaux cadeaux que vous puissiez faire, ils revêtent une importance toute particulière pour les enfants expansifs. Ils ont faim d'histoires, de mythes et de légendes. Leur imaginaire ne demande qu'à se laisser porter vers d'autres temps, d'autres lieux, avec des personnages hauts en couleur.

Bien que la société les pousse sans cesse à ouvrir les yeux sur le réel, les enfants vivent dans un monde magique jusqu'à l'âge de neuf ans environ. Il n'y a rien d'alarmant à cela. Laissez vos enfants mûrir à leur rythme, et ils s'adapteront facilement à la réalité lorsqu'ils y seront prêts. Dites-vous bien qu'ils ne peuvent raisonner de manière logique qu'à partir de sept ans, et de manière abstraite qu'à partir de treize.

---

*Laissez vos enfants mûrir à leur rythme,
et ils s'adapteront facilement au monde réel
lorsqu'ils y seront prêts.*

Quand un enfant entend au journal télévisé qu'un tueur en série court les rues, il se croit aussitôt en danger. Les arguments logiques n'y pourront rien. Lui expliquer que vous vivez dans un quartier sûr ne suffira pas à le convaincre. Les modes de pensées « irrationnels » demandent des réponses « irrationnelles ». Ainsi, une simple prière pour sa sécurité fera très bien l'affaire. Ou bien, si vous n'avez pas l'habitude de prier, brandissez devant lui une baguette magique pour lui jeter un sort protecteur. Mais le mieux sera de le préserver des informations télévisées ou radiophoniques jusqu'à l'âge de sept ans.

Les histoires que l'on raconte aux enfants leur permettent d'oublier facilement les difficultés de l'existence. Les images qui se forment dans leur esprit nourrissent leur imagination, leur créativité, et leur conscience de soi. Les êtres qui réussissent sont ceux qui ont l'impression de forger eux-même leur destin, tandis que les autres ont tendance à subir les événements et à se laisser miner par les revers de l'existence. En développant son inventivité, un enfant

103

sera d'autant mieux armé pour résoudre les problèmes qu'il rencontrera par la suite.

Les enfants expansifs et sensibles se considèrent plus facilement que les autres exposés aux dangers de la vie. En se forgeant leurs propres images et repères, en réponse aux récits qu'ils auront entendus, ils prendront mieux conscience de leurs propres forces et qualités, et sauront mieux maîtriser le cours de leur destin. Mais sachez qu'un excès de télévision ou de cinéma peut être un frein à ce processus de création d'images mentales.

La distraction comme outil de persuasion

La distraction des enfants peut jouer en leur faveur. Jusqu'à l'âge de huit ans environ, il est facile de déjouer leur résistance en leur racontant une histoire riche en couleurs, en symboles, et en images. Peu importe si cette histoire n'a rien à voir avec l'objet du litige. N'hésitez pas à changer de sujet pour lui raconter une histoire formée de phrases descriptives.

Lorsque votre enfant refuse par exemple d'enfiler son manteau, mettez fin à cette lutte de pouvoir grâce à une fable ou des souvenirs. Dites quelque chose du genre : « Oh ! Regarde donc cet arbre, avec ses belles feuilles vertes. Cela me rappelle une longue balade que j'ai faite, un jour, dans une grande forêt, au milieu d'arbres gigantesques. Le ciel était d'un bleu magnifique. Il n'y avait qu'un seul nuage, blanc, épais et cotonneux, juste au-dessus de ma tête. J'ai marché toute la journée jusqu'à ce que je sois vraiment fatigué. C'était une longue marche, mais c'était drôlement agréable. Allez, enfilons ce manteau. »

Il s'agit de rétablir le contact puis d'inviter votre fils ou votre fille à participer. En racontant une histoire remplie de couleurs et d'objets à visualiser, l'enfant baisse aussitôt sa garde pour vous rejoindre dans vos songes. Résultat : il se retrouve mécaniquement disposé à coopérer.

Pour déjouer sa résistance, rétablissez le contact puis invitez-le à participer.

Quel que soit son âge, un enfant contrarié ou récalcitrant réagit positivement aux injonctions « collectives ». Plutôt que de lui demander ce qu'il veut ou voudrait faire, c'est à vous de mener la danse. Quand il sera capable de formuler ses propres attentes et désirs, il pourra s'opposer à vos choix et vous dire ce qu'il préfère. Libre à vous, alors, de lui répondre : « Ma foi, c'est une bonne idée. Faisons comme ça. » Commencez par émettre vos propres suggestions, avant de le laisser exprimer son accord ou son désaccord.

Imaginons le dialogue suivant :

La mère : David, allons jouer au parc.
David (huit ans) : J'ai pas envie d'aller au parc.
La mère : Pourquoi ça ?
David : Je préfère jouer dans ma chambre.
La mère : Très bien, si tu veux rester à la maison je n'y vois aucun inconvénient. Tu n'as qu'à sortir tes feutres et me faire un joli dessin.
David : J'ai pas envie de dessiner. Je préfère jouer avec mon nouvel avion.
La mère : C'est une très bonne idée. Va donc jouer avec ton nouvel avion, et je reviendrai un peu plus tard pour voir si tu t'amuses bien.

En procédant ainsi, la mère évite de lui demander directement ce qu'il veut. En soumettant à David une série de propositions qu'il peut décliner, elle lui permet de définir progressivement son propre projet. D'une manière générale, quel que soit le tempérament de l'enfant, ce n'est jamais une bonne idée que de lui demander ce qu'il veut, préfère, pense, ou même ce qu'il ressent. La règle d'or est de lui soumettre des propositions qu'il sera libre d'accepter ou de rejeter. Car c'est en résistant qu'il se forge une idée précise de ce qu'il souhaite, ressent et pense.

Ce n'est jamais une bonne idée que de demander à l'enfant ce qu'il veut, préfère, pense ou ressent.

Les enfants expansifs sont généralement les plus joyeux, gais, et enthousiastes. Ils se nourrissent des images et des événements qui ponctuent leur existence. Pour eux, la vie est une aventure. Ils sont particulièrement sociables et bavards. Ils sont souvent irrésistibles, charmants, faciles à vivre, et ne sont pas rancuniers pour un sou.

Ils ne s'attachent pas excessivement aux autres et ne sont pas susceptibles outre mesure. Ils ont, comme tout le monde, leurs accès de colère, mais ceux-ci se produisent généralement lorsqu'on les pousse à agir contre leur gré.

Le désordre et les humeurs en dents de scie comptent parmi leurs caractéristiques. Brouillons et têtes en l'air, ils ont du mal à s'autodiscipliner et ont sans cesse besoin qu'on leur redise les choses. Soyez-en conscients. Ne vous attendez pas à ce qu'un tel enfant instaure de lui-même de l'ordre dans son environnement. Ce sera à vous de le faire. Un enfant expansif ne rangera jamais sa chambre si vous ne lui donnez pas un sérieux coup de main. Au lieu de vous battre contre lui, travaillez donc ensemble.

Le résultat ne se fait pas attendre : quand il a l'occasion de s'amuser et de découvrir un maximum de choses en un temps limité, il améliore sa faculté de concentration et apprend à aller au fond des choses. À la longue, il saura terminer le travail. Passé l'âge de sept ans, ils aura besoin d'encouragements pour rester attentif. Le mieux sera alors de prendre le temps de l'aider.

Faute de recevoir un soutien adapté, les enfants expansifs, vite dépassés par les contraintes de la vie moderne, deviennent facilement irresponsables et complètement désorganisés. Et refuseront plus tard de se comporter en adultes. Mais lorsqu'ils bénéficient d'une éducation conforme à leurs besoins, ils font des individus solides, responsables, déterminés, attentifs, confiants et accomplis.

Les enfants réceptifs ont besoin de règles et de rythme

Le quatrième et dernier tempérament est réceptif. Les enfants réceptifs se soucient plus que les autres des grandes lois de l'existence. Ils veulent savoir de quoi demain sera fait et ce qu'ils sont en droit d'attendre. C'est en comprenant les grandes règles de la vie qu'ils se montrent les plus coopératifs.

Face à une situation inédite, ils dressent leur bouclier. Ils ont besoin de prévoir et d'anticiper les choses. C'est quand ils s'attendent à être aimés qu'ils se sentent aimés. Routine, répétition, et rythme leur sont indispensables.

Leur quotidien doit obéir à des rituels précis. Il faudra donc manger et se coucher à heure fixe, jouer de telle heure à telle heure, passer tant de temps avec papa ou maman, choisir les vêtements du lendemain avant de dormir, etc. Ils se sentiront rassurés et encouragés par les phrases du genre : « C'est l'heure de faire ceci » ou « Nous allons maintenant faire cela ».

Ce sont les enfants les plus accommodants et les plus posés. Laissez-leur néanmoins le temps de procéder avec méthode : ils sont incapables de prendre des décisions rapides, et il vaut mieux éviter de leur demander ce qu'ils veulent, pensent, ou ressentent. Ils attendent que vous les guidiez en permanence.

**Les enfants réceptifs sont à la fois les plus accommodants et les plus posés.**

Tant que le changement reste léger, ils se montrent extrêmement coopératifs. Un changement temporel implique un changement d'activité. Les phrases commençant par « C'est l'heure de... » les rassureront en leur apportant la confirmation que la vie suit bel et bien son cours. Ils ont sans cesse besoin de sentir que tout se déroule comme prévu.

Bien qu'ils aiment qu'on leur dise quoi faire, ils ne supportent pas d'être brusqués. À l'instar des enfants sensibles, il leur faut du temps pour faire les choses ou pour s'adapter à une nouvelle donne. Ils ont besoin de savoir que tout ce qu'on leur demande a été mûrement réfléchi et planifié. Ils fonctionnent comme ça. La répétition les sécurise. Ils sont plus sédentaires que les autres enfants. Ils se contentent souvent de rester sagement à la maison pour se reposer, manger, regarder, écouter et dormir.

Le temps qui passe peut suffire à les distraire. Ils ne sont pas spontanément autonomes ni créatifs. Si on ne leur dit pas « C'est l'heure de faire ceci », ils sont capables de rêvasser pendant des heures. Ils aiment la sécurité et le confort, et préfèrent rester passifs que de se lancer dans l'inconnu.

Contrairement aux enfants actifs, ils n'ont pas l'âme d'un meneur, ni même d'un joueur. Il leur suffit souvent de regarder les autres faire. Après avoir vu d'autres enfants accomplir cinquante fois le même geste, ils décideront peut-être d'entrer dans la danse. Mais la simple observation suffit souvent à nourrir leur intérêt et vaut pour eux participation.

Un enfant de quatre ans qui regarde attentivement jouer les autres ne se sent pas rejeté. Leur spectacle suffit à son bonheur. C'est comme s'il jouait par procuration. Ce n'est pas un problème en soi. Il finira tôt ou tard par se joindre aux autres. Aux alentours de sept ans, vous pourrez l'encourager à participer, mais n'insistez pas s'il n'en manifeste pas le désir.

Pour l'encourager, ne dites pas « Tu aimerais jouer avec eux ? », mais : « Le moment est venu de jouer avec eux ». S'il résiste, dites alors : « Très bien, je vois que tu préfères les regarder d'ici. Tu me feras signe quand tu voudras les rejoindre. »

Les enfants réceptifs sont trop souvent négligés parce qu'ils sont si calmes, si faciles à vivre, et si conciliants. Mais ils ont aussi besoin de faire entendre leur différence. Il faudra les motiver en douceur et leur lancer des défis, même s'ils préfèrent dormir ou rester tranquillement à la maison.

Ces enfants ont besoin de se voir confier des tâches. Sans cette aide, ils risquent de ne jamais s'intéresser à rien. La sécurité que leur procurent leur routine et leurs rituels leur donnera peu à peu la force d'affronter les risques de la nouveauté.

L'enfant réceptif rejette tout ce qui est nouveau. Mais ne l'obligez jamais à participer contre sa volonté. N'oubliez pas que le simple fait de regarder les autres suffit à son bonheur. Donnez-lui régulièrement l'occasion d'élargir ses centres d'intérêt, mais ne le brusquez pas.

Ces enfants n'aiment pas être interrompus dans ce qu'ils font. Ils tiennent à peaufiner le travail jusque dans les derniers détails. Et la répétition les sécurise. Ils résisteront lorsque vous voudrez les interrompre, mais ils le feront souvent en silence. Ils s'interdisent de protester de vive voix, pour ne pas vous contrarier ou vous décevoir. Car ils ont toujours peur que leurs parents ne les aiment plus.

Des rituels d'amour

Les enfants réceptifs se sentent aimés lorsqu'ils vous font confiance. D'où l'importance d'instaurer des rituels d'amour, afin qu'ils se sentent estimés et chéris, et qu'ils partagent des moments privilégiés avec chacun des deux parents. Ces rituels ne doivent pas nécessairement durer longtemps ; il suffit qu'ils soient reconnus comme tels et régulièrement répétés.

Avec ma fille Lauren, notre petit rituel consistait à se rendre en ville par la forêt, pour aller déguster une grosse madeleine dans notre salon de thé préféré. Quand elle était toute petite, je la promenais en poussette, et plus tard nous avons pris l'habitude de nous balader à pied ou à vélo. Ce rituel prenait en tout et pour tout vingt-cinq minutes. Vingt minutes de trajet, et cinq minutes pour avaler nos biscuits et caresser les chiens du patron.

Maintenant qu'elle est adolescente, elle se souvient très bien de ces moments privilégiés. De nombreux adultes n'ont pas bénéficié de tels moments d'amour et de joie dans leur enfance, et ils en éprouvent un grand manque. Le souvenir de ces moments forts où l'on se sentait aimé et soutenu sera toujours une source de réconfort.

N'importe quelle activité qui unit l'enfant au parent, pour peu qu'elle soit régulière et périodique, peut devenir un rituel qui restera ainsi gravé dans la mémoire de l'enfant. Mais le rituel se caractérise également par la parole. Vous direz par exemple : « Aujourd'hui c'est samedi, ce qui veut dire que nous allons en ville pour déguster une bonne madeleine. »

Pour se sentir choyés, les enfants ont besoin d'activités précises à des moments précis. Voici quelques exemples pris au hasard :

- Samedi matin, papa va nous faire sa recette d'œufs sur toasts.
- Dimanche matin, nous allons tous faire la grasse matinée, puis maman nous fera ses délicieuses gaufres.
- Quand papa a du retard pour venir nous chercher, il se rattrape toujours en nous emmenant prendre un chocolat chaud.
- Quand papa est en voyage d'affaires, il nous appelle toujours pour nous aider dans nos devoirs ou nous souhaiter bonne nuit.
- Maman nous raconte toujours une histoire avant de nous coucher.
- Papa ou maman nous chante toujours une chanson avant de dormir.
- Quand un enfant a mal au ventre, maman prépare toujours la bouillotte.
- Quand papa est content, il chante toujours sa chanson préférée.
- Tous les jeudis soir, à huit heures, nous nous rassemblons devant la télé pour regarder notre programme familial préféré.
- Tous les soirs, avant de se coucher, nous nous racontons notre journée.
- Au printemps, la famille va tous les soirs cueillir des fleurs avant le dîner.
- Tout le monde va promener le chien avant le dîner.
- Chaque été nous passons des vacances dans un endroit que nous adorons, toujours dans le même hôtel.
- Le dimanche, nous allons voir de la famille, nous faisons une balade, ou nous partons en pique-nique.

- En été, nous passons nos dimanches à la plage.
- Une fois par mois, nous passons chacun une journée en tête à tête avec papa ou maman.
- Nous disons une prière tous les soirs avant de dormir, puis papa ou maman nous chante une berceuse.

Ces rituels stimulants et pleins d'amour génèrent à la fois des souvenirs et des attentes qui renforcent le sentiment de sécurité de l'enfant – puis de l'adulte. Il existe d'autres types de rituels, qui sont peut-être moins amusants et plus ordinaires, mais qui ont l'avantage, outre qu'ils renforcent le sentiment de sécurité des enfants, de leur offrir de solides repères rythmiques et temporels. La nature possède son propre rythme.

Tout ce qui est répétitif et routinier nous procure une impression d'équilibre et de régularité. Nous sommes rassurés de savoir ce qui va nous arriver. Nous nous sentons en phase avec les grandes lois qui régissent l'univers. Les enfants réceptifs ont encore plus que les autres besoin de rythme et de rituels, si l'on veut qu'ils sortent de leur cocon et expriment pleinement leurs dons enfouis.

Des rituels pratiques

Voici quelques exemples supplémentaires de rituels à même d'agrémenter la vie de l'enfant de repères temporels. Bien entendu, ils ne seront pas forcément tous applicables à votre foyer. Mais ils pourront toujours vous donner des idées.

- Se lever en semaine à heure fixe.
- Avoir sa place attitrée à la table familiale.
- Partir à l'école toujours à la même heure.
- S'arranger pour que ce soit toujours la même personne qui le ramène de l'école.

- Aller au parc tous les mardis et jeudis.
- Laver la voiture le samedi.
- Dîner à heure fixe ; instaurer un rituel pour appeler les enfants à table – un tintement de cloche ou un coup d'interphone avec un bref message : « Le dîner est prêt. C'est l'heure de venir à table. »
- Choisir les vêtements du lendemain avant de se coucher. (Cette pratique sera d'un grand secours avec les enfants qui rechignent à s'habiller le matin.)
- Instaurer une petite routine pour se préparer à aller au lit : d'abord on se nettoie le visage, ensuite on se brosse les dents, puis on enfile le pyjama ou la chemise de nuit. Commencer le processus toujours à la même heure. (Ce type de repères est essentiel. Tous les enfants ont besoin de récupérer, et le fait de se préparer à dormir selon des rituels familiers et à heure fixe augmente sensiblement la qualité de leur sommeil, ce qui rendra tout le reste plus facile.)

Quand on prend soin d'assouvir le besoin de rythme et de régularité des enfants réceptifs, ceux-ci développent de grandes qualités de rigueur et d'organisation. Ils savent créer de l'ordre et le maintenir. Ils sont posés et réfléchis, ce qui leur permet de surmonter les plus grands obstacles avec maîtrise et sang-froid. Ils sont particulièrement doués pour écouter, réconforter, et couvrir les autres d'amour. Ils avancent à petits pas, mais ce sont des êtres solides et efficaces.

OFFRIR À NOS ENFANTS CE DONT ILS ONT BESOIN

À ce stade-là, vous vous dites peut-être : « Heureusement que les gens font moins d'enfants qu'autrefois, vu l'ampleur de la tâche. » Si cette nouvelle approche de l'éducation peut vous paraître fastidieuse, sachez qu'il n'en est rien. On est facilement effrayé par ce qui est nouveau. Mais vous verrez qu'à mesure que vous vous familiariserez avec ces nouvelles idées, en les mettant en pratique, votre métier de parent deviendra de plus en plus facile.

Si ces méthodes permettent réellement de réduire la résistance de l'enfant, elles exigent néanmoins du temps et de la préparation, ce qui nous fait parfois cruellement défaut. Les techniques que nous allons maintenant aborder demandent moins de disponibilité. Dans le prochain chapitre, nous allons voir comment le fait d'écouter l'enfant et d'exprimer vos propres attentes contribue à vaincre ses réticences et à stimuler son envie de coopérer.

CHAPITRE 5

De nouvelles techniques pour mieux communiquer

Écoute et compréhension sont nécessaires pour inciter un enfant à coopérer. Quand il rejette une de vos propositions, c'est qu'au fond de son être il aspire à autre chose. Le but du jeu sera dès lors d'identifier précisément ses attentes insatisfaites. Bien souvent, il n'en faudra pas plus pour vaincre sa résistance. Comprendre l'origine de son refus suffit souvent à le lever. En acquérant de nouvelles techniques de communication, vous serez capable de prendre le blocage à la racine, et de renforcer ainsi la volonté de coopération de l'enfant.

Comprendre les causes du refus suffit souvent à le chasser.

Le premier besoin des enfants, c'est d'être guidés ; leur plus grand souhait : faire plaisir ; leur plus forte envie : coopérer. Pour autant, cet instinct naturel doit, comme n'importe quels don ou qualité, être éveillé et stimulé. Renonçant à manipuler l'enfant par la peur et la culpabilité, l'éducation positive se concentre sur les moyens de développer son inclination naturelle à coopérer.

POURQUOI LES ENFANTS RÉSISTENT

Quand vos enfants refusent de suivre vos requêtes, cela signifie que non seulement ils veulent autre chose, mais qu'ils considèrent que si vous les compreniez vraiment vous abonderiez naturellement dans leur sens. Ce raisonnement mérite qu'on s'y arrête. N'est-il pas vrai qu'en général nous nous demandons d'abord ce qu'aimerait l'enfant avant de lui proposer quelque chose ? Quand les enfants se sentent choyés et écoutés, ils partent du principe que nous allons réviser nos choix s'ils parviennent à nous faire comprendre ce qu'ils attendent vraiment. Dès lors, leur résistance n'est souvent qu'une façon de nous dire qu'ils souhaiteraient autre chose.

Comprendre pourquoi l'enfant résiste permet aussitôt de lever ce blocage. L'enfant sera d'autant plus conciliant qu'il se sentira compris et respecté. Car il ne suffit pas que les parents cernent la teneur de ses attentes – encore faut-il que l'enfant puisse le constater. Quand l'enfant se braque, c'est avant tout parce qu'il se croit incompris.

Imaginons qu'un enfant ait envie d'un biscuit, mais que sa mère refuse de le lui donner avant la fin du dîner.

Kevin : Maman, je veux un gâteau.

La mère : On va bientôt dîner. Je veux que tu attendes la fin du repas, et là je t'en donnerai un.

Kevin : Mais j'en veux un tout de suite...

L'enfant pique une grosse colère. La mère prend le temps d'écouter ce qu'il a à dire, puis lui répond, le plus calmement du monde : « Je sais que tu veux un biscuit tout de suite. Tu es en colère parce que tu veux un biscuit, et que je refuse de te le donner. »

Rapidement, Kevin reprend ses esprits et cesse de faire la tête. Comme sa mère a compris ce qu'il voulait, il croit qu'elle va lui donner son biscuit. Seulement celle-ci ajoute : « Tu devras quand même attendre la fin du repas. »

Parfois ce premier degré de compréhension sera suffisant, mais parfois il en faudra plus pour que l'enfant se décide à coopérer. D'une manière générale, les enfants tiennent tête à leurs parents quand ils se sentent incompris ou ignorés.

Les enfants tiennent tête à leurs parents quand ils se sentent incompris ou ignorés.

Voyons maintenant ce qui se passe si Kevin a besoin de plus de temps et de compréhension. Après avoir évacué sa colère, il se sent maintenant triste ou dépité. S'il continue à tenir tête à sa mère, notons que sa résistance a changé de nature ; elle a naturellement glissé de la contrariété vers la déception ou le désarroi. Kevin se met alors à pleurer, disant : « Je n'ai jamais ce que je veux. Je ne veux pas attendre la fin du repas ! »

De nouveau, sa mère va lui montrer qu'elle le comprend : « Je comprends que tu sois déçu. Tu veux un biscuit et tu ne veux pas attendre, car tu te dis que l'attente sera longue. »

Non seulement sa résistance décroît encore d'un cran, mais l'on touche à présent à des sentiments plus profonds. Quand il a fini de pleurer, les craintes de l'enfant commencent à émerger. Il dit maintenant : « Je n'aurai jamais mon gâteau. Je n'ai jamais ce que je veux. Je n'en demande qu'un seul. Pourquoi tu ne veux pas ? »

À ce stade de la partie, la mère évite de se justifier, et continue à analyser les sentiments et désirs de son enfant. Elle dit : « Je sais que tu as peur de ne jamais obtenir ton biscuit. Mais je veillerai à ce que tu l'aies.

Je te le promets. Viens là, mon chéri, que je te fasse un gros câlin. Je t'aime tant, mon amour. »

Kevin cède à l'appel des bras de maman, et obtient ainsi tout l'amour, le réconfort, et l'attention dont il avait besoin dès le début. La morale de cette histoire, c'est que les enfants éprouvent souvent des besoins plus profonds que ceux qu'ils expriment au départ. Ils ont besoin d'être compris et choyés, et il ne reste plus dès lors qu'à leur faire un gros câlin.

PRENDRE LE TEMPS D'ÉCOUTER

Après avoir lu l'exemple ci-dessus, vous vous dites peut-être : « Je ne peux faire ça chaque fois que mes enfants me tiennent tête. Vous ne les connaissez pas. Je devrai passer ma vie à leur expliquer les choses ! » Cette objection est légitime, à un détail près : cette technique fonctionne vraiment. Elle réduit sensiblement leur résistance et les amène à coopérer davantage. En prenant le temps de les écouter et d'appliquer consciencieusement cette technique, vous verrez qu'ils résisteront moins souvent et deviendront plus conciliants.

S'il vous faut parfois donner ainsi cinq minutes de votre temps, dites-vous que votre enfant en a vraiment besoin. Après tout, combien d'heures passez-vous par semaine à le conduire à droite à gauche, à l'emmener en courses, et à subvenir à ses besoins ? Si chacune de ces activités a son importance, aucune ne remplacera jamais l'attention que vous lui portez. Écouter ses besoins, désirs, et espoirs fera non seulement un bien fou à l'enfant, mais vous laissera également plus de temps libre pour prendre soin de vous-même.

Prendre le temps d'écouter l'enfant compte bien plus que d'arriver à l'heure au foot.

Si les menaces et les réprimandes permettent parfois de faire plier l'enfant et d'économiser un temps précieux, cette méthode ne fait qu'entraîner plus de résistance à long terme. Les mères disent souvent : « Mon gamin choisit toujours le pire moment pour faire un caprice. C'est à croire qu'il attend que je sois débordée pour me tenir tête. »

Effectivement, les enfants qui n'ont pas le droit d'exprimer leurs désaccords accumulent de la frustration, qu'ils laissent éclater lorsque les parents se trouvent en position de faiblesse. Ce phénomène pourra facilement s'inverser si vous prenez le temps, dès que possible, d'écouter ce que votre enfant a sur le cœur. N'ayez de cesse de lui montrer qu'il existe et que vous le comprenez.

Si vous n'avez jamais le temps de l'écouter, c'est que vous ne répondez pas à ses besoins. Dites-vous seulement qu'une minute de prévention vaudra des heures de guérison. N'attendez pas que votre enfant vous lance à la figure toute sa rancœur. En sondant les causes de sa résistance dès que vous en aurez la possibilité, vous verrez qu'il évitera de se braquer dans les situations les moins confortables pour vous.

Rappelez-vous que cet effort ne vous prendra guère plus de cinq minutes, et qu'il profitera à tout le monde. Il est plus important d'écouter son enfant que d'être à l'heure à ses rendez-vous. Voyant que vous prenez le temps de l'écouter, votre enfant fera lui-même des efforts pour vous laisser du temps libre. La coopération repose sur le principe du donnant-donnant. Offrez-lui votre attention, et il vous écoutera mieux à son tour.

LES DEUX CONDITIONS

Pour que votre enfant se sente vraiment entendu, deux conditions doivent être réunies. Si les parents doivent montrer qu'ils comprennent la position de l'enfant, ce dernier doit pour sa part être conscient de son besoin d'écoute, et pas seulement de son envie de gâteaux.

La deuxième étape consiste dès lors pour le parent à identifier clairement, d'une voix calme et chaleureuse, le sentiment de contrariété ou de frustration de l'enfant, ce qui permet à ce dernier de prendre conscience de ce qu'il ressent. Car un enfant contrarié ne sait pas toujours qu'il l'est.

Cette prise de conscience ouvre une nouvelle porte à l'enfant : la perception de son besoin d'écoute. L'enfant sait alors que ses parents le comprennent.

Ce processus se déroule très vite lorsque le parent dit : « Je sais que tu veux ton biscuit tout de suite. Tu es furieux parce que tu veux un biscuit et que je refuse de te le donner. » L'enfant ne peut répondre que par l'affirmative. Il devient tout de suite plus difficile de résister quand on est sur la même longueur d'onde.

L'exemple du gâteau fonctionne car il réunit les deux conditions. La mère a montré qu'elle comprenait son fils, et lui, de son côté, a senti qu'elle répondait à son besoin d'être entendu. Si cette technique est particulièrement adaptée aux enfants sensibles, sachez qu'elle fonctionne également avec les trois autres tempéraments. Elle demandera toutefois un peu plus de temps avec les sujets sensibles.

Plus l'enfant est sensible, et plus il faudra l'aider à sonder ses sentiments. Le parent saura plus facilement le guider dans cette introspection en mémorisant l'échelle suivante : derrière la résistance de l'enfant se cache d'abord la colère, ensuite la tristesse, enfin la peur. Une prise de conscience s'opère en l'enfant : ses parents savent répondre à ses besoins les plus profonds. Privé de cette possibilité, la résistance de l'enfant reste superficielle, braquée sur un unique objectif : obtenir son gâteau.

Derrière la résistance de l'enfant se cache d'abord la colère, puis la tristesse, enfin la peur.

Avec un enfant sensible, les parents devront avant tout déceler les différents niveaux de colère, de tristesse et de peur, et montrer à l'enfant qu'ils ont bien compris ce qu'il voulait.

Avec un enfant actif, il faudra également cerner ses principales émotions, mais se concentrer davantage sur ce qu'il *fait* ou souhaite faire. Ainsi vous pourrez lui dire : « Je sais que tu as dû interrompre tes activités pour venir chercher un gâteau. Tu es en colère parce que tu veux ce biscuit et que je te demande d'attendre la fin du repas. » Vous lui montrerez d'autant mieux que vous le comprenez en mettant l'accent sur l'aspect physique des choses, et en lui disant clairement ce que vous voulez qu'il fasse.

Avec les enfants expansifs, qui demandent de la distraction, vous pourrez adapter votre discours de la façon suivante : « Je sais que tu veux un biscuit *maintenant*. Tu es en colère parce que tu en as envie et que je refuse de te le donner. Regarde, nous allons prendre ce biscuit et l'emballer pour qu'il te soit servi après le dîner. Ce soir, nous allons manger du saumon avec de bonnes patates douces. Regarde comme elles sont belles... »

Avec les enfants réceptifs, qui ont besoin de repères et de rythme, introduisez la dimension temporelle. Dites par exemple : « Je sais que tu veux un biscuit *maintenant*. Tu es en colère parce que tu n'as pas envie d'attendre. Mais pour l'instant c'est l'heure de se préparer pour dîner, et c'est après le dîner que nous prendrons le dessert. Nous dînons d'abord, et nous prendrons le dessert ensuite. » Parlez en termes d'étapes pour les rasséréner.

Si ces quatre variantes correspondent chacune à un tempérament précis, sachez que la version originale fonctionne dans tous les cas de figure. N'oubliez pas que ces quatre tempéraments se retrouvent en chaque enfant. Si bien que chacune de ces variantes sera, en définitive, applicable à n'importe quel enfant.

LA MANIÈRE FORTE

Pour vaincre la résistance de l'enfant, deux approches s'affrontent généralement : la manière forte et la manière douce. Les partisans de la première se disent à tort : « En acceptant qu'il me tienne tête, j'en ferai un enfant gâté. Il ne doit pas oublier qui commande. » Si cette vision des choses a fait son temps, elle demeure vraie sur un point : pour devenir des êtres confiants, les enfants ne doivent jamais perdre de vue que ce sont les parents qui décident.

Bien que les enfants soient friands de pouvoir, en vérité celui-ci nuit à leur bien-être. Ils ont besoin de grandir dans l'univers magique de l'enfance sans avoir à porter le poids des responsabilités. Un gamin livré à une multitude de choix développe un sentiment d'insécurité qui n'est pas sans conséquences. Devenant sourd à son instinct naturel de coopération, il se montre exigeant, égoïste, capricieux – en un mot : plus coriace. Si le vieux proverbe « Qui aime bien châtie bien » a du plomb dans l'aile, remplaçons-le simplement par « Qui aime bien dirige bien ». Le nouveau message à inculquer aux enfants est le suivant : tu as le droit de résister, mais n'oublie jamais que ce sont papa et maman qui commandent.

Le temps est venu de remplacer le vieil adage
« Qui aime bien châtie bien » par
« Qui aime bien dirige bien ».

La sagesse des anciens doit être sans cesse révisée. L'éducation « à la dure » doit être revue et adaptée aux nouvelles générations. La méthode forte est efficace pour montrer qui détient l'autorité, mais elle ne laisse aucune place à la résistance naturelle de l'enfant. Si les approches fondées sur la peur et la culpabilité ont fait leurs preuves par le passé, elles ne font aujourd'hui que multiplier les problèmes. Comme nous l'évoquions précédemment, ce n'est pas en se faisant frapper ou punir que l'enfant devient coopératif. L'enfant qui vient au monde est naturellement enclin à coopérer, mais pour peu qu'on lui refuse de faire entendre sa voix, il devient soit faible et soumis, soit rebelle et incontrôlable.

La punition le rendra docile dans un premier temps, jusqu'à ce qu'il décide de ne plus courber l'échine. Les enfants se révoltent de plus en plus tôt. Mais cette révolte n'a rien de bon. Outre qu'elle épuise et affole les parents, elle nuit au bon développement de l'enfant.

Certains spécialistes considèrent qu'il est normal de se rebeller au moment de la puberté, de ne plus parler à ses parents, de rejeter en bloc leur amour et leur soutien. Nous refusons cette fatalité. Si le « divorce » est fréquent entre parents et enfants dans cette période de profonds changements, il n'est pas souhaitable pour autant.

La rupture entre parents et adolescents est
fréquente ; elle n'est pas saine pour autant.

Cette soif de reconnaissance et de considération que manifestent les adolescents ne contredit en rien l'amour et l'autorité des parents. Il n'est écrit nulle part qu'ils doivent se rebeller pour être entendus. Ce n'est pas parce qu'ils s'interrogent et « se cherchent » qu'ils n'ont plus envie de vous satisfaire ou de vous suivre.

Aujourd'hui, pour être heureux, il ne suffit plus de traverser dans les clous et de se plier au bon vouloir d'un dirigeant. Faire de nos enfants des êtres dociles et obéissants, ce n'est pas leur rendre service. Ne brisons par leur volonté. Ils ont aujourd'hui la ressource nécessaire pour tracer leur propre destin.

Nos enfants sont capables de réaliser leurs rêves ; encore faut-il que nous les y aidions. Cette capacité repose sur leur créativité. Confronté à un obstacle ou une épreuve, l'individu créatif ne baisse pas les bras. Il cherche des solutions, aussi bien pour obtenir ce qu'il veut que pour répondre aux besoins d'autrui. En stimulant l'esprit de coopération d'un enfant, nous stimulons cette forme d'intelligence ; en lui apprenant seulement à obéir, nous le privons de cette force qui permet de se faire une place dans le monde d'aujourd'hui.

Forger des êtres obéissants, c'est former des perdants.

On ne réussit pas sa vie en se conformant à des règles, mais en pensant par soi-même, en suivant ses instincts et en écoutant son cœur. On développe cette aptitude chez l'enfant en renforçant d'abord sa volonté de coopération. L'obéissance forcée entraîne une faiblesse de caractère, une étroitesse d'esprit, une dureté de cœur, et une impuissance à réaliser ses rêves. Quand les enfants comprennent qu'ils ont le droit de résister, sans oublier pour autant que ce sont papa et maman qui décident, ils sont en mesure de s'ouvrir sur le monde, comme de prendre pleinement conscience de leurs aspirations profondes.

On ne réussit pas sa vie en se conformant aux règles, mais en pensant par soi-même, en suivant ses instincts et en écoutant son cœur.

Quand les parents savent traiter la résistance d'un enfant avec calme, sans recourir aux menaces, aux punitions ou aux reproches, l'enfant apprend à gérer les contraintes qu'il rencontre dans sa vie. Face à quelqu'un qui refusera d'aller dans son sens, il saura comment s'y prendre autrement qu'en exigeant que l'une des deux parties jette l'éponge.

L'éducation positive apprend aux enfants à négocier les obstacles de l'existence par la compréhension, la réflexion, et surtout la négociation. Parce qu'ils se comportent avec les autres comme on se comporte avec eux. Quand les adultes prennent soin d'écouter leur progéniture, cette dernière apprend automatiquement à écouter les autres.

LA MANIÈRE DOUCE

De nombreux parents ont écarté la manière forte. Mais s'ils ont compris l'importance que revêt l'écoute, ils ne reconnaissent pas pour autant la nécessité de demeurer les chefs. Ils prétendent vaincre la résistance de l'enfant en l'écoutant puis en lui donnant raison. Ils cèdent systématiquement à ses exigences pour lui faire plaisir. Ne supportant pas l'idée qu'il puisse être malheureux, ils sont prêts à tous les sacrifices pour le combler. Ce type d'éducation permissive ne marche pas, et cet échec a d'ailleurs suscité bien des méfiances à l'égard des nouvelles méthodes préconisées par l'éducation positive. Fort heureusement, cette dernière offre, en revanche, des résultats immédiats. Elle fonctionne aussi bien à court terme que dans la durée.

L'échec de la manière douce a suscité bien des méfiances à l'égard des nouvelles méthodes préconisées par l'éducation positive.

En général, les adeptes de la manière douce capitulent devant les injonctions de leurs enfants parce que c'est la seule façon qu'ils connaissent pour mettre fin à leurs coups d'éclat. Renonçant aux punitions et aux fessées qui ont marqué leur enfance et prouvé leur inefficacité, ils se retrouvent du coup totalement désarmés. En tolérant tous les écarts de conduite, ils laissent croire à leurs bambins que c'est en faisant un caprice ou en piquant une grosse colère que l'on parvient à ses fins.

La manière douce revient à se soumettre littéralement aux désirs de l'enfant. On cherche par tous les moyens à éviter les conflits. Ne sachant comment faire face à la résistance de l'enfant, on tente d'y mettre un terme en capitulant. Si les parents parviennent ainsi à faire comprendre qu'on a le droit de dire non, ils échouent lamentablement à montrer qu'ils sont les chefs.

Certains spécialistes disent, en toute bonne foi, qu'il faut toujours laisser à l'enfant la possibilité de choisir. Si cette approche permet, certes, de vaincre sa résistance, elle ne l'incite guère à coopérer. Elle revient simplement à lui offrir encore plus de pouvoir, c'est-à-dire à sacrifier votre propre autorité.

Laisser l'enfant choisir abaisse, certes, sa résistance, mais ne l'incite guère à coopérer.

Jusqu'à l'âge de neuf ans, évitez de demander à l'enfant de choisir. Cela revient à le faire grandir trop vite. L'une des premières causes de stress chez l'adulte est justement la multitude de décisions qu'il est tenu de prendre. Interroger l'enfant sur ce qu'il préfère ne fait que le mettre sous pression. Et s'enquérir systématiquement de ce qu'il souhaite, ou ressent, équivaut en quelque sorte à lui laisser les clés de la maison.

La liberté et la responsabilité sont source d'anxiété quand on n'y est pas suffisamment préparé, ce qui est le cas des enfants de moins de neuf ans. Ils ont besoin de parents forts qui sachent ce qui est le mieux pour eux, tout en étant capables de les écouter pour mieux cerner leurs attentes. Rien n'empêche un parent d'accorder ses requêtes aux besoins de l'enfant, du moment qu'il reste maître du jeu.

D'une certaine manière, ce principe peut être comparé aux règles du système judiciaire. Une affaire jugée ne peut être rouverte que si de nouvelles pièces sont apportées au dossier. De la même façon, ce n'est pas parce qu'un enfant résiste que ses parents doivent aussitôt revenir sur leur décision. En revanche, lorsque la communication avec l'enfant met en lumière de nouveaux besoins ou de nouvelles attentes, rien ne leur interdit de reconsidérer leur position. Autrement dit, ce n'est pas la peur du conflit qui les fera changer d'avis, mais seulement les éléments inédits d'appréciation qui se manifesteront éventuellement. En l'absence de ces derniers, le verdict prononcé sera ferme et définitif.

L'enfant n'a pas besoin qu'on le laisse choisir ;
il a besoin de parents forts qui sachent
ce qui est le mieux pour lui.

Les partisans de la manière douce ne mesurent pas l'importance que représente pour l'enfant le fait de pouvoir résister. Celui-ci a besoin de comprendre quelles sont les limites à ne pas dépasser, et de sentir que ce que vous lui demandez compte plus que tout le reste. Autrement, il croira savoir mieux que vous ce qui est le mieux pour lui.

Les parents positifs prennent eux-mêmes les décisions, parce qu'ils sont les seuls maîtres à bord. Les enfants ne sont pas prêts pour l'autogestion. L'éducation douce, permissive, réduit à court terme les résistances, mais à la longue elle amenuise la volonté de coopération de l'enfant. La manière forte entraîne une perte de confiance chez les filles, et un manque de compassion chez les garçons. La manière douce, quant à elle, produit des filles ayant une piètre estime d'elles-mêmes, condamnées à devenir des femmes soumises, et des garçons hyperactifs, instables et indisciplinés.

Les enfants ne sont pas prêts pour l'autogestion ; ils ont besoin d'un patron.

L'éducation positive suppose que l'on tienne compte de la résistance de l'enfant, pour ensuite décider de ce qui conviendra le mieux. Que ce choix vous revienne entièrement n'empêche pas que vous serez parfois amené à réviser votre position initiale. Vous verrez qu'à mesure qu'ils prendront conscience de leurs aspirations, vos enfants deviendront de fins négociateurs, et sauront vous faire changer d'avis.

Il y a un monde entre céder face aux désirs ou aux sentiments de l'enfant, et modifier son point de vue quant à ce qui doit être fait. Être le patron ne signifie nullement qu'il faille obstinément camper sur ses positions, mais d'abord comprendre ce que l'enfant veut ou ressent, ensuite décider ce qui sera le mieux pour lui, et enfin tenir bon.

Vous commencerez à lui demander directement quels sont ses besoins, désirs, et sentiments quand il atteindra l'âge de neuf ans. Et c'est vers quatorze ans que vous vous enquerrez de son avis. La capacité d'abstraction que l'on acquiert à cet âge-là marque un début d'autonomie – la capacité de décider par soi-même. En somme, nous prendrons soin d'adapter notre communication à l'évolution intellectuelle de l'enfant.

À tout âge, l'enfant doit clairement savoir qu'il a le droit de se tromper. La meilleure façon de le lui signifier sera de tirer soi-même les leçons de ses propres erreurs. Les parents n'ont pas la science infuse, et ils doivent rester attentifs à ce qu'exprime la résistance de l'enfant. Il n'y aura lieu de changer notre fusil d'épaule que lorsque nous serons convaincus que l'intérêt de l'enfant l'exige. Mais gardons-nous bien de faire machine arrière dans l'unique but d'acheter son silence. Car cela ne fera, au bout du compte, que renforcer sa résistance.

TOUT VIENT À POINT À QUI SAIT ATTENDRE

Les partisans de la manière forte comme ceux de la manière douce empêchent donc leurs enfants d'aller au bout de leurs limites et d'apprendre à les gérer. Ils oublient ou ignorent qu'exprimer sa résistance permet non seulement à l'enfant de mesurer l'espace et l'influence qui lui reviennent, mais l'aide également à s'adapter aux contraintes de la vie. Comprendre et accepter ses propres limites, comme celles imposées par le monde extérieur, représente un formidable pas en avant. Et savoir prendre appui sur ces contraintes permet de les intégrer sans avoir à se renier. Savoir exprimer puis relâcher sa résistance permet notamment d'apprendre l'art de la patience.

De nombreuses études ont montré que les enfants qui acceptent l'idée de ne pas obtenir immédiatement ce qu'ils convoitent réussissent mieux dans la vie. Mais faut-il la science pour nous en convaincre ? Il suffit de regarder autour de soi pour constater que les gens qui réussissent sont ceux qui s'arment de courage et de ténacité pour atteindre leurs buts. Ils ne jettent pas l'éponge au moindre contretemps. Ils ne sont pas du genre à enterrer leurs désirs ou à ignorer leurs besoins pour peu que la vie ne consente à les exaucer sur-le-champ. Au contraire, les embûches qui parsèment leur chemin leur permettent de rebondir avec une énergie et un enthousiasme décuplés.

C'est ce mélange de persévérance et de patience qui permet de vivre heureux même lorsqu'on n'obtient pas tout ce qu'on demande. Quand les enfants sont capables de baisser la garde, ils apprennent peu à peu à accepter la nécessité des choses. Ils admettent les limites qui leur sont imposées dans un esprit de coopération et de sagesse, avec foi en l'avenir. Paradoxalement, c'est notre possibilité de résister qui nous rend plus souples. Et c'est en prenant conscience des réalités de la vie que nous pouvons mesurer nos marges de manœuvre. Ce qui non seulement apaise nos angoisses, mais renforce notre détermination à changer ce qui peut l'être.

C'est en exprimant puis en relâchant sa résistance que l'enfant apprend à accepter les nécessités de la vie.

Chaque être humain possède en lui ces capacités naturelles de tirer parti des contraintes et de rebondir sur ses échecs. Quand un enfant se plaint de ne pas avoir ce qu'il demande, et que ses parents lui montrent qu'ils comprennent ses aspirations profondes, alors l'enfant découvre que l'on peut être heureux sans avoir tout ce que l'on désire. En lui offrant toute l'écoute et l'attention nécessaires, il se montrera moins soucieux d'obtenir immédiatement ce qu'il veut.

Quand un enfant passe son temps à réclamer, c'est généralement le signe que ses véritables besoins ne sont pas satisfaits. De même, quand un adulte se sent malheureux de ne pas obtenir ce qu'il veut, c'est qu'il ne reçoit pas suffisamment d'amour et de soutien.

Les enfants développent un sentiment de malaise et d'insécurité en l'absence de limites sur lesquelles ils peuvent prendre appui. Quand ils obtiennent toujours gain de cause, ils deviennent insatiables. Il leur en faut toujours plus. Car on ne peut apprécier ce que l'on a que lorsque l'on connaît ses vrais besoins.

Quand les parents savent écouter la résistance de l'enfant, pour l'aider à prendre conscience de ses réels sentiments, désirs, souhaits et besoins, celui-ci apprend à faire la part des choses entre ce qui compte vraiment, et ce qui ne relève que des inévitables aléas de la vie. De nos jours, la plupart des adultes souffrent de migraines, de chagrin, de stress, d'angoisse, de mal de dos, et de pathologies diverses parce qu'ils se soucient trop de leurs envies, et pas assez de leurs besoins.

RÉPONDRE AUX BESOINS DE SES ENFANTS

On ne peut pas toujours offrir à ses enfants ce qu'ils demandent mais on peut toujours leur apporter ce dont ils ont réellement besoin. Si vous ne vous

en souciez pas assez, vos relations deviendront inévitablement de plus en plus tendues. N'oublions pas
qu'en résistant, l'enfant exprime son besoin d'être
vu, entendu et choyé. La connaissance qu'il a de
lui-même repose entièrement sur l'attention que
vous lui manifestez. Quand un enfant rechigne à
s'habiller, refuse de manger, ou fait la sourde oreille,
il vous signifie qu'il aspire à plus d'attention. Il faut
que l'on s'occupe de lui, qu'on le comprenne et
qu'on l'oriente.

Bien souvent, le simple fait d'écouter la résistance
ou les émotions de l'enfant suffit à satisfaire ces
besoins. Mais ce n'est pas toujours suffisant, notamment dans le cas où l'enfant manque d'encadrement.

Prenons un exemple. Une mère demande à ses
deux fils, âgés de six et neuf ans, de cesser de se cha-
mailler. Après avoir noté leur résistance et compris
leur frustration, elle parvient à les ramener à une
attitude plus coopérative. Mais si ces derniers restent
livrés à eux-mêmes, sans occupation précise, ils
recommenceront inévitablement à se battre.

Dans le cas présent, ces enfants n'ont pas seulement besoin d'écoute. Ils ont besoin d'être encadrés,
impliqués dans une activité avec des règles et un but
précis.

---

*Des enfants livrés à eux-mêmes oublient
facilement ce que l'on attend d'eux.*

Quand vous vous trouvez dans l'impossibilité de
répondre immédiatement aux attentes d'un enfant,
il existe d'autres solutions pour l'amener à coopérer.
Ces techniques de motivation sont réellement efficaces, mais sachez qu'elles ne vous dispenseront
jamais de répondre aux besoins propres de l'enfant.
Bien qu'elles soient facteur de coopération et de
volonté, elles ne suffisent pas en tant que telles au

bon développement de l'enfant. Ces techniques vous permettront d'obtenir ce que vous voudrez, quand vous voudrez, mais vos enfants auront toujours besoin d'écoute, de structures, d'orientation et de rythme. Tout comme la punition avait une valeur dissuasive dans l'éducation basée sur la peur, les récompenses sont un facteur de coopération dans le cadre d'une éducation fondée sur l'amour. Dans le prochain chapitre, nous apprendrons comment motiver nos enfants au moyen de récompenses.

CHAPITRE 6

De nouvelles techniques pour renforcer leur motivation

Naguère, on incitait les enfants à bien se tenir en agitant le spectre de la punition. Aujourd'hui encore, face à un gamin récalcitrant, le premier réflexe sera de proférer des menaces : « Si tu ne m'écoutes pas, tu vas t'attirer des ennuis » ou bien « Si tu n'arrêtes pas de pleurer immédiatement, je vais te donner une bonne raison de le faire ». Avec les plus jeunes, nous lèverons la main pour annoncer une bonne fessée, ou ferons les gros yeux en guise d'ultime sommation. Nous faisons de la privation, de la violence, de la peine ou de la souffrance de puissantes armes de dissuasion.

Si cet usage préventif de la peur semble donner des résultats, sachez qu'il n'incite en rien l'enfant à coopérer de lui-même. Répétons-le : l'obéissance n'a rien à voir avec la coopération. L'enfant coopère quand il est animé du désir d'aider ses parents, ce qui ne peut être obtenu si l'on brise sa volonté à coup de sanctions. Si nous avons tant de mal à renoncer aux châtiments, c'est qu'ils nous offrent des résultats immédiats. On n'y prend aucun plaisir, on aimerait pouvoir s'en passer, mais on ne sait pas faire autrement. On reconnaît leur côté inhumain, mais sans ces sanctions nos bambins deviennent intransigeants, frondeurs et insaisissables.

> **La plupart des parents aimeraient renoncer aux punitions mais ils ne savent pas faire autrement.**

Soucieux d'offrir une alternative à cette forme de contrainte, certains spécialistes proposent de faire subir à l'enfant les « conséquences » de ses actes. Lorsqu'il se sera mal conduit, on isolera telle conséquence de ses actes, pour la substituer au terme de « punition ». Le but de l'opération est de supprimer la honte ou la gêne qu'éprouve celui qui sanctionne. Au lieu de dire : « Tu es méchant, alors tu vas être puni », nous adressons à l'enfant un message plus positif : « Tu as le droit de commettre des erreurs, mais maintenant tu vas en connaître le prix. » Si cette technique permet de décomplexer les parents, et semble en apparence moins inhumaine, il n'en demeure pas moins qu'elle reste fondée sur la peur. Il y a certes du mieux par rapport à la punition bête et méchante, mais cela ne nous dit toujours pas comment éveiller le désir naturel de coopération de l'enfant. Cela revient à dire « Tu seras puni » d'une plus jolie façon.

UNE BRÈVE HISTOIRE DE LA PUNITION

Depuis plus de cinq mille ans, c'est le principe de châtiment qui régit l'ordre social : œil pour œil, dent pour dent ; justice pour les victimes ; les criminels doivent payer. Si la vengeance suffisait autrefois à satisfaire le bon peuple, cette satisfaction n'est aujourd'hui qu'éphémère et ne parvient pas à effacer la douleur des victimes.

Ne serait-ce que d'un point de vue pratique, notre système pénal marche sur la tête. Chaque prisonnier coûte une fortune à la collectivité. Imaginez seulement combien de crimes seraient évités si cet argent était investi dans la prévention.

Cette croyance obsolète en l'efficacité des châtiments est encore profondément ancrée dans nos mentalités. À suivre le précepte « œil pour œil, dent pour dent », nous finirons tous aveugles et édentés ! Mais bien que nous sentions au fond de notre cœur que la loi du talion a fait son temps, il nous reste encore à trouver et à définir une option crédible.

Aujourd'hui, nous avons toujours besoin de règles, mais nous pouvons nous passer de châtiments. Un jour sûrement, lorsque la conscience humaine aura suffisamment progressé, même les règles deviendront superflues. Si la punition s'avérait jadis indispensable, c'est parce que nous n'étions pas capables de trouver par nous-mêmes la frontière entre le bien et le mal, entre nos aspirations intimes et les contraintes imposées par l'extérieur ; voilà pourquoi les sacrifices aux dieux et la persécution des méchants constituaient nos deux seuls stimulants.

CE QUI FAISAIT LE SUCCÈS DE LA PUNITION

Les châtiments physiques (amputation d'un doigt, flagellation, lapidation) n'étaient pas rares, tandis que leurs variantes plus civilisées consistaient à ponctionner de l'argent (amendes) ou à priver de liberté (prison). Ces dernières visaient à infliger aux coupables les affres de la privation. Par ailleurs, pour devenir meilleurs et éviter les faux pas, beaucoup se tournaient vers Dieu au moyen d'offrandes ou de sacrifices. En se dépossédant d'une part de leurs richesses, ils avaient l'impression de mieux appréhender la notion de bien et de mal, comme de se tracer un chemin de vie. Une démarche au bout du compte bénéfique.

L'expérience de la douleur nous pousse naturellement à corriger nos pensées et nos actes.

Si cette idée vous semble curieuse à première vue, penchez-vous un instant sur votre expérience quotidienne. Souvent, dans une situation de perte ou de privation, pris de regrets ou de remords, on prend de bonnes résolutions afin de ne plus reproduire ses erreurs et de tirer les leçons de ses échecs. L'expérience de la douleur incite à se réformer pour ne plus jamais la connaître. En outre, ce voyage au cœur de ses plus profondes émotions rend les êtres plus créatifs et révèle l'étendue de leurs ressources. La capacité de distinguer le bien du mal prend sa source au cœur des sentiments. Que ces derniers soient négatifs (peine, douleur) ou positifs (joie, plaisir), ils nous aident à opérer les ajustements nécessaires.

Forts de ce regain de motivation, nous portons un regard critique et lucide sur nos actes passés. Ce questionnement intérieur est la base de l'autodiscipline. Sans cette détermination à aller de l'avant, nous restons prisonniers de principes et de repères étriqués, condamnés à l'étroitesse d'esprit. La souffrance est notre meilleure conseillère, car elle nous pousse à revoir notre façon d'être et de faire. Elle nous oblige à reconsidérer ce qui est bon, pour nous comme pour les autres.

L'ASPECT POSITIF DE LA PUNITION

L'épreuve de la douleur, qu'elle résulte d'un châtiment ou d'un sacrifice spirituel, révélait aux individus leurs sentiments intimes et leur permettait d'approfondir leur notion du bien et du mal. De ce point de vue, la punition était une façon d'infliger cette douleur, et donc, d'une certaine manière, d'inciter les individus à progresser.

Au début du XXe siècle, certains moines chrétiens se punissaient eux-mêmes pour devenir plus méritants. Ils se flagellaient quotidiennement afin de se rapprocher de Dieu. Cette pratique extrême était largement répandue. Aujourd'hui encore, sous diverses formes, le sacrifice de soi est une pratique courante ; il n'est pas rare de renoncer à son confort et à ses plaisirs au nom d'une quête spirituelle.

Mais ces recettes sont dépassées. Nul besoin de tirer un trait sur les plaisirs de l'existence pour mener une vie intègre. De même, il n'y a plus lieu de soumettre nos enfants à une quelconque privation. Pour qu'ils mènent une vie prospère et épanouie, nous devrons trouver une autre façon de les motiver, faute de quoi leurs erreurs les pousseront, à leur tour, à se priver et se punir eux-mêmes.

Les jeunes d'aujourd'hui ont de nouveaux besoins. En répondant à ces besoins, nous renforçons automatiquement leur aptitude à coopérer et leur détermination à suivre la volonté de leurs parents. Nos enfants n'ont que faire des sanctions d'antan ; ils disposent d'un fort potentiel qui nécessite seulement un soutien adapté.

LA PREUVE PAR LES FAITS

Les systèmes carcéraux en vigueur dans les démocraties occidentales nous démontrent jour après jour l'inefficacité des punitions dans une société de liberté. Sous une dictature, la menace est extrême et la peur omniprésente ; c'est ainsi que l'ordre est préservé et la criminalité maintenue à un bas niveau. Mais dans une société libre, la punition conduit à une impasse. Aujourd'hui, au lieu de bâtir des écoles, nous construisons de nouvelles prisons. Dans la plupart des États de notre pays, loin de réhabiliter les gens, la prison fabrique des récidivistes. La plupart des centres de réinsertion mériteraient le label de « centres de perfectionnement criminel ». Il est évident que le recours au châtiment pour maintenir l'ordre n'a plus sa place dans une société fondée sur la liberté individuelle et les droits de l'homme. Nous ne pouvons à la fois prêcher l'amour de son prochain et continuer à réprimer les plus faibles. Heureusement, certaines prisons commencent à privilégier l'aspect réinsertion de leur mission.

Si la punition est inefficace dans une société de liberté, elle l'est *a fortiori* dans une famille heureuse. Plus l'enfant se sent chéri et aimé, et plus les sanctions exercent sur lui un effet déstabilisant. Nous ne pouvons éveiller le cœur et l'esprit de nos enfants afin qu'ils deviennent forts, créatifs et capables, si c'est pour retourner notre veste et les menacer comme de vulgaires animaux. Comment pourront-ils se sentir bien dans leur peau si nous les culpabilisons à la moindre erreur ?

Nous voulons que nos enfants soient bien dans leur peau, mais à la moindre faute nous les culpabilisons.

Apprendre à l'enfant le langage des sentiments et ensuite le punir est encore pire que d'ignorer ses besoins et désirs pour le sanctionner de temps en temps. Si nous voulons vraiment permettre à nos enfants d'écouter leur cœur et leur conscience pour qu'ils deviennent des gens de bonne volonté, nous devons trouver autre chose que les punitions pour les motiver.

Tout le monde sent bien qu'il est à la fois inefficace et cruel de punir ses enfants, mais comment faire autrement ? Beaucoup refuseront de renoncer aux sanctions, échaudés par l'échec patent de la « manière douce » évoquée précédemment. Les enfants qui ne sont jamais punis se montrent souvent turbulents, indisciplinés, et irrespectueux envers les autres, qu'il s'agisse d'autres enfants, d'adultes, d'enseignants... Et pourtant je suis sûr que chaque parent se sera déjà dit, dans un moment de calme, qu'il devait bien exister une meilleure solution.

L'ALTERNATIVE : LA RÉCOMPENSE

Au lieu de contrôler nos enfants à coup de punitions, motivons-les au moyen de récompenses. Plutôt que de s'attarder sur les conséquences d'un mauvais comportement, les parents éclairés mettront en avant les conséquences d'une attitude positive. Au lieu de jouer sur les issues négatives, ils tireront profit des perspectives positives.

Pour motiver un enfant, il n'existe rien de mieux, mis à part son instinct naturel de coopération, que son désir de récompense. Bien souvent, c'est la perspective d'être récompensé ou reconnu par les autres qui éveille son instinct de coopération. Tous les enfants aiment partager des moments privilégiés avec leurs parents, ont les yeux qui brillent quand on leur parle de dessert, aiment recevoir des cadeaux, et attendent avec impatience les fêtes et les anniversaires. Et tous les parents auront remarqué combien leurs enfants savent se montrer charmants quand ils pensent pouvoir recevoir ce qu'ils attendent.

Le fait ou la simple idée d'obtenir « plus » déclenche un soudain enthousiasme qui fait spontanément dire oui. La perspective d'être récompensé procure l'énergie et l'attention nécessaires pour se montrer coopératif et accommodant. La promesse du mieux nous motive tous, quel que soit notre âge. C'est par la récompense, et non par la punition, que nous stimulerons l'instinct de coopération de nos enfants.

_____

La promesse du meilleur nous incite tous,
quel que soit notre âge, à coopérer.
_____

Si les parents manifestent parfois une certaine lenteur à adopter de nouvelles idées, les entreprises concurrentielles ne peuvent se permettre ce luxe. Pour survivre et prospérer, elles doivent sans cesse s'adapter aux tendances du moment, sans quoi elles resteront sur le carreau. Par exemple, les compagnies aériennes ont clairement compris que c'est en offrant des avantages, des réductions, des bonifications et des points kilométriques qu'elles pourront élargir et fidéliser leur clientèle. De même que la plupart des grandes sociétés distribuent des primes exceptionnelles à leurs meilleurs employés.

Mais dès qu'on en vient à l'éducation des enfants, nous nous heurtons souvent à cette idée reçue selon laquelle récompenser l'enfant serait une manière de le corrompre, et que cette corruption serait en définitive un aveu d'impuissance. Le recours obligé aux récompenses apporterait la preuve que ce sont les enfants qui mènent la danse. Remarquons seulement que les partisans de cette approche sont en général ceux-là mêmes qui dirigent leurs enfants à coups de punition – or qu'est-ce que la punition sinon une forme négative de corruption ?

Ce point de vue ne sera pas facile à entendre pour ceux qui punissent leurs enfants à contrecœur mais en croyant avoir fait le choix de la raison. Combien donnent la fessée en disant à leur bambin : « Crois bien que cela me fait encore plus mal qu'à toi » ? Leur cœur leur dit blanc, mais leur esprit n'était jusqu'à présent disposé qu'à entendre noir. Ils aiment leurs enfants, et ils faisaient simplement de leur mieux.

Plusieurs milliers d'enfants ont déjà reçu une éducation exempte de punitions et de menaces. Leurs parents ont su se débrouiller autrement. Ces enfants n'étaient au final ni turbulents ni indisciplinés, et ils sont devenus des adultes épanouis. Dans le même temps, des millions de parents ont échoué en appliquant la manière forte, la manière douce, ou en alternant les deux.

LES DEUX RAISONS QUI AMÈNENT L'ENFANT À SE CONDUIRE MAL

Pour mieux comprendre l'efficacité des récompenses, nous devrons d'abord nous pencher sur les deux raisons qui poussent les enfants à mal se comporter. La première de ces raisons, c'est qu'on ne leur permet pas toujours d'être en phase avec leurs émotions.

Les enfants nous tiennent tête quand leurs besoins ne sont pas satisfaits.

Quand les enfants ne reçoivent pas ce dont ils ont besoin, ils vous filent entre les doigts et, en conséquence, se conduisent mal. À l'inverse, quand leurs besoins sont satisfaits, ils respectent votre autorité. Vous avez beau avoir une voiture en parfait état de marche, vous courez droit à l'accident si vous lâchez le volant. De la même façon, quand les parents perdent leur autorité, leurs enfants courent à la catastrophe.

La seconde raison tient à la façon dont vous réagirez aux premiers écarts de conduite. Le fait d'insister sur les faits incriminés ne fera qu'aggraver les choses. Les reproches ne font qu'alimenter la rancœur, qui engendre à son tour une attitude rebelle. Qui sème le vent récolte la tempête. La punition enferme l'enfant dans son comportement négatif, plutôt que de l'attirer vers une attitude positive.

POURQUOI LES RÉCOMPENSES FONCTIONNENT

Récompenser la bonne conduite des enfants revient à mettre l'accent sur ce qu'ils ont fait de bien, tandis que la punition réveille l'idée tenace selon laquelle ils sont nés mauvais et ont besoin d'être rééduqués. En s'attardant sur le mal, on ne laisse aucune chance au bien.

D'une manière générale, on favorise toujours ce sur quoi on met l'accent. En punissant un enfant, on met l'accent sur ce qu'il a fait de mal. Ne dit-on pas d'ailleurs souvent : « Je vais te donner une bonne leçon que tu n'es pas près d'oublier. » L'inverse consiste à adopter une attitude de pardon qui implique que l'on reconnaît le droit à l'erreur de l'enfant, puis de tourner la page. Il est vital pour les jeunes d'aujourd'hui que l'on réponde à leurs besoins et qu'on les aide à réussir ce qu'ils entreprennent.

Donc, plutôt que de s'attarder sur les erreurs de l'enfant, il faudra tâcher de « prendre sur le vif » ses bonnes actions. À chaque pas qu'il fera dans la bonne direction, exprimez-lui votre reconnaissance, félicitez-le, et il poursuivra sur cette voie.

Plutôt que de vous attarder sur les erreurs de l'enfant, tâchez de « prendre sur le vif » ses bonnes actions.

Si votre enfant a entre quatre et neuf ans, dressez une liste de quelques tâches et bonnes actions que vous attendez de lui. Au moment de le coucher, prenez cette liste et collez une gommette colorée ou brillante en face de chacune de celles qu'il aura accomplies. Laissez simplement un blanc en face des autres, sans vous y attarder outre mesure. Feignez l'indifférence devant ces manquements, et félicitez-le vivement pour ses réussites. Signalez-lui qu'un certain nombre de gommettes lui vaudra une récompense, comme le droit de lire plus longtemps avant d'éteindre la lumière, ou d'aller voir un match de base-ball. Ces gratifications engendreront des souvenirs qui rappelleront à l'enfant les joies de la reconnaissance et de la réussite.

Félicitez l'enfant pour ses réussites.

Grâce à ce « tableau de bord », vous n'oublierez plus de le complimenter pour tout ce qu'il aura fait de bien. La plupart des parents ne se rendent même pas compte qu'ils n'ont de cesse de verbaliser leurs enfants. En ouvrant les yeux sur ce fâcheux travers, ils comprendront peut-être mieux pourquoi ils ne s'estiment pas écoutés. Ce n'est sûrement pas en accablant nos enfants d'assertions négatives que nous les amèneront à coopérer. La liste qui suit rassemble trente-trois expressions fréquemment employées. En y reconnaissant vos propos, vous prendrez plus facilement conscience de votre tendance à donner dans le négatif.

REMARQUES NÉGATIVES

- Tu n'as pas rangé tes livres.
- Tu ne tournes pas rond.
- Tu fais trop de bruit.
- Ne sois pas méchant avec ta sœur.
- Ta chambre est en bazar.
- Combien de fois as-tu oublié ton manteau ?
- Quand te décideras-tu à grandir ?
- Tu ne m'écoutes pas.
- Ne va pas là.
- Ne joue pas avec la nourriture.
- J'aurais préféré avoir un garçon.
- Cesse de rêvasser et fais attention à ce que tu fais.
- Cesse de courir partout.
- Sois moins brutal quand tu joues.
- Tu recommences à jouer les tyrans.
- Personne ne t'aimera jamais si tu te comportes ainsi.
- Tu n'as pas dit merci.
- Tu n'as pas dit s'il te plaît.
- Ferme la bouche quand tu manges.
- Tu n'as rien fait de ce que je t'ai demandé.
- Tu regardes trop la télévision.
- Baisse un peu ta musique ; ça me donne mal au crâne.
- Cesse de pleurnicher.
- Tu fais tout de travers.
- Cette fois, tâche de ne pas oublier.
- Ralentis, tu vas trop vite.
- Ce n'est pas drôle de jouer avec toi.

- Ne sois pas stupide.
- Tu te tiens comme un vrai bébé.
- Je ne sais plus quoi faire de toi.
- C'est hors de question.
- Cela n'a aucun sens.
- Tout est ta faute.

C'est en prenant conscience de notre propension à exprimer ce type de reproches que nous pourrons y mettre un terme. Au lieu de souligner ce qui ne va pas ou de punir nos enfants, tâchons plutôt de les guider pour qu'ils trouvent eux-mêmes des solutions. Si l'on n'est pas capable de s'exprimer ou d'orienter l'enfant de manière positive, alors il vaut mieux ne rien dire du tout. Les exemples suivants vous montreront comment guider l'enfant plutôt que de relever ses erreurs dans l'intention de le punir :

Souligner ce qui ne va pas	Comment le guider pour qu'il progresse
Tu ne m'écoutes pas.	Veux-tu m'offrir toute ton attention ?
Je ne sais plus comment faire avec toi. Je veux que tu...	S'il te plaît, j'aimerais que tu coopères.
Regarde comme tu es fagoté.	Voudrais-tu mettre ta nouvelle chemise bleue ? Elle irait à merveille avec ce pantalon.
Il est hors de question que tu fasses ça.	Voyons s'il n'y a pas une meilleure façon de faire.
Ne sois pas stupide.	Reprenons lentement depuis le début.
Ralentis, tu vas trop vite.	Voudrais-tu bien ralentir ?

Tu n'as pas rangé tes livres.	Voudrais-tu ranger tes livres, s'il te plaît ?
On ne chante pas à table.	Ne chante pas à table, s'il te plaît.
Cesse de pleurnicher.	Je ne veux plus qu'on en parle.
Tu recommences à faire ton égoïste.	J'aimerais que tu respectes les bonnes manières, s'il te plaît.

Certes, nous avons parfois besoin de reprendre nos enfants, mais plutôt que de souligner leurs fautes de manière négative, offrons-leur une chance de se corriger eux-mêmes. Même le fait de souligner leurs erreurs de manière positive peut s'avérer contre-productif, si on en reste là. Pour une erreur relevée, il faudra souligner trois bonnes actions. Il faut toujours plusieurs compliments pour contrebalancer un reproche. Les enfants cessent souvent d'écouter leurs parents parce que leurs efforts ne sont pas suffisamment reconnus.

Voici trente-trois exemples de paroles élogieuses que vous pouvez exprimer lorsque vous prenez votre enfant à faire quelque chose de bien :

PRENEZ SUR LE VIF LES BONNES ACTIONS DE VOTRE ENFANT

- Tu as rangé tes livres.
- Ta chambre est impeccable.
- Tu es vraiment intelligent.
- C'est très gentil à toi.
- J'apprécie que tu écoutes ta conscience.
- Tu as fait du bon travail.
- Tu m'aides énormément.

- Tout marche comme sur des roulettes.
- Tu n'as pas oublié les bonnes manières.
- Tu m'es d'un grand secours.
- Quel plaisir de jouer avec toi !
- Je t'aime et je suis comblé(e) d'être ton père (ta mère).
- Bien vu !
- Je te remercie de m'avoir écouté(e) sans m'interrompre.
- Tu as suivi toutes mes instructions, bravo !
- Tu manies très bien tes couverts ce soir.
- Tu es un bon travailleur.
- Tu t'es parfaitement bien conduit.
- Ton aide est très précieuse.
- Ce dessin est magnifique, je l'adore.
- C'est toi qui as fait ça ? Chapeau !
- Ce n'est pas grave, je sais que tu as fait de ton mieux.
- Tu te tiens à table comme une enfant modèle.
- Tu te montres très coopératif ce soir.
- J'ai vu que tu prêtais tes jouets ; c'est très gentil.
- Tu t'es habillé tout seul.
- Tu as réussi tout seul.
- J'ai apprécié que tu viennes m'épauler quand j'ai eu besoin d'aide.
- Tu as fait un travail fantastique.
- Tu t'es montré coopératif d'un bout à l'autre, merci.
- Tu es si doux avec les animaux.
- Merci de ton aide. Je saurai que je peux compter sur toi.
- Tu as l'air très en forme aujourd'hui.

En pointant du doigt les bonnes actions et les succès de vos enfants, ils se considéreront comme des êtres doués et bons. Cette image positive d'eux-mêmes les incitera à coopérer, mais elle renforcera également leur estime de soi, leur assurance, et leur notion de compétence.

Les partisans de la manière « douce » sont en général les premiers à féliciter leurs enfants. Mais lorsque ces derniers présentent malgré tout des signes d'anxiété ou une piètre estime de soi, certains spécialistes en concluent – à tort – que ces marques de reconnaissance sont inefficaces.

C'est faux. Ce ne sont pas ces compliments qui sont en cause, mais le fait que ces enfants obtiennent toujours gain de cause lorsqu'ils tiennent tête à leurs parents. Les partisans de la manière « douce » ont une sainte horreur des conflits, ce qui les amène à céder aux moindres exigences de leurs bambins. C'est cette faiblesse, et non leurs compliments, qui corrompt l'enfant.

LA MAGIE DES RÉCOMPENSES

L'éducation positive vise la coopération de l'enfant, et ce par différents moyens. Demander au lieu d'ordonner. Répondre aux besoins spécifiques de l'enfant au lieu de les ignorer. Écouter ce que sa résistance exprime plutôt que de sermonner ou de gronder. Et, lorsque toutes ces voies ont échoué, recourir aux récompenses. Car si ces dernières n'ont pas leur pareille pour motiver un enfant récalcitrant, dites-vous bien qu'elles ne suffiront jamais à satisfaire son besoin de compréhension, de structures et d'orientation.

Les récompenses sont particulièrement utiles quand nous nous trouvons dans l'impossibilité matérielle de satisfaire les besoins de l'enfant. Il nous arrive à tous d'être bousculés, pressés par les événements, et donc indisponibles. Dans ces moments-là, la promesse d'une récompense nous offrira provisoirement la coopération nécessaire. Voyons certains exemples de situations dans lesquelles les enfants refusent de coopérer parce qu'il leur manque quelque chose.

POURQUOI LES ENFANTS RECHIGNENT À NOUS ÉCOUTER

- Quelque chose les a déçus ou chagrinés, ils ont besoin de se confier et de se sentir compris, mais vous n'avez pas le temps de les écouter.
- Fatigués, ils ont besoin d'une bonne sieste ; leur rythme naturel est perturbé.
- Ils ont faim.
- Ils ne savent pas à quoi s'attendre et il leur faut un temps de préparation.
- Ils n'ont pas bien compris ce qui leur était demandé ni quelles étaient les règles à suivre.
- Ils sont surexcités suite à un excès de télévision, à une longue séance de shopping, à un bain de foule, à un jeu passionnant, à une surconsommation de sucreries, ou simplement à un trop-plein d'activités.
- Quelque chose les tracasse ; ils ont besoin d'en parler ou d'être aidés. Ils ont une otite, quelqu'un les aura blessés...

Parfois, ce seront des influences et des pressions extérieures qui perturberont vos enfants et causeront leur résistance. Imaginez que vous soyez au supermarché ou dans un avion, et que votre fils ou votre fille se sente agressé(e) par des gens qui ne supportent pas d'entendre un enfant pleurer.

N'oubliez pas que les enfants sont censés se mettre en colère et vous tenir tête afin d'obtenir la compréhension dont ils ont besoin pour se comprendre eux-

150

mêmes. Un enfant trop couvé qui n'aura pas eu son compte de coups d'éclat aura tendance à faire une scène en public, c'est-à-dire quand ses parents auront en quelque sorte les mains liées. Ces enfants ont l'habitude que l'on cède à leurs caprices. Aussi, dès que vous êtes dans un lieu public ou dans une situation tendue qui vous empêche de leur donner davantage, ils deviennent exigeants et piquent une grosse colère.

La résistance d'un enfant peut être causée par l'une de ces raisons comme par de nombreuses autres. En tout état de cause, sachez qu'un enfant qui résiste est un enfant lésé. Nous ne vivons pas dans un monde parfait, et nous autres parents avons tous nos limites. Le fait est que nous n'avons pas toujours le temps ni les moyens de combler nos enfants, malgré la meilleure volonté du monde. De temps à autre, ils nous tiendront tête quand nous ne leur aurons pas offert toute l'attention, la compréhension, la structure, la distraction, ou le rythme qu'il leur faut.

La résistance est inévitable, car aucun parent n'est parfait, ni toujours en mesure de satisfaire les besoins de l'enfant.

Au lieu de considérer, à tort, que nos enfants refusent de collaborer, comprenons enfin qu'ils ne reçoivent pas ce qui leur est nécessaire pour se montrer coopératifs. Prenons un exemple : lorsqu'une voiture n'avance plus à cause d'une panne d'essence, il ne vous viendrait pas à l'idée d'incriminer le moteur. Quand un enfant résiste, c'est qu'il se trouve dans l'impossibilité de vous offrir son concours ; il lui manque simplement de quoi renouer avec son instinct naturel de coopération. Dès lors, l'objet de la récompense sera de lui redonner un peu de carbu-

rant pour qu'il retrouve cette part de lui-même disposée à vous suivre.

L'objet de la récompense est de réveiller cette
part d'eux-mêmes disposée à vous suivre.

Au lieu d'essayer de reprendre le dessus en proférant des menaces ou en levant la main, on peut
ramener l'enfant à une attitude coopérative au
moyen de récompenses.

DES RÉCOMPENSES ADAPTÉES

Imaginez que l'on vous demande de rester plus
tard au bureau. Première réaction : vous protestez.
Mais si l'on vous dit que chaque heure supplémen-
taire sera payée le double du tarif normal, c'est tout
de suite plus intéressant. La motivation que vous
procure la promesse d'un plus ou d'un mieux sera
encore plus forte chez les enfants. C'est un phénomène naturel. Voyons quelques exemples :

Votre fille refuse de se brosser les dents. Dites-lui :
« Si tu vas te brosser les dents maintenant, nous
aurons le temps de lire trois histoires au lieu d'une. »

Je me souviens précisément de l'époque où j'ai
commencé à employer de manière consciente la
technique de la récompense. Une de mes filles refusait systématiquement d'aller se brosser les dents
avant de se coucher. Rien n'y faisait, c'était tous les
soirs le même cirque. Jusqu'à ce que je suive un
cours d'éducation parentale qui préconisait l'usage
des récompenses. Un soir, j'ai donc prononcé cette
phrase, et elle a fonctionné à merveille. Je n'en reve-
nais pas. Le simple fait de savoir que nous pourrions
lire plus longtemps fit bondir Lauren vers la salle de
bains pour empoigner sa brosse à dents. Cet épisode

152

allait profondément changer mon approche de l'éducation.

Cette stratégie rend le métier de parent bien plus facile. Il en faut rarement davantage pour que la résistance de l'enfant fonde comme neige au soleil.

Les petites récompenses rendent le métier de parent bien plus facile.

Certains craindront peut-être de mettre le doigt dans un engrenage infernal, en se disant qu'à terme l'enfant ne les écoutera plus que lorsqu'il y aura une récompense à la clé. Mais n'ayez crainte, ce n'est pas comme cela que ça marche. Lorsqu'elles viennent en complément des autres techniques de l'éducation positive, les récompenses ont au contraire pour effet d'inciter l'enfant à se montrer conciliant, même à titre gratuit.

Sachez en outre que les enfants qui respectent votre autorité n'ont plus besoin de récompenses. Elles servent seulement à les ramener sous votre coupe, à raviver ce désir inné de vous plaire. Lorsqu'un comportement est acquis, la récompense initiale devient superflue. De même, ce n'est pas parce que l'enfant aura gagné trois histoires au lieu d'une qu'il fera monter les enchères dans les autres domaines.

Avant de découvrir le pouvoir des récompenses, j'y étais moi-même plutôt hostile. J'estimais qu'elles revenaient en quelque sorte à acheter nos enfants. Mais devant de tels résultats, je fus bien obligé de revoir ma position. Auparavant, quand une de mes filles me tenait tête, mon premier réflexe était de brandir une menace. Ayant été élevé ainsi par mon père, je reproduisais son attitude lorsque je me trouvais en difficulté. Mais dès que je découvris cette formidable alternative, je renvoyai aussitôt les menaces et les punitions au rayon des vieilleries.

Il me restait alors à trouver la bonne façon de distribuer les récompenses. Celles-ci doivent être en rapport avec le changement que l'on attend de l'enfant. L'idéal, c'est qu'elles soient la conséquence directe de sa coopération. Quand ma fille se brosse les dents sitôt le repas terminé, cela nous laisse objectivement plus de temps pour lire des histoires. En revanche, l'enfant qui refuse d'enfiler son manteau aura du mal à considérer comme une récompense le fait d'arriver plus tôt à l'école. Sauf si vous lui dites : « Si tu enfiles ton manteau tout de suite, j'aurai le temps de regarder tes dessins affichés dans la classe. »

Une seule récompense marche à tous les coups, et ne nécessite aucun effort particulier d'ingéniosité : consacrer de son temps. N'hésitez pas à dire : « Si tu coopères maintenant, nous pourrons par la suite passer un moment privilégié ensemble. »

La promesse la plus efficace sera de passer un moment privilégié en votre compagnie.

Chaque fois que votre enfant coopère, il vous fait gagner du temps, que vous serez libre de réinvestir dans une de ses activités préférées. En lui rappelant cette simple vérité, il sera tout de suite plus enclin à vous suivre. Pour rendre cette promesse encore plus efficace, vous pourrez l'exprimer d'une manière plus parlante en fonction de son tempérament.

DES RÉCOMPENSES ADAPTÉES
AUX DIFFÉRENTS TEMPÉRAMENTS

Voyons à présent comment adapter une même promesse aux différents tempéraments des enfants. Avec un enfant sensible, insistez sur l'aspect émotionnel de l'action. Vous direz par exemple : « Si tu coopères maintenant, nous pourrons par la suite passer un moment privilégié ensemble. Nous pourrions nous amuser à cueillir des fleurs du jardin pour maman. Ta mère adore les fleurs. On va lui confectionner un énorme bouquet. »

Avec un enfant actif, précisez plutôt les détails de l'action : « Si tu coopères maintenant, nous pourrons par la suite passer un moment privilégié ensemble. On pourrait aller jouer dans le jardin et cueillir plein de fleurs pour maman. On pourra même prendre l'échelle pour cueillir les fleurs des arbres. »

Avec un enfant expansif, attachez-vous aux aspects sensoriels de l'activité et improvisez une petite histoire : « Si tu coopères maintenant, nous pourrons par la suite passer un moment privilégié ensemble. Nous pourrions aller au jardin et cueillir de jolies fleurs pour maman. Nous pourrons faire un bouquet tout de rouge, de blanc, et de jaune. Je parie même qu'on verra des papillons. Quand ta mère verra son beau bouquet, son visage s'illuminera d'un magnifique sourire. »

Avec un enfant réceptif, vous mettrez en avant la dimension temporelle : « Si tu coopères maintenant, nous pourrons par la suite passer un moment privilégié ensemble. Après l'école, en rentrant à la maison, nous pourrons cueillir des fleurs du jardin pour maman. Pour le moment, j'ai besoin que tu m'aides, et ensuite nous aurons le temps de cueillir les fleurs du jardin. »

Si une formule adaptée au tempérament de l'enfant rend la promesse plus efficace, sachez que vous pouvez toujours vous contenter d'annoncer en quoi elle consiste.

QUELQUES EXEMPLES DE RÉCOMPENSES

Voici une liste d'exemples. Essayez d'abord de voir comment vous pourriez adapter chacune de ces promesses au profil de vos enfants. Puis demandez-vous dans quels cas de figure vous auriez besoin de recourir aux récompenses, et enfin quelles seraient les plus efficaces avec vos bambins.

- Si tu coopères en ramassant tes jouets tout de suite, j'aurai le temps de jouer aux cartes avec toi.
- Si tu m'aides à ramasser tes jouets maintenant, j'aurai le temps de jouer à un jeu.
- Si nous débarrassons la table maintenant, nous pourrons faire de la peinture.
- Si tu choisis ce soir tes vêtements pour demain, j'aurai le temps de te faire des gaufres au petit déjeuner.
- Si tu te prépares à partir rapidement, nous pourrons revenir ici très bientôt.
- Si tu t'habilles maintenant, nous pourrons acheter des bonbons après l'école.
- Si tu veux bien arrêter de parler, nous pourrons sortir le chien ensemble.
- Si tu montes tout de suite dans la voiture, on pourra jouer au foot cet après-midi.
- Si tu acceptes de coopérer tout de suite, il y a une bonne surprise qui t'attend.
- Si tu fais tes devoirs maintenant, nous pourrons ensuite prendre du thé avec des petits biscuits.

- Si tu finis tes légumes, nous aurons un bon dessert.
- Si tu viens à table tout de suite, nous pourrons chanter des chansons après le dîner.
- Si tu viens tout de suite, tu pourras reprendre ton jeu plus tard.

Quand vos enfants résistent, offrez-leur davantage d'attention et de soutien, afin qu'ils aient de nouveau envie de vous écouter. Plutôt que de les dissuader par la peur, encouragez-les en leur promettant du mieux.

AYEZ PLUS D'UN TOUR DANS VOTRE SAC

Les récompenses marchent du tonnerre quand on a trouvé ce qui motivait le plus son enfant. Gardez toujours dans un coin de votre tête ces découvertes précieuses. Pour tel enfant, la même promesse fonctionnera à tous les coups : « Si tu coopères sur-le-champ, j'aurai plus de temps pour te lire des histoires. » Pour tel autre, ce sera : « Si tu coopères tout de suite, nous pourrons faire des gâteaux ensemble. » D'autres enfants auront besoin que l'on alterne les récompenses selon les situations. Le succès de cette méthode repose sur votre capacité de cerner les plus fortes envies de vos enfants, et de vous en servir pour les motiver.

Le succès des récompenses repose sur votre capacité à cerner les plus fortes envies de vos enfants, et à vous en servir pour les motiver.

S'ils raffolent par-dessus tout des histoires, sachez vous faire désirer sur ce terrain-là. Il ne s'agit pas de couper le robinet, bien entendu, mais simplement de ne jamais en raconter une de trop, afin qu'elles conservent leur caractère de récompense. Prenons un autre exemple. Votre enfant vous dit : « On pourra aller au parc, cette semaine ? » Vous lui répondez : « Bonne idée. Si nous en avons le temps, je te promets qu'on le fera. » Par la suite, dans un moment où il vous tiendra tête, vous pourrez lui dire : « Si tu coopères tout de suite, ça me laissera plus de temps libre, et je pourrai t'emmener au parc. » Même si vous aviez déjà prévu de l'emmener au parc, rien ne vous empêche d'en faire une récompense.

D'une manière générale, ce sont précisément les choses dont on prive ses enfants pour les punir qui pourront être offertes en guise de récompenses. Un parent qui voudrait priver son enfant de promenade pourra utiliser la perspective de cette activité comme un facteur de motivation. Au lieu de menacer en disant : « Si tu ne ranges pas ces jouets, je te les confisque », dites plutôt : « Si tu ranges ces jouets, je jouerai avec toi plus tard. » N'oubliez jamais que la plus belle récompense sera toujours le don de vous-mêmes.

Ce sont précisément les choses dont on prive ses enfants pour les punir qui pourront être offertes en guise de récompenses.

Dans la mesure du possible, veillez à formuler des promesses logiques, pertinentes et réalistes. Un bon exemple de promesse logique sera : « Si tu veux bien faire ça pour moi, alors j'aurai plus de temps à te consacrer. » La logique repose sur l'aspect donnant-donnant. Voici un exemple de promesse pertinente : « C'est l'heure de rentrer pour dîner. J'ai bien compris que tu voulais continuer à jouer, mais c'est l'heure de partir. Si tu viens tout de suite, nous reviendrons très prochainement. » La promesse est directement liée à l'activité que vous lui demandez d'interrompre. Une promesse réaliste, quant à elle, est adaptée au degré de résistance de l'enfant. Plus le défi proposé sera stimulant, plus il se montrera coopératif.

Les parents éclairés ont toujours plusieurs récompenses sous la main, prêtes à servir au moindre signe de résistance. Voici quelques exemples de récompenses classiques. Voyez celles qui vous conviendraient le mieux.

UNE LISTE DE RÉCOMPENSES

- Nous aurons plus de temps pour partager un bon moment ensemble.
- Après, tu pourras faire du vélo.
- Nous pourrons cueillir des fleurs pour la table du dîner.
- Nous pourrons sortir le chien ensemble.
- Nous pourrons partager un bon chocolat chaud.
- Nous pourrons prendre un thé avec des biscuits.
- Nous pourrons jouer au foot.
- Nous pourrons faire des gâteaux.
- Nous pourrons lire trois histoires avant de dormir.
- Nous pourrons acheter des bonbons.
- Nous aurons un bon dessert.
- Nous irons à la piscine.
- Nous chanterons des chansons.
- Tu pourras inviter un ami.
- Nous irons faire une balade en voiture.
- Nous pourrons faire du shopping.
- Nous pourrons grimper aux arbres.
- Nous irons faire de la balançoire.
- Nous irons jouer au parc.
- Nous pourrons faire des travaux manuels.

- Nous ferons de beaux dessins.
- Nous pourrons faire de la peinture.
- Nous irons nous promener.
- Nous pourrons jouer aux cartes.
- Je te ferai de gros câlins.
- Nous pourrons louer une vidéocassette.

Annoncer les événements sera également un bon facteur de motivation, notamment pour l'enfant réceptif, qui a toujours besoin de temps pour assimiler les transitions. Un parent avisé veillera à anticiper les événements pour préparer son enfant au changement. Au lieu de dire : « C'est l'heure de mettre ton blouson », il dira : « Nous allons partir pour l'école dans cinq minutes. D'ici là, tu devras avoir enfilé ton manteau. Si tu te montres coopératif et que tu enfiles ton manteau sans rechigner, nous allons bien nous amuser dans la voiture. »

Avant de dire à vos enfants de ranger leurs affaires pour passer à table, prévenez-les cinq minutes à l'avance. Donnez-leur le temps de terminer ce qu'ils sont en train de faire, et de prévoir le temps qu'il leur faudra pour ranger leurs jouets avant de passer à table. Dites-leur par exemple : « Vous avez encore cinq minutes pour jouer, puis il sera temps de ranger vos affaires avant de venir manger. » Ainsi, au bout de cinq minutes, quand vous réitérerez votre requête, ils fileront droit à la salle à manger.

Le pouvoir magique des récompenses, c'est que même lorsque tout semble avoir échoué, elles offrent toujours des résultats. Il est indispensable de comprendre cela pour appliquer avec succès les préceptes de l'éducation positive. Quand on n'est pas en mesure de conclure un marché avec l'enfant pour qu'il se montre coopératif, il ne nous reste plus que la menace et la punition.

LES POINTS DE BLOCAGE RÉCURRENTS

Quand un enfant vous tient toujours tête pour la même chose, il peut s'avérer utile de lui offrir sa récompense à l'avance. Une fois, au cours d'un long voyage en avion, ma fille Lauren nous a donné bien du fil à retordre. Depuis, nous avons trouvé comment régler ce problème en la préparant à ces trajets. Nous lui avons promis qu'elle aurait droit à sa friandise préférée si elle se montrait sage tout le temps du voyage. S'étant montrée coopérative entre le départ de la maison et le moment du décollage, elle a eu droit à un quart de son nougat. À la moitié du trajet, elle a eu droit au second quart. Au moment de l'atterrissage elle reçut le troisième, puis le reste à notre destination finale.

Chaque fois, cette stratégie fonctionnait à merveille. Avant de quitter la maison nous lui montrions le nougat entier. Ses yeux s'écarquillaient quand nous lui disions quelle quantité elle recevrait à chaque étape du voyage. Elle avait beau être occupée avec ses jouets, elle ne perdait jamais de vue ces échéances fatidiques, qui l'aidaient à se tenir tranquille. Mis à part cette récompense, nous avions tout de même la sagesse de lui proposer des activités pour l'aider à passer le temps. Car il serait illusoire d'attendre d'un enfant qu'il reste sagement assis pendant cinq heures à ne rien faire.

En plus d'être logique et pertinente, une récompense doit être réaliste. Quand vous demandez à votre enfant de faire une chose qu'il déteste, il conviendra de lui offrir une récompense conséquente. Quand vous savez, par exemple, que votre enfant déteste les invités que vous allez recevoir, mettez-vous d'accord de la façon suivante : « Je sais que tu n'apprécies pas ces gens, mais ce sont mes amis. Si tu fais l'effort de rester aimable et poli en leur présence, alors je te ferai une belle surprise : je t'emmènerai au zoo le week-end prochain. » Ici, la récompense est de taille, d'abord parce que vous lui demandez une faveur qui sort du quotidien, ensuite parce que vous êtes conscient que ce n'est pas facile.

Les enfants sont plus coopératifs lorsque nous savons reconnaître la difficulté de ce que nous leur demandons, et que nous adaptons le tarif en conséquence. Dès que vous décelez un point de blocage récurrent, le mieux sera, la fois suivante, de préparer l'enfant à l'avance avec une grosse récompense à la clé.

RÉCOMPENSER LES ADOLESCENTS

Les récompenses doivent être adaptées à l'âge de l'enfant. Si les adolescents requièrent moins d'attention que leurs cadets, ils ont en revanche d'autres besoins : de l'argent et du soutien. Quand le pré-adolescent ou l'adolescent commence à gagner et à dépenser de l'argent, cela peut constituer l'objet de la récompense. Il faudra toutefois veiller à ne pas systématiser ce type de rapports.

Lorsqu'un adolescent refuse de perdre son temps dans une situation imposée, vous pouvez lui proposer de doubler le montant de son argent de poche, ou de lui payer ce qu'il gagnerait en une journée de travail. Et si c'est au-dessus de vos moyens, offrez de le conduire quelque part ou de lui donner un coup de main pour l'une de ses corvées.

Certains parents jugent bénéfique de récompenser les bons résultats scolaires de leurs enfants. Tous n'ont pas besoin de ça pour avancer. Mais quand c'est le cas, les bonnes notes peuvent valoir de l'argent ou de nouveaux privilèges. Si ces derniers ne peuvent être consentis que lorsque l'adolescent a prouvé qu'il était digne de confiance, les bons résultats scolaires peuvent être, en la matière, un bon critère d'appréciation. On peut, en effet, considérer qu'en les améliorant, l'adolescent fait preuve de responsabilité, et qu'il mérite dès lors de pouvoir sortir plus longtemps.

LORSQUE L'ENFANT VOUS RÉSISTE EN PUBLIC

Lorsque votre enfant vous fait une scène dans un lieu public, rendez-vous à l'évidence : vous n'avez pas le temps de lui apporter sur-le-champ ce dont il a besoin pour devenir plus coopératif. D'où l'utilité d'avoir toujours sa friandise préférée à portée de main... Vous n'êtes, certes, pas en mesure de vous pencher attentivement sur ses sentiments, mais vous pouvez toujours lui offrir une récompense. Faites-le sans tarder. Si vous n'avez rien dans votre chapeau ni dans votre sac, demandez à l'enfant ce qu'il veut, et si possible donnez-le-lui. Cela s'appelle céder à un caprice, mais vous pouvez vous le permettre tant que cela reste exceptionnel. Ce type d'incident doit néanmoins vous mettre la puce à l'oreille : c'est généralement le signe que vous êtes trop permissif(ve) à la maison, et que vous cédez trop facilement.

Un caprice en public aura valeur d'avertissement : c'est généralement le signe que vous êtes trop permissif à la maison, et que vous cédez trop facilement.

La fois suivante, préparez le terrain en reconnaissant devant lui qu'il est plus difficile de se montrer coopératif dans une file d'attente qu'à la maison ou sur un terrain de jeux. Dites-lui que, vous non plus, vous n'aimez pas être immobilisé à la caisse d'un magasin. Puis concluez un marché du style : « Si tu te montres coopératif pendant que nous faisons les courses, dès notre retour, je pourrai te servir un bol de tes céréales préférées. » Pendant vos courses, mettez une boîte desdites céréales dans votre Caddie pour l'encourager, et répétez-lui que son attitude vous comble et que vous serez bientôt rentrés à la maison, où son grand bol l'attendra.

LES RÉCOMPENSES SONT COMME UN DESSERT

Quand vous donnez une récompense à un enfant, vous l'aidez à renouer avec son instinct de coopération. Mais ce n'est pas la récompense elle-même qui l'engendre. Elle ne fait qu'entretenir sa motivation naturelle. Les récompenses et les incitations sont comparables à des desserts. À eux seuls, ces derniers ne peuvent constituer un repas complet. Et si l'on prend soin de les servir en dernier, c'est bien pour éviter qu'ils ne nous coupent la faim et ne nous détournent des autres aliments indispensables à notre équilibre. De la même façon, élever un enfant uniquement à coup de récompenses revient, à terme, à détruire sa bonne volonté.

Les enfants qui ne connaissent que les récompenses finissent par perdre leur appétit de coopération.

Il n'est pas sain qu'un adulte ne travaille que pour son avancement personnel. Cela signifie qu'il a perdu tout désir de rendre service, puisqu'il ne se soucie guère de fournir un excellent travail, s'en tenant au strict minimum pour servir ses propres intérêts.

Mais l'inverse est tout aussi malsain. L'altruisme poussé à outrance n'est pas très responsable quand on a une famille à nourrir et à entretenir. Les adultes épanouis pensent autant aux autres qu'à eux-mêmes. Ils ont à cœur de faire leurs preuves et de se rendre indispensables, sans jamais perdre de vue leurs droits et leurs besoins. Nos enfants deviendront de tels adultes si nous savons faire un bon usage des récompenses.

Le bon usage des récompenses apprendra
à nos enfants à penser à la fois
aux autres et à eux-mêmes.

Nos enfants doivent apprendre que la vie est un perpétuel échange. Donner, c'est recevoir. Donner davantage, c'est recevoir davantage. Chaque fois que vous leur demandez de donner un peu plus d'eux-mêmes, contre la promesse de recevoir un peu plus à leur tour, vous leur inculquez de précieuses leçons de vie. C'est ainsi qu'ils apprendront à conclure des marchés et à négocier, qu'ils comprendront que ce que l'on mérite dépend de ce que l'on donne, et qu'ils découvriront les vertus de la patience.

TIRER LES LEÇONS DES CONSÉQUENCES NATURELLES

De nombreux parents partent du principe que si leurs enfants refusent de coopérer, c'est qu'ils sont mauvais. Ils pensent que les bons ne font jamais d'histoires. L'éducation positive considère au contraire qu'un enfant qui refuse de faire ce qu'on lui demande est en manque de quelque chose. Dans une situation de résistance, le rôle du parent consiste soit à satisfaire ses besoins, soit à lui offrir une récompense pour le motiver dans l'instant.

Certains parents pensent à tort que les bons enfants ne font jamais d'histoires.

Certains pédagogues prétendent venir à bout de la résistance de l'enfant en le laissant faire ce qu'il veut, pour qu'il mesure de lui-même la conséquence de ses actes. Ainsi laisseront-ils un enfant sortir dans le froid sans son manteau, considérant que le gros rhume qu'il attrapera lui servira de leçon. Mais ce raisonnement ne tient pas la route. Il aura pour seul effet de convaincre l'enfant que vous ne savez pas vous occuper de lui.

À l'instant où j'écris ces mots, ma femme me livre un exemple tout à fait parlant. Lauren (qui va maintenant sur ses quatorze ans) a laissé son exposé sur le disque dur de notre ordinateur sans penser à l'imprimer. Elle a travaillé d'arrache-pied pour le finir dans les délais, et elle était fière du résultat. Aussi Bonnie va-t-elle de ce pas le lui apporter à l'école afin qu'elle ne perde pas bêtement cinq points pour avoir rendu son travail en retard.

À notre place, certains parents choisiraient au contraire de ne rien faire, estimant que cet incident lui apprendra à être moins étourdie. Elle sera privée de la joie de rendre son travail à temps et ce revers lui servira de leçon pour la suite. Franchement, ce raisonnement est digne des vieilles recettes fondées sur la peur. Ne pensez-vous pas que le geste de Bonnie sera tout aussi riche d'enseignements ? Il montrera à Lauren que ses parents ne ménagent pas leurs efforts pour l'aider à réussir. Si votre conjoint avait oublié quelque chose d'important, vous n'hésiteriez pas à voler à son secours, n'est-ce pas ? Nos enfants méritent la même attention, sinon plus encore. Il me semble bien plus important de se sentir soutenu par ses parents que de tirer la leçon d'une négligence.

Les adeptes des « conséquences naturelles » diront qu'elle comprendra ainsi ce qui se passe quand on oublie ses affaires, et que cela évitera qu'un tel incident se reproduise par la suite. S'il est vrai qu'elle développera ainsi une peur bleue des oublis, reconnaissez que l'on fait mieux que la peur comme facteur de motivation. On peut penser à ses affaires sans devoir en passer par là. L'éducation positive rejette ce mode de pensée. Le succès lui-même est tout aussi efficace pour guérir les enfants de leur étourderie.

L'éducation positive n'a pas besoin de la peur pour guérir les enfants de leur étourderie.

C'est quand nous avons peur de commettre des erreurs que nous en commettons le plus. Beaucoup auront remarqué que la crainte d'un événement favorise sa survenue. Combien de fois ai-je taché une cravate toute neuve ? Comme par hasard, c'est lorsque je redoute de renverser mon café que cela se produit. La peur des erreurs n'est pas seulement source d'anxiété, elle nous pousse véritablement à en commettre.

Les conséquences positives sont toujours de meilleures conseillères ; laissez les conséquences naturelles à la nature ; ne vous prenez pas pour Dieu. Faites au contraire tout votre possible pour aider vos enfants à réussir. Vous ne serez pas toujours en mesure de le faire, soit. Mais dès que vous le pouvez, faites-le.

Laissez les conséquences naturelles à la nature ; ne vous prenez pas pour Dieu.

Une question importante surgit alors : jusqu'où doit-on se sacrifier pour ses enfants ? Quand les parents ont constamment l'impression de se priver pour le bien-être de leurs bambins, c'est le signe qu'ils vont trop loin, et que leurs enfants se montrent trop capricieux.

Il est facile de trouver une limite acceptable au don de soi. C'est dans l'attitude de vos enfants que réside la réponse. S'ils deviennent insatiables, ou que leurs exigences commencent à vous peser sérieusement, alors le moment est venu de faire machine arrière, de penser davantage à vous. Sachez simplement que ce type d'ajustement s'avère toujours nécessaire un jour ou l'autre.

LA PEUR DES RÉCOMPENSES

Certains craignent qu'à force de récompenser leurs enfants, ceux-ci deviennent incapables de coopérer d'eux-mêmes. Ils redoutent de se voir demander « Qu'est-ce que tu m'offres ? » chaque fois qu'ils leur demanderont de faire quelque chose. Pire, ils les imaginent donner dans la surenchère, augmenter sans cesse le prix de leur coopération. Si ce scénario catastrophe demeure improbable, il n'est pas totalement exclu dans le cas où les autres besoins de l'enfant demeurent insatisfaits.

Chaque fois que vous lui demanderez de coopérer, il se demandera naturellement ce qu'il aura à gagner à vous écouter, mais tant que ses besoins seront satisfaits, il n'essayera pas d'augmenter le tarif. Les enfants coopèrent car c'est pour eux une manière innée d'obtenir l'amour dont ils ont besoin. C'est lorsqu'ils sont conscients de leurs besoins et qu'ils savent que vous saurez y répondre qu'ils sont les plus enclins à coopérer.

Quand les enfants reçoivent ce dont ils ont besoin, ils ne deviennent pas plus exigeants.

Cette satisfaction empêchera alors l'enfant de se focaliser uniquement sur ses envies. Lorsqu'il prend pleinement conscience de son besoin d'encadrement, il devient aussitôt plus conciliant. Il ne lui vient pas à l'idée de demander toujours plus. Il sait vous écouter, même sans gratification à la clé. D'une manière générale, l'enfant ne se met à réclamer que lorsqu'il ne perçoit pas bien la réalité de ses besoins, ou que ceux-ci demeurent insatisfaits.

N'oubliez pas : il n'y a pas lieu d'assimiler la négociation et les récompenses à une quelconque forme de capitulation. C'est tout le contraire : promettre une récompense, c'est gagner l'enfant à votre propre volonté, en échange d'une gratification ultérieure. Ce qui constitue par ailleurs un excellent moyen de lui enseigner la patience.

Parfois, les récompenses ne suffisent pas à lever les obstacles à la coopération. Le moment est alors venu d'affirmer votre autorité de parent, de chef. C'est la seule façon de redresser la barre quand l'enfant est devenu un roi qui obtient tout ce qu'il demande. Les deux prochains chapitres vous montreront comment procéder dans ce cas de figure.

CHAPITRE 7

De nouvelles techniques pour affirmer votre autorité

Votre plus grand pouvoir, en tant que parent, c'est celui de guider vos enfants. Ces derniers viennent au monde animés du désir de vous satisfaire et de vous écouter. En prendre conscience, et en faire bon usage, vous permettra d'abandonner les vieilles recettes fondées sur la peur et la culpabilité. Quand ce pouvoir n'est pas suffisamment maîtrisé, ce sont les enfants qui prennent le dessus. Un parent qui se montre incapable de guider son enfant finit par perdre toute autorité.

Les enfants cherchent à satisfaire leurs parents, mais ils ont également leurs propres besoins et désirs. C'est quand ils ont l'occasion de ressentir et d'exprimer leurs attentes, tout en recevant le message clair de ce que leurs parents veulent d'eux, que les enfants se mettent à les écouter.

Quand les adultes cherchent à se faire respecter en usant de la peur ou de la culpabilité, ils affaiblissent l'instinct naturel de coopération de l'enfant. Leur colère, leur frustration, et leurs déceptions rendront peut-être leurs bambins plus obéissants, mais ce sera au détriment de leur personnalité. Non seulement leur développement naturel sera contrarié, mais ils feront souvent, devenus adultes, de parfaits courtisans. Ils se sentiront mal dans leur peau et auront tendance à donner bien plus qu'ils ne recevront.

APPRENDRE À COMMANDER

Avant de commander, le premier pas consiste à formuler simplement sa requête. Si l'enfant résiste, la seconde étape consiste à l'écouter pour assouvir ses besoins. Si cela reste sans effet, brandissez une récompense. Si cette tentative demeure infructueuse, alors le moment est venu d'affirmer votre autorité en prenant le commandement, comme un général avec ses troupes.

Commander, c'est dire de manière franche et directe à l'enfant ce que l'on attend de lui. D'une voix calme mais ferme, vous direz ainsi : « Je veux que tu ramasses ces vêtements », « Je veux que tu te prépares à aller au lit » ou encore « Je veux que vous arrêtiez de parler et que vous dormiez. »

Quand vous prenez un ton dirigiste, jouez le jeu jusqu'au bout. Tout ce qui sera du registre des émotions, des explications, des arguments, des reproches, ou des menaces ne fera qu'affaiblir votre autorité. À ce stade des choses, perdre votre sang-froid ou tenter de convaincre l'enfant du bien-fondé de votre position, c'est lui montrer que vous n'êtes pas à l'aise dans votre rôle de général, de chef ou de parent. Un enfant qui résiste aux trois premières phases a besoin qu'on lui montre clairement qui commande. En affirmant votre autorité, vous lui ferez comprendre que c'est vous le chef. Cet enfant aura besoin de suivre un dirigeant déterminé.

Quand vous prenez un ton dirigiste, jouez le jeu jusqu'au bout.

De nombreux parents recourent directement à la baguette sans être passés par les trois premières phases. Sachez que cette approche sera vouée à l'échec. Quand vos instructions ne sont pas précédées d'incitations, elles perdent toute efficacité.

La technique de persuasion la plus efficace consiste à réitérer ses instructions en partant du principe que l'enfant finira par céder.

De ses expériences antérieures, l'enfant comprendra que lorsque vous lui commandez de faire quelque chose, vous ne lâchez jamais prise. Que le temps n'est plus à la négociation. S'il continue à résister, ne prêtez pas attention à ses arguments et revenez à la charge. La technique de persuasion la plus efficace consiste simplement à répéter vos consignes en partant du principe que l'enfant finira par céder. Voyant que ses protestations n'y font rien et que vous êtes bien décidé(e) à obtenir gain de cause, il ne pourra que jeter l'éponge.

NE COMMANDEZ PAS AVEC VOS ÉMOTIONS

Le fait de crier, de gronder, d'exprimer votre frustration ou de proférer des menaces ne fera qu'affaiblir votre autorité. Succomber à ses émotions revient à transformer ses directives en requêtes, c'est-à-dire à affaiblir sa position de chef. Vous parviendrez peut-être ainsi à briser la volonté de l'enfant et à le rendre obéissant, mais vous ne ferez rien pour renforcer son envie de coopérer.

Vos instructions seront d'autant plus efficaces que

vous saurez faire abstraction de vos sentiments. En ayant constamment cette vérité à l'esprit, elle vous aidera à garder votre calme. Inconsciemment, nous montons sur nos grands chevaux dans le seul but d'impressionner nos enfants. Les animaux eux-mêmes se dressent en position de combat pour intimider leurs rivaux. Seulement, l'éducation positive n'étant pas fondée sur la peur, l'intimidation ne sert à rien.

Une instruction claire et ferme, ne laissant transparaître aucune détresse émotionnelle sera de loin la plus efficace.

Il arrive que dans certains stages consacrés au perfectionnement parental, on encourage les adultes à faire part de leurs sentiments afin d'inciter l'enfant à coopérer. Mais cela revient à instaurer des relations d'égal à égal, ce qui remet en cause votre position de chef. Bien que cette idée de communion parte d'une bonne intention, il vaudra mieux aider l'enfant à confier ses propres sentiments, sans l'accabler ou le manipuler avec les vôtres.

Quand un enfant refuse de coopérer, ce n'est pas le moment de lui faire part de nos sentiments. Lui confier sa colère, sa frustration, et sa déception s'avère toujours contre-productif. Il s'agira au contraire d'identifier et de prendre note de ses sentiments et envies à lui. Après l'avoir laissé s'exprimer, et lui avoir proposé une récompense s'il se montrait coopérant, vous pourrez alors profiter de votre stature de chef pour le commander. Votre autorité ne sera pas remise en cause si vous avez d'abord pris soin d'écouter ce qu'il avait à dire.

173

LE DROIT À L'ERREUR

Il vous arrivera inévitablement un jour ou l'autre de vous emporter en donnant vos instructions. Sachez que nul n'est tenu à la perfection, et que l'éducation positive supporte tout à fait ces petites fautes de parcours. Il importe néanmoins de faire toujours de son mieux. Quand vous commettrez l'erreur de mettre vos émotions dans la balance ou de sortir de vos gonds, vous pourrez y remédier en présentant ultérieurement vos excuses. Nous avons tous le droit à l'erreur.

Les enfants n'ont pas besoin de parents parfaits, mais seulement de parents qui fassent de leur mieux et assument leurs erreurs.

Une petite excuse après coup sera un plus considérable. Vous direz par exemple : « Je suis désolé(e) d'avoir crié. Tu ne méritais pas ça. Ce n'est jamais une bonne façon de communiquer. J'ai commis une erreur. » Ou bien : « Navré(e) d'avoir perdu mon calme. J'avais besoin que tu coopères, mais je ne voulais pas m'emporter. Je me suis énervé(e) parce que d'autres choses me tracassaient. Tu n'y étais pour rien. »

QUAND LES ÉMOTIONS N'APPORTENT RIEN

Dès lors que vous faites part de vos émotions négatives à l'enfant, celui-ci se dit qu'il n'a pas été à la hauteur de vos attentes, qu'il est inadapté, voire franchement mauvais. Il pensera avoir échoué dans sa tentative de vous satisfaire. À la longue, ce sentiment d'échec ou de médiocrité l'empêchera de suivre son libre arbitre. Le fait de vous excuser permettra justement d'éviter cette forme de culpabilité. Il est toujours difficile d'éveiller le meilleur de nos enfants quand nous faisons tout pour qu'ils se sentent mauvais.

Confier ses émotions négatives permet de soulager son cœur. Mais les enfants ne sont pas là pour ça. S'ils ont besoin qu'on les incite à coopérer, ils n'ont nullement vocation à jouer les psys de service, ni à assumer le rôle de meilleur ami ou de confident. Les enfants ont suffisamment à faire avec leurs propres états d'âme pour qu'on ne les accable pas des nôtres.

Un adulte devra chercher du réconfort auprès d'autres adultes, et non de ses enfants.

Quand un parent exprime des sentiments négatifs, l'enfant finit par se sentir manipulé, et cesse de vous écouter. À terme, c'est à ses propres sentiments qu'il devient sourd.

Au moment de l'adolescence, un enfant qui aura été contraint d'obéir sera amené à se rebeller, à l'inverse d'un enfant coopératif qui saura prendre son indépendance sans tourner le dos à son père ou à sa mère. Il trouvera sa voie sans pour autant remettre en cause le soutien que vous lui apportez.

IL NE SERT À RIEN DE CRIER

Il est clair que les éclats de voix constituent l'une des pires formes de communication qui soient. Le fait de crier suppose que l'on ne soit pas entendu, et qu'il faille donc augmenter le volume. Élever le ton avec un enfant ou un adolescent revient à lui dire : « Tu ne m'écoutes pas. » Résultat : il n'écoute vraiment plus. Au final, à force de vous voir crier, il ne vous entend même plus.

Crier des ordres est encore pire. Cela suppose que l'enfant ne comprend pas ce que vous lui demandez. Or les hurlements détournent l'enfant de son besoin d'être guidé. Ils ne font qu'affaiblir votre position de chef. C'est à force de répétition, et non de hurlements, que l'on vient à bout de la résistance d'un enfant.

Crier, ce n'est plus commander, mais seulement demander. Donner de la voix charrie une menace : « Tu as intérêt à m'écouter, ou gare ! » Si les demandes appuyées par des punitions ont fonctionné pendant des siècles, elles n'ont plus leur place dans une société de liberté. Si nous voulons que nos enfants deviennent libres de réaliser leurs rêves, offrons-leur la liberté de coopérer. Et celle-ci ne se demande pas, elle se commande.

COMMANDEZ EN POSITIF

Bien qu'il soit toujours préférable de donner des instructions claires et positives, vous remarquerez que les premières phrases qui nous viennent spontanément à la bouche ont souvent une tournure négative. Quand c'est le cas, prenez soin de les compléter par une instruction positive. Voici quelques exemples de demandes négatives débouchant sur une instruction négative, transformée à son tour en instruction positive :

Demande négative	Instruction négative	Instruction positive
Ne frappe pas ta sœur.	*Je veux que tu cesses de frapper ta sœur.*	Je veux que tu sois gentil avec ta sœur.
Cesse de parler.	*Je veux que tu cesses de parler.*	Je veux que tu te taises.
Cesse de faire le pitre et range ta chambre.	*Je veux que tu cesses de faire le pitre et que tu ranges ta chambre.*	Je veux que tu ranges ta chambre immédiatement.
Ne parle pas sur ce ton.	*Je ne veux pas que tu parles sur ce ton.*	Je veux que tu te montres respectueux et que tu dises des choses gentilles.
Enfile ton blouson immédiatement.	*Je veux que tu cesses de me tenir tête.*	Je veux que tu te montres coopératif et que tu enfiles ton blouson.
Tu as intérêt à m'écouter...	*Je veux que tu reposes ces cartes et que tu te brosses les dents.*	Je veux que tu ailles te brosser les dents tout de suite.

Si, par la force de l'habitude, vous avez commencé par une formule négative, enchaînez dans la foulée par un message positif. Vous direz par exemple : « Je ne veux pas que tu frappes ton frère. Je veux au contraire que tu te montres gentil. » Une fois que vous avez trouvé la bonne formulation, ne vous en écartez plus. Si l'enfant s'obstine, contentez-vous de la répéter telle quelle. Illustration :

Le parent : Voudrais-tu ramasser tes vêtements ?

L'enfant : J'ai pas envie. Je suis trop fatigué. Je ferai ça demain.

Le parent : Je comprends que tu veuilles remettre ça à demain parce que tu es fatigué, mais je veux que tu le fasses maintenant.

L'enfant : Mais je suis trop fatigué !

Le parent : Si tu ramasses tes vêtements tout de suite, nous aurons le temps de lire trois histoires.

L'enfant : Je m'en fiche. J'ai juste envie de dormir.

Le parent : Je veux que tu le fasses tout de suite. Je veux que tu te lèves immédiatement pour ramasser tes vêtements. La discussion est terminée.

L'enfant : Tu es méchant.

Le parent : Je veux que tu ramasses immédiatement tes vêtements.

L'enfant : Je te déteste.

Le parent : Je veux que tu ramasses immédiatement tes vêtements.

L'enfant (se lève pour ramasser ses vêtements) : Comment peut-on être si méchant ?

Quand vous voyez que l'enfant se résout à coopérer, laissez-le seul pendant quelques minutes, ou bien regardez-le faire en silence. Puis revenez dans la partie pour le remercier chaleureusement, et faites en sorte qu'il comprenne au ton de votre voix que vous ne lui tenez pas grief de vous avoir résisté. Même s'il vous a donné du fil à retordre, ses efforts doivent toujours être reconnus, aussi tardifs soient-ils.

De nombreux parents traitent ces efforts par le mépris dès lors qu'ils ont été arrachés de dure lutte. C'est un peu comme si une femme ne remerciait jamais son mari pour les marques d'attention qu'elle aurait eu à lui réclamer. N'oubliez jamais que les enfants font de leur mieux, et que chaque pas qu'ils prennent dans la bonne direction mérite d'être reconnu et encouragé.

Dans l'exemple présent, le parent pourrait lui dire, le soir même ou le lendemain : « Je sais que tu étais très fatigué. J'ai apprécié que tu coopères. » En montrant que vous ne lui tenez pas rancune pour son obstination, il ne vous tiendra pas rancune pour vos ordres.

Ne lui tenez pas rancune pour son obstination, et il ne vous tiendra pas rancune pour vos ordres.

Certains parents hésitent à affirmer leur autorité de peur que leurs enfants ne les aiment plus. Mais c'est dans l'autre sens que ça marche. Les enfants ont besoin de parents attentionnés et déterminés, pour les guider et les stimuler. Vos instructions susciteront forcément quelques grincements de dents, mais elles ne vous mettront pas vos enfants à dos. L'éducation positive nous a appris que l'enfant a le droit de faire des erreurs, mais qu'il ne doit jamais perdre de vue que ce sont papa et maman qui commandent. Affirmer son autorité permet au parent de rester maître de la situation.

Dans l'exemple ci-dessus, c'est à qui cédera le premier. Si vous vous en tenez à réitérer vos instructions en fermant la porte à toute discussion, vous finirez par gagner. Après que vous aurez remporté plusieurs batailles, votre enfant se montrera de lui-même plus coopératif. Les parents sensibles ont toujours peur de passer pour des bourreaux, mais il faut savoir être ferme quand la situation l'exige. Votre intransigeance n'aura rien de cruel. Elle apportera simplement la preuve que vous croyez en ce que vous dites.

COMMANDER N'EST PAS EXPLIQUER

Outre que nous avons facilement tendance à mettre nos émotions dans la balance, nous tombons régulièrement dans un autre travers : nous cherchons à nous justifier. Si l'enfant vous demande des explications « à froid », en dehors de toute logique de confrontation, n'hésitez pas à éclairer sa lanterne. Mais si le but de ses questions est de vous déstabiliser, faites-lui comprendre que vous serez ravi de lui répondre... plus tard. Sur le moment, contentez-vous de quelque phrase du style : « Nous pourrons en discuter plus tard, mais pour le moment je veux que tu cesses de frapper ton frère. Je veux que tu te montres coopératif et gentil. »

Donner ses raisons, c'est renoncer à son autorité. Si les enfants étaient capables de faire seuls la distinction entre le bien et le mal, ils n'auraient plus besoin de nous. Les arguments de la raison fonctionnent entre gens égaux et raisonnables. Mais un enfant ne commence véritablement à raisonner qu'à partir de neuf ans, et ce n'est que lorsqu'il est prêt à quitter la maison, c'est-à-dire après dix-huit ans, qu'il peut être considéré comme votre égal.

Donner ses raisons, c'est renoncer à son autorité.

Les enfants sont potentiellement capables de distinguer le bien du mal, mais cette aptitude se développe à force de coopération. Les sermons, en revanche, ne servent à rien. Quand vous demandez à votre fils de cesser de brutaliser son frère, puis que vous enfoncez le clou en prenant un ton de commandement, il finira par céder. Et c'est en lisant un beau sourire de satisfaction sur votre visage qu'il apprendra quels sont les bons et les mauvais comportements.

> *Ce n'est pas en écoutant vos sermons, mais en*
> *satisfaisant vos requêtes, que l'enfant apprend*
> *ce qui est bien et ce qui est mal.*

Dès que vous entrez dans la phase de commandement, évitez de rappeler les règles ou de vous justifier. La période de négociation est maintenant derrière vous. Votre enfant a eu tout le loisir de poser des questions et d'argumenter lors des trois premières phases. Les retours en arrière et les digressions sur le bien-fondé de vos requêtes ne pourront qu'affaiblir la portée de vos directives. Contentez-vous de réitérer ces dernières. L'enfant aura toujours le droit de contester, mais vous resterez le chef. Ses beaux discours demeureront sans effet, si bien qu'il finira, de guerre lasse, par se ranger à votre volonté.

Quand vous lui donnez des instructions, la seule raison qu'il a de coopérer, c'est que vous le lui demandez. Si, au préalable, vous ne lui avez pas laissé l'occasion de faire valoir son point de vue, cela signifie que vous lui demandez d'être obéissant, et non coopératif. Or, au plus profond de son être, l'enfant cherche avant tout à satisfaire ses parents et à coopérer, non à courber l'échine.

C'est en commençant par une requête à laquelle ils pourront s'opposer, avant de passer à une phase plus directive, que nous éviterons de tomber dans le piège de l'obéissance. En procédant ainsi, nous ne briserons pas leur volonté. Nous leur permettrons au contraire d'ajuster cette dernière à leur aspiration première : être guidés et nous faire plaisir.

Les enfants n'ont pas besoin de raisons, mais d'autorité. Ils ont besoin que vous leur rappeliez qu'ils ne font pas la loi, et que c'est vous le chef. Expliquer le bien et le mal, le bon et le mauvais alors qu'ils vous tiennent tête ne fera qu'affaiblir votre pouvoir. Même face à un adolescent, donc capable d'abstraction, le fait d'en venir au commandement signifie qu'on ne discute plus, et qu'il est tenu de coopérer pour la seule et unique raison que vous le lui demandez.

COMMANDER LES ADOLESCENTS

Je me souviens du jour où j'ai découvert pour la première fois le pouvoir du commandement. Je n'étais pas encore parent que j'animais déjà des ateliers destinés à des enfants issus de familles brisées. Ces enfants étaient pour la plupart turbulents et frondeurs, ce qui expliquait que leurs parents les aient inscrits à ces stages.

Un jour, le plus âgé du groupe, qui allait sur ses quatorze ans, déclina mes requêtes les unes après les autres. Je décidai donc de l'envoyer reprendre ses esprits dans la pièce d'à côté. Nouveau refus. Restant assis sur sa chaise, il me dit : « Qu'allez-vous faire, maintenant ? »

Bien qu'à l'époque les techniques de l'éducation positive me fussent encore étrangères, je compris que les menaces ne serviraient à rien. À la façon dont il me défiait du regard, je savais que tout ce que je pourrais lui dire ne me vaudrait qu'un impassible « Et alors ? ».

La vie l'ayant déjà malmené plus que de raison, aucune sanction ne pouvait l'atteindre. Immunisé contre tout, il défiait la terre entière. En outre, mon gabarit n'était en rien comparable au sien. Ne voyant aucune alternative, je me contentai de le regarder droit dans les yeux et de réitérer mon ordre d'une voix ferme : « Je veux que tu prennes un temps mort d'un quart d'heure. » Voici la suite de notre conversation :

— Et si je refuse ? rétorqua l'adolescent.

182

– Je veux que tu passes dans la pièce d'à côté pour un temps mort d'un quart d'heure.

– Vous ne pouvez pas me forcer.

– Je veux que tu passes dans la pièce d'à côté pour un temps mort d'un quart d'heure.

– Vous êtes trop faible pour me forcer.

– Je veux que tu passes dans la pièce d'à côté pour un temps mort d'un quart d'heure.

– Et qu'est-ce que vous comptez faire, si je refuse ?

– Je veux que tu passes dans la pièce d'à côté pour un temps mort d'un quart d'heure.

Il prit un air dégoûté, se leva, et passa dans la pièce d'à côté.

Quinze minutes plus tard, j'allai le retrouver et lui dis, sur un ton amical :

– À présent, si tu veux nous rejoindre, tu es le bienvenu, mais si tu as besoin d'être seul un peu plus longuement, je le comprendrai tout à fait.

Il hocha doucement la tête, puis me dit qu'il allait y réfléchir. Je sortis calmement de la pièce, et quelques minutes plus tard il reprit sa place parmi les autres. Cette expérience me serait par la suite très utile pour négocier au mieux les inévitables tensions que j'allais rencontrer avec mes propres enfants.

Il est évident qu'en réagissant à ses commentaires ou en répondant à ses questions, je me serais purement et simplement lié les mains. En définitive, tous les enfants, jusqu'à ce qu'ils soient en âge de quitter le domicile familial, ont besoin de parents déterminés et capables d'asseoir leur autorité. Face à un adulte à la fois attentionné et déterminé qui sait se faire entendre, un enfant frondeur finira toujours par coopérer sans avoir besoin de menaces ou de reproches.

EXPLICATIONS ET RÉSISTANCE

Quand un enfant rechigne à aller au lit, les meilleures explications du monde n'y changeront rien. Ce n'est pas en lui rappelant qu'il est tard ou qu'il a besoin de sommeil – ce qu'il sait très bien – qu'on lui fera entendre raison. Si c'est lui qui demande « pourquoi ? », en toute bonne foi et sans arrière-pensée, alors votre éclairage pourra s'avérer bénéfique, mais dès lors qu'il vous tient tête la réponse est ailleurs. À un moment donné, le seule raison valable à lui opposer, c'est que vous êtes le parent. Je me souviens d'avoir offert un jour un tee-shirt humoristique à Bonnie portant la phrase suivante : « Parce que je suis ta mère, point final ! »

« Parce que je suis ta mère (ton père), point final ! » est la meilleure réponse à faire à un enfant qui défie votre autorité.

Les adolescents auront le secret pour vous faire tourner en bourrique. Ils remettront systématiquement en cause vos requêtes. Si les parents cherchent à se montrer compréhensifs et tolérants en répondant à leurs questions, ils perdront chaque fois un peu plus d'autorité sur leurs enfants. Chaque réponse entraînera une nouvelle question, qui vous dépossédera de votre pouvoir. Vos enfants n'auront qu'à continuer comme ça pour emporter le morceau, et croyez bien qu'ils ne s'en priveront pas.

Prenons un exemple. Carol veut regarder la télévision, mais sa mère veut qu'elle fasse ses devoirs.

La mère : Carol, je veux que tu éteignes la télé.
Carol : Pourquoi ?
La mère : Tu dois consacrer davantage de temps à tes devoirs.
Carol : Je n'en ai pas ce soir.

La mère : Mais tu as des exposés à préparer. Tu t'y prends toujours à la dernière minute, et tu plains ensuite d'être débordée. Si tu n'as pas de devoirs à rendre demain, profites-en donc pour préparer ton exposé de sciences.

Carol : J'ai fait tout ce que je pouvais faire. Je dois maintenant attendre le développement de ma pellicule, ce qui prendra plusieurs jours.

La mère : De toute façon, tu regardes trop la télévision ces temps-ci.

Carol : C'est faux.

La mère : Mon œil. Tu as passé la journée devant le poste.

Carol : Qu'est-ce que tu en sais ? Tu viens de rentrer.

La mère : Tu y étais déjà quand je suis partie.

Carol : Mais j'ai fait autre chose entre-temps.

La mère : Ce n'est pas sain de rester plantée devant la télé. Tu devrais sortir. Il fait un temps magnifique.

Carol : Je n'ai pas envie de sortir. Le cours de gym m'a épuisée.

La mère : Ne joue pas à la plus maligne avec moi. Tu vas être privée de télévision si tu n'y prends pas garde.

Carol : Ce que tu peux être méchante, quand tu t'y mets.

La mère : Encore un mot et je débranche le poste.

Carol : Je m'en fiche.

La mère : Très bien. Dans ce cas, tu es privée de télé pendant deux semaines.

Ce type de disputes vous sera épargné si vous évitez de tomber dans ce piège qui consiste à vouloir convaincre l'enfant ou l'adolescent du bien-fondé de vos propos. S'il se montre réceptif à vos idées, vous avez le feu vert, mais dès lors qu'il aura décidé de lutter, vos efforts resteront vains.

Voici ce que dirait la mère de Carol si elle appliquait les techniques de l'éducation positive :

L'ART DE COMMANDER

● Phase 1 : Demandez (n'exigez pas)

La mère : Carol, veux-tu bien éteindre la télé ?

Carol : Pourquoi ? J'adore ce film.

La mère : De quel film s'agit-il ?

Carol : *Sherlock Holmes.*

La mère : C'est effectivement un très bon film (elle marque une pause), mais maintenant je veux que tu éteignes. Tu as passé beaucoup de temps devant la télévision ces derniers temps, et j'aimerais te voir faire autre chose.

Carol : Quoi, par exemple ?

La mère : Tu pourrais faire tes devoirs, ou prendre l'air.

Carol : éa ne me dit rien. Je veux voir la suite du film, et tu m'empêches d'écouter.

● Phase 2 : Écoutez et comprenez (ne sermonnez pas)

La mère : J'ai bien compris que tu voulais seulement regarder ton film et que tu n'as pas envie de faire tes devoirs ni de sortir (elle marque une pause), mais je veux que tu éteignes la télévision et que tu trouves autre chose à faire.

Carol : J'ai pas envie.

La mère : Je sais que ce n'est pas drôle, mais il est temps de passer à autre chose.

Carol : Mais je vais rater la fin du film.

La mère : Je suis sûre qu'il repassera bientôt.

Carol : Je suis sûre que non.

Phase 3 : Offrez une récompense (ne punissez pas)

La mère : Si tu éteins maintenant, nous irons louer une vidéo demain.

Carol : Je m'en fiche de tes vidéos. Je veux juste regarder mon film.

Phase 4 : Commandez (ne vous justifiez pas et restez calme)

La mère : Je veux que tu éteignes tout de suite.

Carol : Mais je n'ai rien d'autre à faire.

La mère : Je veux que tu éteignes tout de suite.

Carol se lève et éteint le poste. Elle quitte le salon en furie. Au bout d'un quart d'heure, elle réapparaît, l'air détendu comme s'il ne s'était rien passé, et demande si elle peut jouer aux cartes. Sa mère approuve de bon cœur. Aucune mention n'est faite de leur petite altercation. Tout est oublié et pardonné.

FAVORISER LA COOPÉRATION

L'emploi des techniques d'éducation positive rend à terme les enfants bien plus coopérants, au contraire des conflits, des disputes et des punitions, qui n'engendrent que ressentiment, rejet et rébellion. Prétendre diriger ses enfants par les émotions, la logique, la raison, ou encore les menaces ne fera qu'affaiblir votre position et renforcer leur hostilité.

Lorsque vous vous serez familiarisé(s) avec ces quatre techniques de base de l'éducation positive, vous n'aurez la plupart du temps qu'à demander pour que votre enfant coopère. Malgré tout, il vous faudra de temps à autre pousser jusqu'à la quatrième phase pour vous faire entendre. Dites-vous que ces quatre techniques deviennent faciles à force de pratique. Outre qu'elles amènent l'enfant à coopérer, elles permettent également d'éveiller et de nourrir ce qu'il a de meilleur en lui.

Si la tâche peut vous sembler ardue, c'est seulement parce qu'elle est nouvelle. Il n'est jamais évident d'acquérir du jour au lendemain de nouvelles techniques, mais sachez qu'avec un peu de pratique elles deviennent vite des réflexes. Élever un enfant est toujours un défi, quel que soit le caractère du vôtre. L'éducation positive ne vous compliquera pas la tâche – au contraire. À terme, elle sera de loin la plus payante, pour vous comme pour l'enfant.

CHOISISSEZ VOS BATAILLES

Vous devrez veiller à adapter vos instructions au tempérament de l'enfant.

Un enfant sensible aura besoin d'assistance. Plutôt que d'attendre qu'il range lui-même sa chambre, demandez-lui de vous aider. C'est à force de participation qu'il gagnera peu à peu en autonomie. Après lui avoir commandé de vous aider à ranger sa chambre, commencez vous-même le travail, et il entrera dans la danse.

Les enfants expansifs risquent d'être rebutés par l'aspect fastidieux de la tâche, ce qui les conduira à déserter le terrain pour passer à autre chose. Il faudra permettre à ces enfants-là de varier leurs activités. N'oubliez pas que ces petits papillons ne tiennent pas en place, qu'ils ont sans cesse besoin de changement et de nouveauté.

Avant de commander un enfant expansif, essayez d'abord de le recadrer. S'il rechigne à mettre de l'ordre dans ses affaires, fractionnez le travail. Demandez-lui dans un premier temps de ranger tel ou tel objet, avant de lui donner quartier libre et de finir le reste vous-même. À terme, il sera disposé à en faire plus, mais cela ne se fera pas en un jour.

Les enfants réceptifs, quant à eux, ont rarement besoin d'être commandés. Ils sont d'un naturel conciliant. S'ils résistent, c'est généralement parce qu'ils se sentent pris au dépourvu. Une fois qu'ils ont été suffisamment rassurés et préparés, ils se montrent plus enclins à coopérer.

Avant de commander un enfant réceptif, veillez à satisfaire son besoin de rythme et de répétition. Il supporte mal les changements, les interruptions, ou les demandes brutales.

L'enfant actif se conformera à vos souhaits si vous prenez soin de les exprimer en privé. Prenez-le à part, ou conduisez-le dans la pièce contigu pour solliciter sa coopération. Il se fera une fierté de réussir ce que vous attendez de lui, pour peu que vous évitiez de l'interpeller devant les autres, ce qui aviverait sa susceptibilité et le pousserait à se braquer.

CHAPITRE 8

De nouvelles techniques pour garder le contrôle

Quand un enfant défie ou rejette l'autorité parentale, l'éducation positive prend simplement acte de cette attitude, en se gardant bien d'y porter un jugement de valeur. Il ne s'agit pas de blâmer, de punir ou de sermonner l'enfant, mais seulement de reprendre le contrôle de la situation, en le ramenant à de meilleurs sentiments.

Le but d'un temps mort n'est pas de menacer ou de punir. Il permet simplement de rappeler à l'enfant que vous êtes aux commandes et qu'il a tout à y gagner. C'est en mesurant ses limites que l'enfant apprend à les accepter et retrouve le chemin de la coopération.

Bien souvent, un enfant se tient mal parce qu'il oublie que ses parents sont les chefs et que lui-même préfère, au fond, qu'il en soit ainsi. Un enfant qui résiste à l'autorité de ses parents est un enfant qui n'est plus en phase avec son instinct naturel de coopération. Cela se produit quand ses besoins fondamentaux ne sont pas satisfaits. Les enfants ont besoin d'être guidés, et c'est lorsqu'ils perdent de vue ce besoin premier qu'ils deviennent incontrôlables.

190

C'est en les invitant à coopérer, en les écoutant, en répondant à leurs besoins et en leur offrant des récompenses que nous maintiendrons éveillé leur désir de coopération. Quand le parent ou l'enfant est en proie au stress, cet instinct se trouve temporairement éteint. Telle une voiture sans frein, l'enfant court alors droit dans le mur.

Le stress arrache l'enfant à votre autorité,
ce qui le conduit droit dans le mur,
telle une voiture sans frein.

Quand un parent tourne lui-même le dos à la coopération en exigeant de l'obéissance, l'enfant lui emboîte le pas et perd à son tour sa volonté de coopération. C'est souvent lorsque le parent craint de perdre prise sur son enfant qu'il pousse celui-ci à lui échapper. De même, un enfant qui se sent livré à lui-même peut facilement pousser un parent à bout, si ce dernier se montre incapable de reprendre le dessus.

LA NÉCESSITÉ DES TEMPS MORTS

Forts des nouvelles techniques de l'éducation positive, les parents sauront garder leur sang-froid, ce qui préservera leur ascendant sur l'enfant. Dans les moments inévitables où ce dernier n'en fera qu'à sa tête, le parent éclairé sera préparé à faire face. Tous les enfants ont régulièrement besoin de temps morts pour apprendre à dominer leurs émotions.

Les temps morts permettent de se ressaisir
en dominant ses émotions.

191

Combien d'adultes sont incapables de contenir leurs émotions dans les moments de stress ? Nous ne pouvons en demander autant à nos enfants. C'est en enseignant à des milliers d'adultes comment gérer leurs sentiments profonds que j'ai le plus appris sur ces techniques permettant la coopération. Quand un parent s'embourbe dans le ressentiment, l'anxiété, l'indifférence, l'intolérance, la confusion, ou la culpabilité, la seule réponse valable consiste à savoir analyser et gérer ces émotions négatives.

L'une des principales causes au regain de violence domestique que connaissent les sociétés occidentales réside dans notre incapacité à contrôler nos émotions. Dans une société libre qui laisse toute leur place aux sentiments, ces derniers peuvent devenir explosifs s'ils ne sont pas canalisés.

Dans une société libre qui laisse toute leur place aux sentiments, ces derniers peuvent devenir explosifs s'ils ne sont pas canalisés.

Les adultes qui perdent leur sang-froid et deviennent violents sont ceux qui n'ont jamais appris à faire une pause pour analyser et évacuer leurs émotions négatives. Cette aptitude sera tout aussi vitale pour les enfants et les adolescents que pour les adultes, à la seule différence qu'un adulte avisé sentira de lui-même la nécessité d'un temps mort, ce dont l'enfant ne sera pas toujours capable. Un enfant de neuf ou dix ans élevé avec de nombreux temps morts commencera à s'en imposer de lui-même dès qu'il se sentira stressé, contrarié ou ronchon. Cette pratique n'a rien de sorcier, mais elle demande de l'entraînement.

Bien souvent, les temps morts fonctionnent simplement parce qu'ils permettent aux parents de reprendre leurs esprits. Un parent qui perd les pédales pousse son enfant à l'imiter. En décrétant une pause, le parent peut se calmer lui-même et se sentir de nouveau maître de la situation. C'est souvent ce dont l'enfant a besoin. Un parent frustré et exigeant a vite fait de rendre son enfant turbulent. Ainsi, décréter un temps mort permettra non seulement à l'enfant de retrouver le chemin de la coopération, mais fera également le plus grand bien au parent.

Un parent frustré et exigeant a vite fait de rendre son enfant turbulent.

Quand vos ordres ne suffisent pas, le moment est venu d'imposer un temps mort. Celui-ci permet à l'enfant de se défouler un bon coup et d'évacuer sa tension accumulée. Les enfants ont besoin de se heurter aux limites de la vie. Ils ont besoin de s'opposer pour mesurer leur résistance. C'est ainsi qu'ils se forgent un caractère fort et déterminé. Au bout du compte, c'est l'ensemble des aspects positifs de leur personnalité qui se révéleront ainsi. Mais pour cela, il faudra d'abord qu'ils se soient débarrassés de leurs émotions négatives.

Ce temps passé à comprendre ses limites permet à l'enfant de déceler les différentes strates de sentiments qui se cachent sous sa résistance, son ressentiment, son rejet ou sa rébellion. La résistance disparaît quand il est capable de déceler ces trois émotions sous-jacentes que sont la colère, la tristesse et la peur. De la même façon, les adultes viendront à bout de leur ressentiment, de leur culpabilité, et de leur apitoiement en prenant le temps d'explorer, de ressentir, et d'évacuer leurs émotions négatives.

COMMENT ÉVACUER LES SENTIMENTS NÉGATIFS

Quand, à l'issue des quatre phases décrites dans le chapitre 7, la résistance de l'enfant perdure, l'heure est venue d'entamer la cinquième phase : le temps mort. Se retrouver consigné dans sa chambre aide l'enfant à prendre conscience de ses émotions profondes. En éprouvant successivement de la colère, de la tristesse, et de la peur, ses sentiments négatifs sont alors automatiquement évacués.

Le temps mort lui permet d'abord de sentir la colère et la frustration. Quelques instants plus tard, l'enfant se met à pleurer, sous l'emprise de la tristesse. Enfin, il découvre sa peur et sa vulnérabilité. En l'espace de quelques minutes, ce petit drame aura pris fin, et l'enfant sera comme par magie tout disposé à vous écouter.

En l'espace de quelques minutes, ce petit drame émotionnel aura pris fin.

Le temps mort permet à l'enfant de ressentir ses émotions primaires, et ainsi de renouer avec ses besoins. Si l'enfant se soustrayait à votre autorité, c'est parce qu'il avait perdu de vue son besoin d'être guidé comme son désir de coopérer. En soumettant l'enfant à un temps mort, nous lui offrons l'occasion de résister à nos volontés. Il se produit alors un déclic qui fait remonter ses émotions à la surface. Il se sent pas seulement ému ou perturbé ; il ressent avec acuité chacune de ses émotions. Se confronter à ce temps mort éveille sa sensibilité. C'est alors qu'il mesure pleinement son besoin d'affection, de compréhension, de soutien et d'orientation. En un mot, son besoin d'amour, qui ravive à son tour son désir de coopération.

Les enfants viennent du paradis. Ils naissent avec la volonté de faire plaisir pour obtenir ce dont ils ont besoin. C'est parce qu'ils ont besoin d'amour et de soutien pour survivre qu'ils arrivent sur terre enclins à coopérer et à satisfaire leurs parents.

Parfois ces différents niveaux de sentiments émergent de la première requête. À d'autres moments, ce sera au cours d'une douce conversation. Parfois encore, lorsque les besoins de l'enfant resteront insatisfaits ou qu'il sera particulièrement stressé, il lui faudra plusieurs temps morts pour qu'il cerne et évacue ses trois niveaux de résistance émotionnelle que sont la colère, la tristesse et la peur.

LE TEMPS MORT IDÉAL

La meilleure façon de procéder sera de placer l'enfant seul dans une pièce, et de maintenir la porte fermée. Sa résistance l'incitera naturellement à tenter de sortir – n'oubliez pas qu'il est censé résister. Toutefois, si vous verrouillez la porte pour vous en aller, il se sentira abandonné, ce qui n'est pas le but de l'opération. Le fait que vous restiez derrière la porte, du moins lors des premiers temps morts, sera déterminant. Lorsque l'enfant sera rompu à cette pratique, il n'essaiera plus de sortir.

La durée du temps mort sera proportionnelle à son âge, à raison d'une minute environ par année. Quatre minutes pour un enfant de quatre ans, six minutes pour celui de six. En général, avant de l'avoir testé, les parents considèrent ce calcul comme trop optimiste. Mais il n'en est rien. Un temps mort n'a pas besoin de s'éterniser. Dès l'âge de deux ans, une minute par année suffit.

Après quatorze ans, les temps morts sont rarement nécessaires, mais un adolescent qui n'en aura pas connu suffisamment étant plus jeune pourra en avoir besoin, notamment lorsqu'il vous manquera de respect ou refusera de vous écouter.

Imaginons à présent ce qui se passe lorsqu'un enfant de quatre ans se voit imposer un temps mort. Il commence par résister, voire à se débattre, ce qui peut vous obliger à le porter littéralement jusque dans la pièce la plus proche. Notons au passage que cette pièce ne sera pas obligatoirement sa chambre. Une fois reclus, il va se mettre en colère, crier, et tenter de sortir. Au bout de deux minutes, il lâchera la poignée, comprendra sa défaite, et se mettra à pleurer. Encore une minute, et il passera à une phase plus tendre et vulnérable : la peur. Peut-être glissera-t-il alors ses petits doigts sous la porte en vous suppliant de le laisser sortir.

À ce stade, vous pourrez lui annoncer qu'il n'en a plus que pour une minute avant de sortir. Rien ne s'oppose à ce que vous le rassuriez tout au long de cette épreuve. Au contraire. Veillez à ce qu'il sache en permanence que vous êtes toujours là, que vous n'allez pas partir, et qu'il aura bientôt le droit de sortir.

EXPLIQUER LES TEMPS MORTS

Si l'enfant vous demande pourquoi vous lui imposez un temps mort, la meilleure réponse sera la suivante : « Quand on devient incontrôlable, on a besoin d'un temps mort. » Il n'est ni pertinent ni utile de lui dire qu'un enfant a besoin de réfléchir à ce qu'il a fait de mal. Un temps mort n'est pas fait pour réfléchir, mais pour *éprouver* les émotions qui permettent de revenir à une attitude coopérative.

Les enfants n'ont pas besoin d'analyser leurs erreurs. À trop leur répéter ce qui est bon et ce qui est mauvais, nous ne leur apprendrons qu'à se sentir coupables. Contentez-vous de solliciter des comportements précis, et de la coopération en général. C'est à force de coopération que l'enfant apprend ce qui est bien et ce qui est mal, bon et mauvais ; inutile de lui dire qu'il est bon ou mauvais.

C'est à force de coopération que l'enfant apprend de lui-même ce qui est bien, ce qui est mal, ce qui est bon et ce qui est mauvais.

Le recours aux temps morts remplace donc les punitions et les fessées. Cette pause ravive le besoin de coopération de l'enfant, mais sans aucun effet pervers. Un enfant puni ou frappé aura tendance à se punir lui-même ou les autres quand il perdra son sang-froid, ce que ne fera jamais un enfant soumis aux seuls temps morts.

Le temps mort remplace les punitions et les fessées, tout en évitant leurs effets pervers.

Les adultes qui n'ont pas connu les affres de la punition ont une plus haute et saine estime d'eux-mêmes, et savent mieux obtenir ce qu'ils veulent tout en pensant à autrui.

Grâce à cette méthode, les enfants apprennent à gérer seuls leurs sentiments. Quand ils seront déstabilisés et poussés à bout par les aléas de la vie, ils s'imposeront eux-mêmes des temps morts pour évacuer leurs sentiments négatifs et se ressourcer. Ils deviendront plus attentionnés, heureux, paisibles, et confiants, et se montreront plus enclins à coopérer qu'à exiger, à se soumettre, ou à manipuler les autres.

QUATRE ERREURS FRÉQUENTES

De nombreux parents se plaignent de l'inefficacité des temps morts. Encore faut-il les appliquer correctement. Voici les quatre erreurs les plus fréquentes que commettent les parents :

1. Ils n'utilisent *que* les temps morts.
2. Ils ne les utilisent pas assez.
3. Ils s'attendent à ce que leurs enfants restent sagement assis.
4. Ils se servent des temps morts comme d'un outil de dissuasion ou de punition.

Évitez ces erreurs et vos temps morts vous permettront de reprendre le contrôle de vos enfants, en les ramenant à leur instinct premier, qui est de suivre votre autorité et de coopérer. Pour ce faire, examinons plus en détail les quatre erreurs précitées.

1. Trop de temps morts

Se contenter de distribuer des temps morts sans avoir préalablement mis en œuvre les autres techniques de l'éducation positive restreint considérablement leur efficacité. Les temps morts doivent être employés en dernier ressort, ou bien lorsqu'on n'a pas le temps de parcourir les quatre phases précédentes. La résistance que l'enfant exprime au cours d'un temps mort ne peut à elle seule le rendre plus coopératif et épanoui ; ses autres besoins seraient alors laissés de côté.

Le temps mort doit rester une arme de dernier ressort.

198

À titre de comparaison, ce n'est pas parce que l'organisme a besoin de vitamine C qu'il n'a pas d'autres besoins. La vitamine C ne suffira pas à vous maintenir en bonne santé. Une carence en vitamine C cause du tort à votre organisme. Si vous avez votre compte du reste, vous constaterez une amélioration de votre état physique. Mais en ne vous alimentant que de nourriture riche en vitamine C, votre santé ne sera guère florissante. De la même façon, chacune des cinq phases de l'éducation positive est nécessaire pour engendrer la coopération.

2. Pas assez de temps morts

Si certains parents comptent sur les temps morts pour résoudre tous leurs problèmes, d'autres, en revanche, y recourent trop rarement. Ils se plaignent de ne jamais être écoutés. Une mère vous dira par exemple : « Quand je lui demande d'arrêter de sauter sur le lit, il me rit au nez et continue de plus belle. »

Cette phrase constitue la preuve que cette mère n'accorde pas suffisamment de temps morts. Le temps mort sert à rétablir votre autorité. Un enfant qui vous rit au nez et ignore vos remarques est par définition un enfant sur lequel vous n'avez plus prise et qui a un sérieux besoin de ces pauses salutaires.

Si votre enfant traite vos remarques par la rigolade ou le mépris, c'est que vous n'avez plus prise sur lui.

D'aucuns concluront à l'inefficacité des temps morts s'ils voient que l'enfant recommence à leur tenir tête dès le lendemain. Ils pensent à tort que si les temps morts étaient vraiment valables, il en suffirait d'un seul pour que l'enfant se montre coopérant à tout jamais. Mais la finalité de ce moment de solitude n'est pas de briser la volonté de l'enfant pour le rendre obéissant. Il vise au contraire à le rendre volontaire et enclin à coopérer.

Les enfants ne seraient pas des enfants s'ils ne défiaient jamais notre autorité. La nécessité de renouveler les temps morts n'est pas un gage d'inefficacité. Les petits garçons et les enfants actifs en général en auront plus souvent besoin que les autres. Le fait que votre bambin ait fréquemment besoin de temps morts ne signifie nullement qu'il ne tourne pas rond, ni que votre style d'éducation soit déficient. Ce besoin correspond tout simplement à son stade de développement. La fréquence des temps morts ne répond à aucune norme. Elle peut aller de deux par jour, par semaine, par mois, à deux par an. Chaque enfant est unique.

> *Le fait que votre enfant ait fréquemment besoin de temps morts ne signifie nullement qu'il ne tourne pas rond, ni que votre style d'éducation soit déficient.*

Les adeptes de la manière douce utilisent les temps morts, mais avec trop de parcimonie. Hésitant à commander, ou ne supportant pas de l'entendre crier, ils ont tendance à lâcher prise.

Leurs enfants se mettent dans un tel état quand ils évoquent l'hypothèse d'un temps mort qu'ils sont prêts à tout pour éviter la confrontation, y compris à céder à ses moindres désirs. Quand un enfant devient tyrannique, c'est le signe que ses parents ne lui imposent pas suffisamment de temps morts pour rester maîtres chez eux.

3. S'attendre à ce que l'enfant reste sagement assis

Certains parents se méprennent totalement sur la finalité du temps mort. Ils espèrent que leur enfant s'assiéra en silence et se calmera sans broncher. Au lieu de lui permettre de cerner et d'évacuer ses émotions négatives, ses parents le dissuadent d'exprimer sa colère. Ils lui livrent de fait le message suivant : « Si tu continues à râler, le temps mort n'entrera en vigueur que lorsque tu auras cessé. »

Le temps mort fonctionne précisément parce qu'il autorise l'enfant à aller jusqu'au bout de sa résistance. Contraindre l'enfant à se taire pour hisser le drapeau blanc n'a rien d'un temps mort. L'enfant doit pouvoir rouspéter. Il n'est pas censé aimer les temps morts, pas plus qu'il n'est tenu de rester muet.

L'enfant doit rester libre
de contester le temps mort.

Il n'y a rien de mal à laisser à l'enfant le temps de reprendre ses esprits. Lorsqu'il est surexcité ou qu'il résiste violemment, il peut s'avérer utile de l'asseoir dans un coin le temps qu'il se calme. C'est un peu comme de le mettre à la sieste lorsqu'il est grognon et qu'il décline toutes les activités qu'on lui propose.

Ces temps de relaxation n'ont cependant rien à voir avec les temps morts. Dans le premier cas, l'enfant est invité à faire silence, et son calme pourra même lui valoir une récompense. Mais ce n'est pas ainsi qu'il explorera ses sentiments. Pour apprendre à gérer ses sentiments négatifs, le premier pas consiste à les cerner pour mieux les évacuer. Or ce n'est que vers l'âge de neuf ans qu'un enfant sera capable de gérer ses émotions sans devoir passer par un temps mort.

Lorsqu'un adolescent tient tête à ses parents malgré leurs instructions, on entre de fait dans la phase du temps mort. L'adolescent s'enferme dans sa chambre en faisant lourdement claquer la porte. Les parents devront alors se garder de le réprimander, mais continuer à le commander jusqu'à ce qu'il se soit retranché dans ses quartiers. Lorsqu'il ressortira, il sera méconnaissable. Comme s'il ne s'était rien passé.

4. Se servir du temps mort comme d'une punition

La quatrième erreur souvent commise par les parents consiste à faire du temps mort un moyen de punition. Même si l'enfant assimile facilement le temps mort à une sanction, il faudra veiller à ne pas y recourir soi-même dans cette optique. Comme nous en faisions précédemment état, l'éducation fondée sur la peur utilise les punitions pour dissuader les enfants de se conduire mal. L'idée d'ériger le temps mort en menace peut être tentante. Mais ce serait une grave erreur. Les parents diront par exemple : « Si tu ne cesses pas immédiatement, tu vas écoper d'un temps mort. » Cet avertissement aura le même effet que si vous aviez crié : « Si tu n'arrêtes pas ça tout de suite, je le dirai à ton père dès qu'il sera rentré », ou encore : « Si tu n'arrêtes pas tout de suite, tu vas prendre une bonne fessée. »

Plus les parents puniront leurs enfants, et plus ces derniers se rebelleront par la suite. Combien d'adultes ont définitivement coupé les ponts avec leurs parents parce que les punitions qu'ils avaient subies leur restaient en travers de la gorge ?

SERRER PAPA DANS SES BRAS

Depuis que je suis adulte, je suis en très bons termes avec mon père. Lorsque j'ai commencé à tenir des séminaires consacrés aux relations humaines, il fut le premier membre de ma famille à venir y assister. Il faisait le voyage du Texas jusqu'en Californie rien que pour apprécier le travail de son fils. Au cours de ces séminaires, nous apprenions entre autres choses à serrer une personne dans ses bras.

Quand j'enlace quelqu'un, j'éprouve en général des sentiments chaleureux. Avec mon père, cependant, bien que nous entretenions des rapports d'adultes affectueux et complices, j'avais du mal à retrouver cette chaleur en le prenant dans mes bras. C'était comme si quelque chose continuait à nous séparer. J'éprouvais des sensations bien plus fortes en étreignant des inconnus.

Quand je demandai à des amis ce qu'ils ressentaient en donnant l'accolade à mon père, ils s'accordaient tous à le trouver avenant et chaleureux. J'étais donc le seul à ressentir ce blocage. J'en compris alors la raison : les années que j'avais passées à me montrer gentil et obéissant par crainte de ses punitions avaient eu raison de mon désir d'être guidé par son autorité.

Il me fallut dix ans d'auto-analyse et de nombreux ateliers de psychothérapie avant de redevenir sensible à son étreinte. S'il avait seulement connu les techniques de l'éducation positive lorsque j'étais enfant, il se serait fait un plaisir de les mettre en œuvre, et cela m'aurait épargné bien des blessures.

Ériger le temps mort en menace peut, certes, donner des résultats à court terme, mais à la longue cela ne fait qu'affaiblir le désir de coopération de l'enfant. Si un temps mort en guise de punition vaut toujours mieux qu'une privation ou qu'une fessée, dites-vous que ce ne sera jamais la panacée.

AJUSTEZ VOTRE POSITION MAIS NE CÉDEZ JAMAIS

Il n'y a pas de mal à mettre un peu d'eau dans son vin pour faire plaisir à un enfant. Vous lui montrerez ainsi que ses parents savent écouter et apprendre, et ce sera un gage de respect et de souplesse. Mais ne le faites jamais dans le but d'éviter la confrontation, auquel cas vos ajustements se résumeraient à une capitulation pure et simple.

Céder aux caprices de l'enfant, c'est mettre le doigt dans un engrenage infernal. Il n'en deviendra que plus exigeant et insatiable. Il ne doit jamais perdre de vue que vous êtes le chef. Un enfant qui commande est un enfant gâté qui n'entend plus son besoin de suivre son chef.

> *Ce n'est pas le fait de donner plus qui corrompt l'enfant, mais le fait de donner plus pour éviter la confrontation.*

Une petite fille ou un petit garçon qui n'a pas eu son compte de temps morts devient facilement capricieux et colérique, si bien qu'au premier temps mort venu il piquera une colère du diable. Il lui faudra plusieurs temps morts, fréquents et réguliers, pour qu'il revienne à des sentiments plus coopératifs. Si à force de baisser les bras vous avez rendu votre enfant capricieux et intransigeant, vous pourrez y remédier en lui imposant davantage de temps morts. Un enfant gâté n'est jamais totalement corrompu ; il échappe seulement à votre autorité.

À la longue, vous verrez parfois que votre enfant a juste besoin de pleurer un bon coup. Les pleurs sont souvent le meilleur moyen d'évacuer son stress pour repartir du bon pied. Quand vous souffrez d'une grande perte, votre chagrin vous aide, à sa façon, à accepter la réalité des choses. Une déception ou un manque qui nous paraissent *a priori* bénins peuvent constituer de réelles blessures pour un enfant. Celui-ci aura également besoin de pleurer ou de faire son deuil afin d'accepter les limites incontournables de la vie.

Parfois, l'enfant aura juste besoin de pleurer un bon coup pour se sentir mieux.

D'aucuns pensent à tort que si l'enfant pleure, c'est qu'ils lui ont fait du mal. Et de conclure, privés des éclairages de l'éducation positive, que le temps mort est une mesure cruelle. Hélas, cette vision des choses les poussera bien souvent à revenir aux bons vieux cris, punitions et fessées d'antan, constatant que rien d'autre ne marche.

Un temps mort de quelques minutes ne fera pas souffrir l'enfant, mais lui permettra de faire remonter à la surface sa détresse accumulée pour mieux la soulager. Les enfants n'aiment jamais s'en voir imposer, mais c'est pourtant en pleurant un bon coup qu'ils retrouveront leur équilibre.

LE BON MOMENT POUR UN TEMPS MORT

Menacer l'enfant d'un temps mort, c'est y donner une valeur de punition. Ne menacez pas, *faites*. L'heure du temps mort vient après que vous ayez laissé à l'enfant la possibilité de réagir à vos consignes. Si, après les avoir réitérées, il continue à vous défier, c'est qu'il a besoin d'un temps mort. Que l'enfant y voie une sanction n'a pas grande importance, tant que vous ne vous placez pas vous-même dans cette optique.

En disant à l'enfant qu'il va récolter un temps mort s'il continue à vous tenir tête, vous ne faites que le menacer pour qu'il se montre obéissant. Vous devriez au contraire favoriser sa coopération en lui offrant des récompenses et en le commandant. À la longue, cette approche basée sur la peur ne fera qu'affaiblir votre autorité.

UN CARTON ROUGE APRÈS DEUX CARTONS JAUNES

Passé le cap des neuf ans, les circonstances ne sont plus les mêmes. L'enfant est alors mieux à même de maîtriser ses sentiments, et les temps morts deviennent moins nécessaires. Il a appris à analyser ses émotions et à les évacuer. Il sait alors comment reprendre ses esprits tout seul. Dès lors, accordez-lui trois chances avant de décréter un temps mort.

Quand l'enfant refuse ce que vous lui commandez de faire, dites-lui simplement : « Carton jaune. » Ce code signifie qu'il peut encore se ressaisir pour échapper au temps mort. Si quelques minutes plus tard il persiste dans son refus, dites-lui : « Deuxième carton. » Il ne lui reste plus qu'une chance de coopérer sur-le-champ. Face à un nouveau refus, attendez quelques minutes puis déclarez : « Carton rouge. » L'heure du temps mort a sonné.

Après avoir expliqué cette règle du jeu à l'enfant, vous pourrez personnaliser vos codes. Vous pourrez, par exemple, vous pincer l'oreille pour signifier le premier carton, ou bien faire discrètement le décompte sur vos doigts. Votre seul impératif sera de faire preuve de constance ; ne changez pas les règles sans prévenir. L'enfant rompu à cette pratique ne comprendrait pas de se voir assigner un temps mort avant d'avoir reçu vos mises en garde, ce qui est tout à fait normal. Savoir se ressaisir sans devoir en passer par les larmes est une grande force. Mais pour que l'enfant l'acquière, il faut lui laisser toutes ses chances.

QUAND LE TEMPS MORT RESTE LETTRE MORTE

Dans les ateliers que j'anime, on me fait parfois cette remarque : « Les temps morts ne marchent pas avec mon adolescent. Je n'arrive même pas à les lui imposer. Il me rit au nez ou m'ignore. Je suis obligé de lui confisquer quelque chose pour le punir. » Cela ne fait qu'illustrer toute la défiance que suscitent chez un adolescent d'aujourd'hui les punitions de son enfance. Heureusement, même après avoir recouru des années durant à la peur pour obtenir ce que vous vouliez, il sera toujours temps de vous convertir aux cinq phases comme aux cinq messages de l'éducation positive. Leurs résultats ne se feront jamais attendre.

Dans le cas présent, ce parent doit veiller à passer par les cinq phases, au lieu d'aller directement au temps mort, qu'il transformerait alors en punition. Les temps morts ne sont efficaces que lorsqu'ils arrivent en fin de parcours. Utilisés à bon escient, ils ramèneront vite un adolescent récalcitrant sur le chemin de la coopération. Sachez néanmoins qu'ils fonctionnent mieux avec les jeunes enfants, les plus âgés étant quant à eux réceptifs à l'écoute et aux récompenses.

Le temps mort tient son efficacité de ce qu'il permet à l'enfant de résister. Mais certains enfants se trouvent tellement déconnectés de leur désir de plaire qu'ils n'essaieront même pas de lutter. Bon an mal an, ils seront plutôt contents de prendre un temps mort, si cela peut leur permettre de ne plus avoir leurs parents sur le dos. Ces enfants n'éprouvent plus aucun désir de faire plaisir ni d'être guidés. Soit parce que l'effort leur semble vain, soit parce qu'ils ne supportent plus de se sentir constamment manipulés. La solitude ne les rebute pas, qui leur permet au contraire de faire valoir leur mécontentement. Vous remarquerez que les enfants qui ont une dent contre leurs parents prendront souvent un malin plaisir à filer droit dans leur chambre en signe de mépris ou d'indifférence.

Les parents de notre exemple doivent apprendre à respecter les trois premières phases (voir la liste ci-dessous) pour raviver le désir de coopération de l'enfant. Leurs temps morts prouveront alors leur efficacité, et lui seront bénéfiques. Même s'il fait mine de les prendre à la rigolade, au moins aura-t-il cessé de dominer la situation, pour être ramené sous votre autorité. Et au cas où il serait ravi de retrouver sa chambre, envoyez-le dans une autre pièce dépourvue de jouets, de musique ou de téléphone.

Vous pourriez très bien l'envoyer dans sa chambre pour qu'il joue, mais il ne s'agirait plus d'un temps mort. Si l'enfant s'oppose au temps mort, il n'y a aucun inconvénient à ce qu'il s'amuse pendant ce temps-là. Mais s'il y consent de bon cœur, alors envoyez-le dans la salle de bains ou dans une autre pièce.

CE QUI FAIT LE SUCCÈS DES CINQ TECHNIQUES

Résumons les cinq techniques clés de l'éducation positive :

1. Pour engendrer la coopération, demandez au lieu d'ordonner.
2. Pour vaincre les résistances et améliorer la communication, faites montre d'écoute et d'attention – ne reprenez pas.
3. Pour motiver, récompensez – ne punissez pas.
4. Pour affirmer votre autorité, commandez – ne demandez pas.
5. Pour garder le contrôle, décrétez des temps morts – ne levez pas la main.

Ces cinq techniques constitueront un puissant moteur pour stimuler la coopération de nos enfants. Le carburant de ce moteur sera le mélange des cinq messages positifs énoncés en introduction à cet ouvrage. Si les cinq techniques ne peuvent fonctionner sans les cinq messages, l'inverse est tout aussi vrai : ces messages ne peuvent entrer en action qu'avec l'appareillage nécessaire.

Le premier message – on a le droit d'être différent – entretient le besoin d'amour et d'attention de l'enfant. C'est en sachant reconnaître et apprécier ce qui le rend unique que nous l'inciterons à coopérer.

Le deuxième message – on a le droit de commettre des erreurs – est essentiel pour que l'enfant s'accepte tel qu'il est et se sente encouragé à faire plaisir à ses parents. Si on le prive de ce droit à l'erreur, soit il baissera les bras, soit il se sacrifiera sur l'autel du paraître.

Le troisième message – on a le droit d'exprimer des sentiments négatifs – permet à l'enfant de s'ouvrir à ses émotions profondes en toute confiance. Cette sensibilité est indispensable pour que l'enfant éprouve pleinement son besoin d'être guidé et soutenu, ce qui renforcera son envie de coopérer et de vous satisfaire.

Le quatrième message – on a le droit de réclamer davantage – permet à l'enfant d'affirmer son caractère et sa détermination, en mesurant pleinement l'étendue de ses désirs. Les enfants qui savent ce qu'ils veulent seront les plus sensibles à la perspective d'un plus ou d'un mieux. En outre, ils apprendront que cela vaut souvent la peine d'attendre pour obtenir les meilleures choses. Quand les enfants ont la permission de demander plus, ils sont particulièrement réceptifs aux récompenses, et ratent rarement une occasion de faire plaisir à leurs parents.

Le cinquième message – on a le droit de dire non, mais il ne faut pas oublier que ce sont papa et maman qui décident – est le ciment des cinq techniques de l'éducation positive. Pour qu'il coopère, l'enfant doit toujours être en mesure d'exprimer son désaccord. C'est en résistant qu'il fait connaître – et qu'il découvre lui-même – ses sentiments et ses envies. Ce message renforce sa volonté, qui à son tour stimule son instinct naturel de coopération comme son envie de plaire.

En faisant vôtres ces cinq messages, vous obtiendrez des cinq techniques les meilleurs résultats. Le prochain chapitre exposera les cinq messages plus en détail. Vous serez ainsi capables de prendre des décisions et de répondre à vos enfants d'une façon qui leur permette d'affirmer leur véritable personnalité, et d'illuminer ce monde des dons qu'ils portent en eux.

CHAPITRE 9

On a le droit d'être différent

Chaque enfant qui vient au monde est unique. Concrètement, cela signifie qu'il sera parfois très différent de ce que ses parents attendaient. Il aura ses propres dons et ses propres difficultés, auxquels correspondront des besoins particuliers. Le rôle de parent ne consiste pas seulement à tolérer ces différences, mais à les respecter, ce qui nécessite que nous cernions l'ensemble de ces besoins spécifiques pour mieux les assouvir.

En somme, il faudra vous ôter de l'esprit des phrases du genre : « Mon enfant ne tourne pas rond. Il a davantage besoin d'être soigné que d'être renforcé dans ses travers », ou : « Mon enfant est mauvais et doit être ramené dans le droit chemin. » Ce serait les pires erreurs que des parents puissent commettre. Il est indispensable de signifier clairement qu'ils sont tout à fait normaux, et que les différences sont à la fois inévitables et bienvenues.

L'intolérance parentale se trouve résumée en cette phrase : « Mon enfant ne tourne pas rond. »

C'est généralement quand les parents n'obtiennent pas la coopération souhaitée qu'ils en viennent à s'interroger sur l'équilibre mental de leurs bambins. En prenant conscience qu'il n'y a pas deux enfants identiques, l'adulte cessera d'imaginer le pire dès que l'enfant dévoilera sa différence. Plutôt que de contrarier celle-ci, il s'agira d'offrir à l'enfant toute l'attention et le soutien qui lui permettront de cultiver ses talents et ses qualités, comme de surmonter ses faiblesses.

Un enfant est le produit d'une conjonction unique de caractéristiques liées à son sexe, à sa morphologie, à son tempérament, à sa personnalité, à son intelligence, et à son mode d'apprentissage. En prenant conscience des innombrables combinaisons et permutations que permet ce brassage, vous comprendrez qu'aucun enfant n'est meilleur qu'un autre, et qu'il n'existe aucune « manière d'être » qui puisse tenir lieu de référence.

Différent ne veut pas dire mieux ou moins bien.

Souvent, les parents croient savoir à tort ce qui sera le mieux pour leur enfant. Ils persistent, en quelque sorte, à vouloir faire pousser des poires sur un pommier. Ce type de « soutien » ne peut qu'entraver le bon développement de l'enfant. N'oublions jamais que chaque enfant vient sur terre pour accomplir un voyage et une mission qui lui sont propres. Prétendre connaître mieux que lui le sens de sa présence ici-bas revient en quelque sorte à se prendre pour Dieu. Le fait qu'il vienne au monde avec son propre plan de route n'empêche pas qu'il ait besoin de l'estime, de la reconnaissance, de l'amour, et de l'attention de ses parents pour nourrir et affirmer ses potentialités. Car si les parents ne sont pas responsables du devenir de leurs enfants, ils sont en revanche tenus de faire tout leur possible pour que ceux-ci donnent le meilleur d'eux-mêmes.

212

Les enfants viennent du paradis. Ils portent en eux les germes de leur réussite. Accepter et nourrir les spécificités de l'enfant, c'est lui procurer la force et la confiance nécessaires pour que ses rêves prennent corps.

LES DIFFÉRENCES LIÉES AU GENRE

Si les différences entre les sexes se manifestent le plus fortement au moment de l'adolescence, sachez que, dès la naissance, les petits garçons et les petites filles empruntent des routes différentes. Indépendamment même de son sexe, chaque enfant possède en lui une part de masculinité et une part de féminité, chacune plus ou moins affirmée. Ne l'oubliez pas !

Les pères comme les mères partent souvent du principe que ce qui est bon pour eux sera bon pour leur enfant du même sexe qu'eux. Ainsi, une mère croira instinctivement pourvoir aux besoins de sa fille, et un père s'estimera apte à répondre à ceux de son fils. Nous avons facilement tendance à transposer sur nos enfants nos propres attentes et désirs, sans penser qu'ils puissent être inadaptés à leur personnalité. En comprenant comment le sexe de l'enfant détermine certains traits de son caractère, nous serons capables de nous ouvrir à des besoins et à des comportements qui nous étaient jusqu'alors étrangers. Notons au passage que cette méconnaissance des différences liées au genre empêche parfois certaines femmes d'apprécier ce que leurs compagnons peuvent leur apporter, et vice versa.

DES BESOINS DE CONFIANCE
ET D'ATTENTION DIFFÉRENTS

Si certains besoins sont plus développés chez les garçons que chez les filles, et réciproquement, les enfants ont avant tout besoin d'amour, quel que soit leur sexe. Mais cet amour emprunte différentes formes, les deux principales étant l'attention et la confiance.

La première consiste à répondre présent. Autrement dit, c'est s'intéresser aussi bien à ce que l'enfant *fait* qu'à ce qu'il *est* ; c'est vouloir son bonheur en répondant à ses besoins et en compatissant à ses malheurs. L'attention est la face la plus visible de l'amour.

Votre attention traduit votre investissement, votre intérêt, et votre compassion à l'égard de vos enfants.

La seconde, quant à elle, consiste à reconnaître que tout va bien ; c'est croire et savoir son enfant capable de réussir par lui-même, comme de tirer les leçons de ses erreurs ; c'est laisser délibérément les choses suivre leur cours en ayant foi en l'avenir. La confiance repose sur l'idée que l'enfant fait toujours de son mieux, même lorsque les faits laissent supposer le contraire. Elle offre à l'enfant la liberté et l'espace nécessaires pour voler de ses propres ailes.

La confiance offre à l'enfant la liberté et l'espace nécessaires pour voler de ses propres ailes.

Chaque enfant a besoin à la fois d'attention et de confiance, mais dans des proportions qui varient selon l'âge et le sexe de l'enfant. Avant neuf ans, l'enfant a surtout besoin d'attention. Au-delà, il commence à prendre ses distances à mesure qu'augmente sa soif d'indépendance. Vous saurez alors qu'il aspire à davantage de confiance quand il se montrera gêné par certains de vos comportements.

L'âge de neuf ans marque le début de la conscience de soi ; l'enfant porte sur lui-même un regard différent de celui de ses parents. Pour que cette démarcation ne tourne pas au conflit, l'enfant devra surtout sentir que ses parents ont foi en lui.

Indépendamment de leur âge, les garçons ont surtout besoin de confiance, et les filles d'attention. Un garçon sera fier d'agir de son propre chef. Il aimera pouvoir faire ses preuves, pour montrer sa valeur et gagner l'estime des autres. Par exemple, il refusera catégoriquement que sa mère l'aide à faire ses lacets, soucieux de lui démontrer qu'il est capable de se prendre en charge « comme un grand ». En revanche, sa sœur verra en l'intervention maternelle une authentique preuve d'amour.

Quel que soit leur âge, les garçons ont avant tout besoin de confiance, et les filles d'attention.

Lorsqu'une mère se soucie trop des besoins de son fils, celui-ci en vient à penser qu'elle ne le croit pas capable de se débrouiller seul. De même, quand un père est convaincu que sa fille est capable de mener sa barque comme elle l'entend, celle-ci risque de prendre cette marque de confiance pour un signe d'indifférence. En effet, une fille jouissant d'une trop grande liberté se sentira facilement rejetée, ignorée, ou abandonnée, alors qu'un garçon ne se portera jamais aussi bien que lorsque ses parents le laisseront gérer ses affaires à sa guise.

Les mères ont tendance à étouffer leurs fils avec

leurs angoisses, tandis que les pères négligent facilement le besoin d'attention de leurs filles, par excès de confiance. Ayons toujours à l'esprit cette règle de base : pour qu'ils se forgent une image positive d'eux-mêmes, les garçons ont besoin de notre confiance, et les filles de notre attention.

ENTRETENIR LA CONFIANCE ET L'ATTENTION

Suite à une blessure, les femmes ont le plus grand mal à faire confiance, et les hommes à rester motivés ou attentionnés. Au sein d'un couple tourmenté, la femme se plaint souvent de ne pas être comblée (« Je ne peux pas compter sur lui pour répondre à mes attentes »), tandis que l'homme déplore que ses efforts restent vains (« Rien ne la satisfait, alors à quoi bon ? »). Les femmes diront : « Il ne s'intéresse plus à moi », et les hommes : « Elle n'est jamais contente ; je laisse tomber. »

Ces tendances distinctes prennent forme dès l'enfance. Les bébés des deux sexes naissent avec une égale propension pour la confiance et l'attention. Mais dès lors qu'ils ne se sentent pas assez entendus, les garçons réagissent par l'indifférence, et les filles par la méfiance. Dès lors, le défi assigné aux parents consiste à redoubler d'attention, d'écoute et de respect vis-à-vis de ces dernières afin qu'elles ne perdent pas leur assurance, et de faire montre d'estime, de tolérance, et de reconnaissance envers leurs garçons pour préserver leur motivation.

Les parents devront redoubler d'attention, d'écoute et de respect vis-à-vis de leurs filles pour préserver leur assurance.

Une fille doit pouvoir compter sur l'écoute et la compréhension constantes de ses parents. Elle a besoin de sentir qu'ils seront toujours là pour l'épauler. Encline d'instinct à confier ses tourments et à demander de l'aide, elle a besoin de savoir que son père et sa mère répondront présents dans ses moments d'angoisse ou de peine. C'est lorsqu'elle reçoit ces marques d'attention qu'elle prend confiance et s'épanouit. Dans le cas contraire, elle se jugera inutile, indigne d'être aimée, et elle déclinera l'aide de ses parents. Elle refoulera alors sa vulnérabilité féminine pour se mettre, tel un garçon, en quête d'espace, d'estime et de reconnaissance. Son insatisfaction devenant insupportable, elle renoncera à sa part de féminité pour laisser parler son côté masculin.

Quand l'indifférence de ses parents deviendra insoutenable, une fille préférera parfois refouler ses besoins inassouvis pour suivre sa part de masculinité.

Cela ne veut pas dire qu'une fille « masculine » soit nécessairement meurtrie dans son essence féminine. Il suffit qu'elle soit d'un tempérament actif pour qu'elle passe pour un garçon manqué. Mais un garçon manqué sera toujours une fille, avec un fort besoin d'attention, d'écoute et de respect.

Il est évident que les garçons ont, eux aussi, besoin d'être écoutés, compris, et respectés pour se sentir en sécurité, mais pour avancer ils auront surtout besoin de motivation. Sinon, ils deviennent indifférents, blasés, acariâtres, et rencontrent des difficultés d'apprentissage. Incapables de rester concentrés, ils développent un tempérament soit dépressif, soit hyperactif.

Les parents devront faire montre d'estime,
de tolérance, et de reconnaissance envers
leurs garçons pour préserver leur motivation.

Pour se montrer attentif et s'intéresser à la vie, le garçon a besoin de succès et de récompenses. On devra sans cesse lui montrer qu'il peut rendre ses parents heureux, et qu'il le fait déjà. Cette source de motivation l'empêchera de sombrer dans la faiblesse et l'indifférence.

Si les filles se montrent particulièrement sensibles à l'aide de leurs parents, les garçons peuvent au contraire y voir une offense, la preuve qu'on les croit incapables d'accomplir seuls ce qui leur est demandé. Laissez-leur alors la latitude nécessaire pour prendre des initiatives. Même si ces dernières devaient se solder par un échec, vous pouvez compter sur eux pour en tirer de précieuses leçons. Quoi qu'il en soit, gardez-vous bien de leur asséner : « Je t'avais prévenu. »

Si les filles apprécient qu'on leur propose
de l'aide, les garçons peuvent au contraire
y voir une offense.

Bien entendu, les filles aspirent également à la reconnaissance, mais ce besoin est plus criant chez les petits garçons, car, comme on l'a vu, il conditionne leur motivation. Un garçon se montre plus sensible et ouvert quand on l'estime compétent, et qu'on l'accepte tel qu'il est. Et pour que lui-même se sente compétent, nous devrons le couvrir de confiance. La reconnaissance constitue le carburant de sa motivation. Couronnez ses succès, et il repart de plus belle.

218

LES GARÇONS VIENNENT DE MARS, LES FILLES VIENNENT DE VÉNUS

Comprendre que filles et garçons ont des besoins différents permet aux parents de procéder aux ajustements nécessaires, dont le point de départ est de se souvenir que les garçons viennent (comme leurs pères) de Mars, et que les filles viennent (comme leurs mères) de Vénus.

Quand un garçon se sent incapable d'obtenir la confiance, l'estime et la reconnaissance auxquelles il aspire, et que ce manque le fait souffrir, il peut en venir à bâillonner ses caractéristiques purement masculines pour laisser parler sa part de féminité, qui requiert de l'attention, de l'écoute et du respect. Un garçon trop couvé, jusqu'à l'étouffement, deviendra ainsi plus exigeant ; il aura substitué à son envie d'espace un plus fort besoin d'attention.

Voici quelques repères qui vous permettront de garder à l'esprit que les garçons viennent de Mars et les filles viennent de Vénus.

Les garçons viennent de Mars	Les filles viennent de Vénus
Vos marques d'amour, d'attention, et de reconnaissance devront porter sur leurs actions, sur leur capacité à se débrouiller seuls, et sur leurs résultats.	Vos marques d'amour, d'attention, et de reconnaissance devront porter sur ce qu'elles sont, sur ce qu'elles ressentent, et sur ce qu'elles veulent.
Les garçons ont besoin d'être admirés pour leurs efforts. Reconnaissez leur travail.	Les filles ont besoin d'être aimées pour ce qu'elles sont. Faites-leur des compliments.

Les garçons ont un plus grand besoin de motivation et d'encouragements.	Les filles ont davantage besoin d'assistance et de réconfort.
Un garçon ou un homme est le plus heureux quand il se sent indispensable et en mesure d'agir. Il broie du noir quand il se sent inutile ou incapable d'accomplir une tâche qui lui incombe.	Une fille ou une femme est la plus heureuse quand elle sent qu'elle peut obtenir le soutien dont elle a besoin. Elle broie du noir quand ce soutien lui fait défaut et qu'elle doit tout assumer seule.
Les garçons ont avant tout besoin de confiance, d'estime, et de reconnaissance pour se montrer attentionnés et motivés.	Les filles ont avant tout besoin d'attention, d'écoute, et de respect pour avoir confiance et s'affirmer.

MONSIEUR DÉPANNAGE

L'erreur la plus fréquemment commise par les pères consiste à abreuver leurs enfants de solutions toutes faites lorsque ceux-ci leur confient ce qu'ils ont sur le cœur. Les hommes adorent résoudre les problèmes, et se font un point d'honneur de jouer les « Monsieur Dépannage ». Ils ne songent pas que leurs enfants ont parfois seulement besoin d'écoute. À force de se voir proposer des remèdes miracles, nombreux sont ceux qui renoncent à parler à cœur ouvert aux adultes.

Là-bas, sur Mars, les hommes ne font part de leurs problèmes que lorsqu'ils recherchent une solution. Autrement, ils se taisent. Sur Vénus, au contraire, on s'épanche quoi qu'il arrive. Les hommes ont souvent du mal à comprendre que les femmes puissent trouver du plaisir à partager leurs peines. Mais cette pratique inconcevable sur Mars est monnaie courante sur Vénus.

C'est ainsi que les pères ont tendance à ignorer ou à minimiser les problèmes de leurs enfants en prétendant avoir réponse à tout, sans se rendre compte qu'ils peuvent ainsi les blesser. Ma fille me dit un jour pourquoi elle détestait que l'un de mes amis l'aide à faire ses devoirs de maths : « Dès que j'ai un problème, il me dit "C'est pourtant simple, regarde..." J'ai toujours l'impression de passer pour une idiote. »

Dans ce cas de figure, l'enfant en déduit facilement qu'il n'est pas à la hauteur, ou qu'il se fait une montagne de la moindre bricole, au lieu de se sentir sécurisé et soutenu. Du coup, il se sentira moins libre de confier ses tourments. C'est en nous abstenant de fournir des réponses toutes faites que nous offrirons à nos enfants la confiance et l'attention dont ils ont besoin.

Voici quelques exemples classiques de formules à même de heurter leur susceptibilité :

- Ne t'inquiète pas pour ça.
- Ce n'est vraiment pas grand-chose.
- Et alors ?
- Ce n'est pas bien compliqué.
- Ce n'est pas le bout du monde.
- Ce sont des choses qui arrivent.
- C'est ridicule.
- Voici ce que tu devrais faire.
- Passe à autre chose.
- Fais-le, tout simplement.
- Je ne vois pas où tu veux en venir.
- Viens-en au fait.
- Ça va aller.
- Ce n'est pas la mer à boire.

- C'est la vie.
- Que veux-tu que j'y fasse ?
- Pourquoi me racontes-tu cela ?

En prenant conscience de leur tendance à dénigrer les sentiments de leurs enfants, les pères seront mieux à même de les épauler. Si les femmes aspirent souvent à plus d'écoute de la part de leur mari, elles-mêmes oublient parfois d'écouter leurs enfants. Au lieu de leur laisser suffisamment d'espace pour exprimer leur colère ou leur désarroi, elles prétendent elles aussi tout régler en deux temps trois mouvements.

Il n'y a aucun mal à résoudre les problèmes des enfants quand ces derniers en font expressément la demande. Mais la plupart du temps, il vaudra mieux se montrer moins disert et les écouter davantage, afin qu'ils se confient pleinement et écoutent mieux à leur tour. En renonçant à régler vous-même les problèmes de vos bambins, vous vous faciliterez grandement le travail, et vos enfants ne s'en porteront que mieux.

MADAME PEAUFINAGE

L'erreur la plus fréquemment commise par les mères consiste à prodiguer leurs bons conseils dès que leurs enfants se tiennent mal, commettent une erreur, ou semblent avoir besoin d'aide. Les femmes adorent améliorer les choses, dans leur vie comme à la maison. Elles sont en quête de perfection et de travail bien fait, là où les hommes se contentent d'à-peu-près, tant qu'il n'y a pas péril en la demeure.

--- --- --- --- --- --- --- ---
Les femmes partent du principe que l'on peut toujours mieux faire.
--- --- --- --- --- --- --- ---

Une femme reporte sur l'homme qu'elle aime son ardeur perfectionniste, et a souvent vite fait de l'agacer avec ses questions et ses bons conseils qu'il n'aura pas sollicités. Devenue maman, elle projettera naturellement cette ferveur sur ses enfants, oubliant que ceux-ci n'ont pas plus besoin d'être « corrigés » qu'améliorés.

En les couvant trop, en les accablant de bons conseils, elle les prive de la confiance à laquelle ils aspirent. Les garçons, notamment, supportent mal les inquiétudes, remontrances, ou directives maternelles. Afin d'éviter cet écueil, voici la règle d'or : pour chaque erreur que vous pointez du doigt, assurez-vous d'avoir souligné au moins trois actions positives.

Pour une erreur pointée du doigt, soulignez trois bonnes actions.

Plutôt que de reprendre vos enfants en soulignant leurs fautes, réorientez-les sur la bonne voie. Ne dites pas : « Tu devrais être plus gentil avec ta sœur », mais : « Veux-tu être gentil avec ta sœur ? Apprenons à vivre en harmonie les uns avec les autres. »

En indiquant à vos enfants une nouvelle direction à suivre, vous mettez l'accent sur ce qu'ils peuvent faire de bien et non sur ce qu'ils ont fait de mal. C'est en leur disant ce que vous attendez et en leur offrant l'occasion de le faire que vous vaincrez leur résistance. Quand ils seront prêts pour les explications ou les conseils, ils les solliciteront d'eux-mêmes.

Voici quelques exemples de formulations positives :

Formulation négative	Formulation positive
Tu as laissé ton assiette sur la table.	Voudrais-tu reposer ton assiette dans l'évier ?
Ne crie pas dans la maison.	Veux-tu parler doucement, ou bien (pour les plus âgés) : Ne crie pas, s'il te plaît.
Ta chambre est encore sens dessus dessous.	Voudrais-tu ranger ta chambre, s'il te plaît ?
Tes lacets sont défaits.	Voudrais-tu faire tes lacets, s'il te plaît ?
Cela fait une demi-heure que je t'attends. Quand tu sais que tu auras du retard, laisse-moi un message ou passe-moi un coup de fil.	Quand tu sais que tu seras en retard, voudrais-tu m'envoyer un message ou me passer un coup de fil ? Cela fait une demi-heure que je t'attends.
Si tu étais mieux organisé(e), tu n'aurais pas oublié.	Voudrais-tu prendre le temps d'organiser tes affaires, pour ne rien oublier la prochaine fois ?

Les cinq techniques favorisant la coopération dispenseront les femmes de recourir aux sermons ou aux reproches. Et c'est tant mieux, car un enfant qui se fait rappeler à l'ordre ou reçoit des conseils sans avoir rien demandé se croit facilement mauvais ou incapable. Il se dit que, en dépit de toute l'attention que vous lui manifestez, vous ne lui faites pas confiance. Devenu adulte, il se sentira sûrement aimé par sa mère, mais il ne comprendra pas pourquoi la vie lui fait si peur, au point qu'il se sente incapable de prendre le moindre risque.

QUAND LES CONSEILS SONT BIENVENUS

Les conseils ne sont pas mauvais en soi. Ils peuvent se révéler très utiles quand les enfants sont demandeurs. Mais il n'y a rien de plus mauvais que de faire la leçon à un bambin récalcitrant. À terme, devenu allergique à vos recommandations, il renoncera à demander de l'aide même quand il en aura vraiment besoin. Les conseils sont bienvenus seulement lorsque l'enfant les sollicite. Si vous vous tenez à cette règle, vous verrez qu'il sollicitera plus facilement votre avis à mesure qu'il grandira.

Les garçons sont plus susceptibles que les filles sur ce terrain-là. La fille pourra se raidir, mais elle continuera de faire part de ses difficultés, tandis que le garçon perdra toute sa motivation. Excédé, il cessera de se confier, renoncera à poser des questions, et, pire, ne vous écoutera même plus.

---

*Les solutions toutes faites entament
la confiance des filles, et les bons conseils
dissuadent les garçons d'écouter.*

Les mères dispensent leurs conseils pour éviter à leurs enfants de s'embourber dans leurs problèmes. Mais pour louable que soit cette intention, leurs fils ne l'entendront jamais de cette oreille. Les mères doivent admettre que tant que leurs enfants n'appellent pas à l'aide, c'est qu'ils sont capables d'apprendre par eux-mêmes.

LES GARÇONS OUBLIENT, LES FILLES SE SOUVIENNENT

L'autre grande différence entre les garçons et les filles, c'est que les premiers sont amnésiques et que

225

les secondes ont de la mémoire. Bien des mères s'arrachent les cheveux à force que leurs fils oublient systématiquement ce qu'elles leur ont demandé de faire. Les pères, de leur côté, déplorent souvent que leurs filles étalent leurs malheurs plus que de raison. Examinons les causes de ces attitudes contrastées.

La gente masculine régule son stress en concentrant toute son attention sur un objet unique : le plus gros problème posé, ou la tâche la plus urgente à effectuer. Plus l'homme est stressé, plus il fait abstraction des éléments secondaires. Il peut être absorbé par son travail au point d'oublier son propre anniversaire, celui de son mariage, voire celui de ses enfants.

Les femmes prennent souvent les « oublis » de leur conjoint comme une marque d'indifférence. Quand elles-mêmes sont tendues, elles ont au contraire tendance à ne rien oublier. Elles ne peuvent faire abstraction de leurs responsabilités et de leurs rendez-vous importants. Cela explique qu'elles aient besoin de raconter leur journée harassante en rentrant du travail, quand leurs maris préfèrent au contraire mettre leurs responsabilités entre parenthèses, en regardant la télévision ou en lisant le journal.

Si une activité paisible et distrayante permet à l'homme de se détendre, c'est en décrivant sa journée dans les moindres détails que son épouse parvient à évacuer son stress. L'homme décompresse en oubliant, la femme en méditant.

Cette nuance de taille explique bien des incompréhensions. En prendre conscience vous permettra non seulement de pacifier vos relations conjugales, mais également de mieux comprendre et de répondre aux besoins de vos enfants.

Comprendre les différences nous aide à mieux répondre aux besoins de nos enfants.

Bien souvent, une petite fille qui donne l'impression de se plaindre a simplement besoin de raconter les faits marquants de sa journée. Son père devra donc éviter de la couper avant qu'elle ait terminé son laïus pour lui offrir une solution. Elle a besoin qu'il lui accorde du temps, de l'attention, et qu'il se concentre sur chacun de ses mots. Elle se sentira soulagée d'avoir pu se confier quand elle aura senti qu'il ne faisait pas seulement semblant de l'écouter.

Une fille a besoin de capter toute l'attention de son père pour évacuer son stress. En appliquant les techniques de l'éducation positive, veillez à ne pas vous précipiter sur les récompenses ou les temps morts : une fille a besoin de temps pour exprimer sa contrariété. Et c'est souvent par la parole qu'elle parvient à la surmonter.

Quand un garçon oublie de faire ce que sa mère lui a demandé, celle-ci se dit facilement qu'il n'a rien écouté. La plupart du temps il aura *vraiment* écouté ce qu'elle disait, puis *vraiment* oublié. Un garçon stressé a tendance à refouler tout ce qui cause son stress. Quand sa mère est sur son dos, il a vite fait d'enterrer ses requêtes.

Exprimer sa contrariété pour faire obtempérer son fils revient ainsi à prêcher dans le désert. Pour qu'il se rappelle ses corvées, par exemple, une mère devra prendre soin de formuler des requêtes positives, et non de simples ordres. Jusqu'à l'âge de neuf ans, l'enfant ne peut être tenu pour responsable de ses trous de mémoire. Attendez-vous à ce qu'il oublie facilement vos demandes, *a fortiori* quand elles seront contraignantes et/ou exprimées en termes peu amènes.

D'UNE GÉNÉRATION À L'AUTRE

Chaque génération se démarque de la précédente. Quand les parents se montrent ouverts à la différence, les enfants n'ont pas peur de se sentir rejetés au moment de l'adolescence à cause de divergences d'opinions. Nombreux sont ceux qui considèrent que le problème des jeunes d'aujourd'hui, c'est qu'ils jouissent d'une trop grande liberté. Il y a sans doute une part de vrai dans cette affirmation, mais ce n'est sûrement pas en restreignant cette liberté que les choses iront mieux.

La solution ne consiste pas à restreindre la liberté des jeunes, mais à renforcer la communication parents-enfants.

Être différent ne veut pas dire être meilleur ou moins bon, supérieur ou inférieur. Quand ses parents acceptent ou tolèrent les mœurs de la nouvelle génération, l'adolescent n'éprouve pas le besoin de prendre ses distances pour être entendu. À l'inverse, si les parents restent prisonniers de leurs propres repères générationnels, leur amour et leur attention n'y pourront rien : leur enfant sera tôt ou tard amené à se rebeller pour conquérir sa liberté. Sans pour autant renier vos propres valeurs, restez ouverts à celles des autres, et vos enfants resteront sensibles à votre soutien.

LA CULTURE DE LA VIOLENCE

Aujourd'hui plus que jamais, les adolescents ont besoin d'un dialogue fort et sincère avec leurs parents. Les défis qui se présentent à eux sont colossaux. Privé du soutien de ses parents, le jeune aura bien du mal à résister aux influences négatives. Les adolescents sont extrêmement influençables. Lorsque la relation parent-enfant est précaire, ils éprouvent les plus grandes difficultés à rester en phase avec leur véritable identité, comme avec leurs propres valeurs et aspirations.

La communication avec les parents permet à l'adolescent de rester ancré à la terre ferme, faute de quoi il se retrouve emporté par les vagues d'une mer déchaînée par tous les maux du monde moderne. Quand l'adolescent ne se sent pas reconnu chez lui, il peut chercher par tous les moyens à gagner l'estime de ses pairs.

Quand l'adolescent ne se sent pas reconnu chez lui, il cherche par tous les moyens à gagner l'estime de ses pairs.

Les jeunes d'aujourd'hui baignent dans une véritable culture de la violence. En outre, ils sont plus sensibles, et donc plus malléables qu'autrefois. C'est pourquoi ils tendent à reproduire tout ce qu'ils subissent. Évoluant dans une société de liberté qui leur offre une infinité de choix et de tentations, ils sont plus vulnérables que jamais.

En même temps qu'ils aspirent sainement à plus d'indépendance, ils ont besoin que nous soyons extrêmement présents et attentifs. Pour que notre soutien soit efficace, nous devrons cesser de vouloir les « corriger » ou les « améliorer », et faire preuve d'ouverture afin qu'ils nous considèrent comme un repère, une référence vers laquelle ils se tourneront spontanément.

Quand nous exprimons notre point de vue, sachons leur faire sentir qu'ils ont le droit de penser différemment. Et ce ne peut être que bénéfique, car si les parents se montrent bornés ou péremptoires, leurs adolescents prendront systématiquement le contre-pied de ce qu'ils pensent. Soyez ouverts d'esprit, et vos enfants prendront leurs décisions en toute liberté, et non sous l'emprise d'un quelconque besoin de révolte. En grandissant dans un climat de tolérance, ils se soucieront moins de ressembler à leurs camarades. Ils assumeront et affirmeront leur droit au courage et à la différence.

Soyez ouverts d'esprit, et vos enfants seront libres de prendre leurs décisions sans éprouver le besoin de se révolter.

Pour soutenir vos enfants, évitez les bons conseils, les jugements définitifs, et les solutions toutes faites, afin de maintenir une communication vivante. Heureusement, il n'est jamais trop tard pour rétablir le dialogue. Les cinq techniques de l'éducation positive, associées aux cinq messages, vous permettront de fonder les bases d'une communication performante, quel que soit l'âge de vos bambins.

LES DIFFÉRENTS TEMPÉRAMENTS

Comme nous l'avons vu dans le chapitre 4, nous pouvons dégager quatre types de tempéraments chez nos enfants : sensible, actif, expansif, et réceptif.

1. Les enfants sensibles sont émotifs, posés, réfléchis, et vont au fond des choses.
2. Les enfants actifs sont déterminés, courageux, et aiment attirer l'attention d'autrui.
3. Les enfants expansifs sont brillants, joyeux, et ont besoin d'être stimulés ; ils passent sans cesse du coq à l'âne.
4. Les enfants réceptifs sont sages et conciliants ; ils

se rangent facilement à nos instructions, mais la nouveauté les effraie.

Bien que la plupart des enfants possèdent une part de chaque tempérament, il y en a généralement un ou deux qui l'emportent sur les autres. Un parent qui ne retrouve pas ses propres traits de caractère chez son enfant se sentira facilement déboussolé, pour peu qu'il ne soit pas au fait de ces différences fondamentales. Cette incompréhension est à l'origine de bien des négligences et de blessures inutiles causées aux enfants.

Un parent ignorant les quatre tempéraments aura toutes les peines du monde à prendre soin de son enfant, pour peu que celui-ci ne soit pas tout à fait comme lui.

L'un des principaux sujets de litige entre pères et mères porte sur la façon dont ils estiment devoir élever leurs bambins. Face à un enfant réceptif, un parent lui-même réceptif saura d'instinct comment s'y prendre, là où un parent actif, sensible ou expansif aura plus de mal. La grande erreur consiste à croire cependant que ce qui est bon pour soi est forcément bon pour l'enfant.

Prenons l'exemple d'un parent expansif confronté à un enfant réceptif. Non seulement il aura du mal à comprendre son hostilité manifeste au changement, mais il sera incapable d'assouvir son fort besoin de rythme et de répétition.

De même, un parent réceptif restera perplexe face à la « bougeotte » de son rejeton expansif, et ne saura répondre à son besoin de variété et de distraction.

D'UN TEMPÉRAMENT À L'AUTRE

Quand l'enfant bénéficie d'un style d'éducation adapté à son tempérament, ce dernier peut à la fois s'affirmer et évoluer. De sa naissance jusqu'à sa mort, le caractère d'un individu peut sans cesse naviguer entre les quatre « pôles » cités précédemment. Lorsque ses besoins initiaux sont assouvis, l'enfant passe facilement d'un tempérament à l'autre. Voici quelques exemples fréquents de ce type de transformation :

- Lorsque l'enfant sensible se sent assez écouté, il devient peu à peu plus enthousiaste, enjoué, joueur, et prend plaisir à se sentir original. Il devient ainsi plus expansif.
- En s'épanouissant dans une multitude d'activités, l'enfant expansif développe pour sa part ses facultés de concentration, son sens de la discipline, et sa capacité d'aller au fond des choses, au travail comme dans la vie de tous les jours. Il devient ainsi plus réceptif.
- L'enfant réceptif, fort de la sécurité que lui procurent le rythme et la répétition, se montre quant à lui plus volontaire, réfléchi, souple et adaptable. Libéré de sa peur du risque et de la nouveauté, il devient plus actif.
- Enfin, lorsqu'il est suffisamment encadré, et qu'il se sent capable et compétent, l'enfant actif apprend peu à peu à s'ouvrir aux autres, découvre les vertus de la compassion et prend plaisir à rendre service. C'est ainsi qu'il devient plus sensible.

LES ACTIVITÉS RÉCRÉATIVES

À la lumière de ces différents tempéraments, nous saurons proposer à nos bambins des activités adaptées.

L'enfant sensible a besoin de compréhension

L'enfant sensible a toujours besoin d'un coup de pouce pour se faire de nouveaux amis. Aussi faudra-t-il veiller à le placer dans un cadre collectif sain et amical. Cet enfant n'aspire pas à être bousculé. Il s'épanouit au milieu d'individus qui partagent ses talents et sa sensibilité. En outre, il sera particulièrement indiqué de lui confier la charge d'un animal domestique, car celui-ci saura toujours, à l'instar d'une peluche, compatir à ses tourments.

L'enfant expansif a besoin de variété

Ne ménagez pas vos efforts ni votre imagination pour le satisfaire. Le scoutisme, les musées, les jardins publics, les centres commerciaux, le sport, la piscine, le cinéma, la télévision (à dose raisonnable), la lecture, les promenades, et les jeux de plein air seront autant de stimulants pour assouvir sa curiosité naturelle, et l'empêcheront de devenir – par dépit – accro aux jeux vidéos ou à la télévision.

L'enfant réceptif a besoin de régularité

Un trop-plein d'activités contrarie le rythme paisible de l'enfant réceptif. Après l'école, un peu de lecture, un bon goûter, un tour avec le chien, un peu de télévision, et quelques devoirs suffiront à son bonheur. Trouvant son confort dans sa routine quotidienne, il n'appréciera pas de se faire forcer la main par des frères et sœurs expansifs ou actifs. Si cet enfant aime l'action, c'est d'abord en spectateur. Si vous le placez en garderie ou en centre aéré, prenez soin de signaler aux animateurs qu'il a le droit de rester en retrait des activités de groupe.

L'enfant actif a besoin de structures

Pour satisfaire son besoin d'encadrement, de règles et d'action, l'idéal sera d'inscrire l'enfant actif à un sport collectif. Car livré à lui-même, il aura vite fait de devenir autoritaire, agressif, et de s'attirer – ainsi qu'aux autres – tout un tas d'ennuis.

LES DIFFÉRENCES MORPHOLOGIQUES

Qu'on se le dise : un enfant n'a pas forcément le même type de morphologie que ses parents, et tous les physiques se valent. Cette vérité n'est pas toujours facile à admettre, car elle se heurte souvent aux canons de la mode. Pour les peuples qui connaissent la famine ou la malnutrition, l'embonpoint est un gage de prestige. À l'inverse, quand règne l'abondance, la minceur est de rigueur. Enfin, certains critères semblent universels, quels que soient le lieu et l'époque ; ainsi les corps d'hommes musclés sont prisés depuis l'Antiquité.

Quelle que soit la tendance du moment quant à la représentation sociale du corps, le type morphologique que possède l'enfant lui est acquis pour toute sa vie. Nous pouvons distinguer trois grands types de corps : mince, gras et musclé. Notons cependant que ces trois catégories peuvent donner lieu à des millions de combinaisons et de permutations.

Ainsi l'enfant gras peut s'amincir avec le temps, ou gagner en masse musculaire ; les personnes musclées peuvent perdre ou gagner en graisse, et les individus minces peuvent forcir, dans les deux sens du terme. Mais ces évolutions se font toujours à la marge. Le tout est d'accepter nos différences et les spécificités de chacun. Si nous étions tous identiques, le monde serait drôlement ennuyeux. Dites-vous bien qu'il est illusoire d'attendre d'un enfant gras qu'il devienne mince.

Il est illusoire d'attendre d'un enfant gras qu'il devienne mince.

Trop d'enfants se sentent mal à l'aise face à des parents obsédés par leur propre poids, ou résignés à l'obésité par pur fatalisme. En la matière, le meilleur exemple que l'on puisse donner à ses enfants, c'est encore d'accepter son corps tel qu'il est, et de veiller à se maintenir à son poids d'équilibre. Ce qui, la plupart du temps, suppose que l'on accepte de ne pas ressembler à un mannequin. De même que les filles ont souvent la hantise des kilos en trop, les garçons sont souvent complexés par une musculature peu développée.

Ici, le rôle des parents devient crucial. À vous de leur expliquer que chaque être est unique. Que les corps de type musclé ne répondent pas à l'exercice physique de la même manière que les corps minces. Et que certaines personnes peuvent se gaver de graisses et de sucres sans jamais prendre un kilo, là où d'autres ont au contraire besoin de faire très attention. Ainsi, vous éviterez à l'enfant gras de se sentir coupable de son embonpoint, et de se dire qu'il est un goinfre.

DIFFÉRENTES FORMES D'INTELLIGENCE

Autre grand lieu de disparités : l'intelligence. Pour soutenir et apprécier à leur juste valeur les dons de nos enfants, nous devons comprendre que l'intelligence n'est pas une matière uniforme. Dans le monde occidental, nous n'avons d'yeux que pour ces fameux tests de quotient intellectuel, qui sont pourtant parfaitement arbitraires. Outre qu'ils pénalisent souvent les filles, les tests de QI laissent de côté d'autres formes d'intelligence, ce qui leur ôte de fait toute valeur. Il n'existe aucun lien entre le quotient intellectuel d'un individu et son épanouissement personnel, affectif ou professionnel.

Outre qu'ils pénalisent souvent les filles, les tests de QI ne tiennent pas compte de tous les types d'intelligence.

Il suffit de voir le nombre d'universitaires au chômage ou divorcés pour se convaincre que le succès « académique » ne garantit en rien la réussite individuelle. Pourtant, l'école fait peu de cas des enfants disposant d'une intelligence autre que purement scolaire.

Les différents types d'intelligence sont au nombre de huit, dont chaque enfant possède une combinaison unique. Ces intelligences plurielles sont comme une palette de couleurs avec lesquelles nous peindrions le paysage de notre existence. Ces intelligences sont : académique, émotionnelle, physique, créative, artistique, de bon sens, intuitive et surdouée. Chacune d'elle est présente en chaque enfant dès sa naissance, plus ou moins affirmée, et toujours perfectible.

L'intelligence académique

Les enfants dotés d'une forte intelligence académique font de bons élèves. Ils s'assoient, écoutent et apprennent. Ils sont capables de recevoir, d'assimiler, de retenir et de répéter les connaissances apprises. Ce qui ne veut pas dire qu'ils soient nécessairement capables de les appliquer ni de les mettre à profit dans la vie de tous les jours.

Nous autres adultes savons bien que nous oublions bon nombre de choses apprises à l'école, mais que celle-ci nous a néanmoins appris à réfléchir, à analyser, à comprendre, et à apprendre. L'intelligence académique se cultive par la lecture, l'écriture, et l'écoute d'exposés ou de conférences. Autant d'opportunités qu'il sera indispensable d'offrir à nos enfants.

L'intelligence émotionnelle

Une forte intelligence émotionnelle permet de tisser des liens affectifs sains et durables. Les enfants qui en sont dotés se montrent ouverts aux points de vue des autres. L'aisance avec laquelle ils nouent des amitiés, ainsi que leurs grandes facultés de compassion constitueront de précieux atouts dans leur future vie professionnelle.

Cette intelligence émotionnelle nous permet également de contenir et de maîtriser nos propres sentiments, désirs et envies. De plus en plus d'écoles américaines intègrent dans leurs programmes des exercices de sensibilisation aux émotions, à la compassion, et à la communication. Les parents d'un enfant de type « émotionnel » devront multiplier ses opportunités d'interaction sociale, et faire eux-mêmes montre de bonnes qualités d'échange.

L'intelligence physique

Une forte intelligence physique permet à l'enfant d'exceller dans les disciplines sportives, et de prendre soin de son corps. D'instinct, il comprend les vertus de l'exercice et d'une alimentation équilibrée. Il développe pleinement son potentiel lorsqu'il a non seulement l'occasion de se dépenser, mais également de jouer le rôle d'entraîneur ou de participer à des compétitions. C'est à l'aune de ses victoires sportives qu'il se forge une saine estime de soi. Outre qu'il se sent bien dans sa peau, l'enfant doté d'une intelligence physique renvoie une image soignée, positive, et énergique de lui-même, ce qui lui ouvrira de nombreuses portes par la suite.

L'intelligence créative

Les enfants créatifs disposent d'une puissante imagination. Ils peuvent jouer pendant des heures avec n'importe quel jouet, et s'inventent souvent des compagnons imaginaires. Les histoires leur font un bien fou, qui développent leur créativité en les invitant à se représenter mentalement des personnages et des situations.

Un excès de stimulation extérieure – une surconsommation de télévision, par exemple – peut brider cette intelligence, pour ce qu'elle risque d'endormir leur imagination. Cette dernière leur permet d'apprendre à penser par eux-mêmes, ce qui est souvent la clé de leur réussite.

Si bon nombre d'entrepreneurs fortunés ont connu une scolarité médiocre, ils ont tous réussi grâce à leur créativité. Étant enfants, ils auront été encouragés à penser par eux-mêmes. Ils auront acquis les moyens intellectuels de tracer leur propre voie. Les individus créatifs ont tendance à n'en faire qu'à leur tête, et passent souvent pour des originaux. Ils sont souvent gauchers. Leurs parents devront les inciter à trouver seuls les solutions à leurs problèmes.

L'intelligence artistique

Les enfants dotés d'une intelligence à dominante artistique se tournent naturellement vers le chant, le dessin, la peinture, la musique, l'écriture, le théâtre, ou toute autre forme d'expression artistique. Ils ont besoin d'être soutenus et encouragés par des personnes qui ont réussi dans la même discipline. Si tous les enfants ont besoin de modèles pour avancer, ces enfants voudront suivre l'exemple d'artistes confirmés. Plus sensibles que d'autres, ils ne reçoivent, hélas, pas toujours le soutien affectif dont ils ont besoin pour aller de l'avant.

Les parents devront encourager ces enfants-là à poursuivre leurs rêves, et les féliciter régulièrement pour leurs accomplissements.

L'intelligence de bon sens

Les enfants qui marchent au bon sens ont une sainte horreur des grands discours théoriques. Ils aiment ce qui est concret et pratique. Ce type d'intelligence est en constante progression dans le monde occidental. Face à la profusion d'informations qui leur parviennent chaque jour, ils piochent ce qui leur est utile sans s'encombrer du reste. Aussi ces enfants considèrent-ils facilement ce qu'on leur enseigne à l'école comme rébarbatif et dérisoire. Ils ne cherchent à retenir que ce qui leur semble immédiatement opérationnel, que ce soit au travail comme dans la vie de tous les jours. Ils ne se laissent pas impressionner par de vieux concepts dépassés. Ils appliquent ce qui marche pour eux, sans se poser de questions. Ces enfants devront avoir l'occasion de mettre leurs découvertes en pratique, et d'en évaluer eux-mêmes les résultats. Ils développeront cette forme d'intelligence notamment dans le cadre d'activités qui leur procureront un fort sentiment d'indépendance et de liberté.

L'intelligence intuitive

Les enfants dotés d'une intuition très fine ont l'art de savoir quantité de choses sans que l'on sache vraiment comment ils les ont acquises. Ils savent, un point c'est tout. Leur esprit n'a de cesse d'analyser, de recouper, et d'extrapoler les données qu'ils reçoivent. Il leur suffit par exemple de lire quelques phrases d'un livre pour en saisir aussitôt l'essentiel du contenu. Au bout du compte, ils en tirent le même bénéfice que s'ils l'avaient lu en entier. À l'école, le même principe s'applique : l'enfant saisit sans délai la portée générale des enseignements avant même que l'on soit entré dans le vif du sujet.

À l'école comme dans la société, l'intelligence intuitive n'a pas toute la place qu'elle mérite. Rien n'est prévu pour favoriser son développement. Les parents d'un enfant intuitif devront cesser de se focaliser sur ses résultats purement « académiques », et faire davantage confiance à son sixième sens pour lui procurer les savoirs essentiels. Cette forme d'intelligence se nourrit avant tout des relations humaines, loin de la télévision, des ordinateurs, ou des livres.

L'intelligence surdouée

Si tous les enfants possèdent une part plus ou moins forte de chaque intelligence, chez les enfants surdoués il y en a une qui écrase toutes les autres.

Pour que l'enfant surdoué mène une vie heureuse et épanouie, il faut à la fois l'encourager à approfondir ses dons – faute de quoi il s'ennuiera ferme –, et l'aider à combler ses lacunes.

Les personnes qui s'avèrent brillantes dans un domaine précis souffrent souvent de n'avoir jamais pu développer leurs autres formes d'intelligence. Imaginez un chercheur ou un milliardaire qui serait incapable de dire « Je t'aime ». Autre exemple : de nombreuses personnes dotées d'une forte intelligence émotionnelle ont une santé précaire. Faisant passer le bien-être des autres avant le leur, elles négligent leur propre corps. Songez également à tous ces artistes ayant sombré dans la misère, faute d'avoir disposé du bon sens suffisant pour gérer leur argent et prendre soin de leur entourage.

Certaines personnes sont dotées d'une puissante intelligence physique. Elles sécrètent un charme et une prestance qui attirent tous les regards. Ayant l'habitude d'être appréciées et convoitées pour leurs dehors avantageux, elles n'osent pas révéler leur personnalité profonde, par peur de décevoir. Résultat : leurs conquêtes restent éphémères. Voilà pourquoi les gens beaux semblent parfois si superficiels.

Le risque de l'échec peut dissuader les enfants d'approfondir de nouveaux talents.

Ce principe vaut pour toutes les formes d'intelligence. Les individus « académiques » font parfois de piètres camarades ou compagnons. Il leur suffit d'être les meilleurs dans leur domaine pour susciter l'admiration de leurs contemporains. Alors pourquoi se risquer à dévoiler certaines faiblesses ?

Pour éviter que votre enfant ne fasse sien ce type de raisonnement, encouragez-le à approfondir les domaines où il se sent moins à l'aise. À terme, il apprendra ainsi qu'on n'a pas besoin d'être le meilleur pour être aimé et apprécié, ce qui lui permettra de mener une vie stable et harmonieuse.

DIFFÉRENTS RYTHMES D'APPRENTISSAGE

On prête à Shakespeare l'adage suivant : « Certains naissent grands, d'autres le deviennent, et certains ont de la grandeur sans la rechercher. » Il n'y a pas meilleure façon de résumer les disparités d'apprentissage que nous constaterons d'un enfant à l'autre.

Certains enfants seront doués – « nés grands » – pour un ou deux types d'intelligence précis. Ils feront un apprentissage progressif – ils « deviendront grands » – dans quelques autres domaines. Et pour le reste ils auront, tels des fruits tardifs, « de la grandeur sans la rechercher ».

Nous pouvons attribuer un profil particulier à chaque type d'apprentissage : nous distinguerons les sprinters, les marcheurs et les sauteurs. Pour les étudier en détail, prenons l'exemple d'un enfant qui apprend à faire du vélo :

Les sprinters

Voyant un autre enfant passer devant lui à vélo, le sprinter enfourche le sien et se met à pédaler. Mission accomplie. Dans les domaines où ils sont doués, les sprinters apprennent très vite, pour peu qu'ils soient suffisamment motivés. Les parents devront toutefois veiller à leur permettre de travailler également les formes d'intelligence qu'ils maîtrisent moins bien.

Les marcheurs

Il faudra au marcheur plusieurs semaines avant de savoir dompter sa bicyclette. Très attentif aux instructions qu'il reçoit, il fait des progrès de jour en jour. Il commence avec une paire de roulettes, puis apprend petit à petit à s'en passer. Les marcheurs sont des enfants « rêvés ». Leur apprentissage est constant, palpable, et gratifiant pour les parents. Hélas, ils sont si faciles à élever qu'ils souffrent parfois d'un certain manque d'attention.

Les sauteurs

Les parents auront souvent de quoi s'arracher les cheveux face à ces enfants-là. Ils pourront mettre des années avant de savoir monter sur un vélo. Ils comprennent ce qu'on leur dit, mais cela semble rester sans effet. C'est à se demander si nos conseils ont la moindre utilité. Et puis, un beau jour, comme par enchantement, ils enfourchent leur bicyclette et roulent comme des pros.

Ces enfants ont besoin de temps pour que les consignes et les informations qu'ils reçoivent se traduisent en actes concrets. Malheureusement, l'impatience de leurs parents les pousse souvent à renoncer à leurs objectifs, et les empêche ainsi de réaliser pleinement leur potentiel.

LES PREMIERS SERONT LES DERNIERS

Si votre enfant est un sauteur quand il s'agit d'apprendre à faire du vélo, il peut fort bien en même temps être un sprinter pour ce qui est des relations humaines, de la préparation du dîner, ou de se tenir tranquille pendant un long voyage. C'est en comprenant que la vitesse d'apprentissage dépend du type d'action demandé que vous saurez faire preuve de patience et de compréhension face à la résistance de votre enfant. Personne ne peut exceller dans tous les domaines de la vie.

Un enfant confronté à des difficultés d'apprentissage ne saurait être considéré comme moins intelligent que ses camarades marcheurs ou sprinters. Parfois, nos plus grandes forces se révèlent précisément dans les domaines qui nous donnent le plus de fil à retordre. Pour ma part, j'étais autrefois un mauvais écrivain et un piètre orateur, et je m'adonnais à ces activités en traînant des pieds. Il m'a fallu un certain temps pour qu'elles deviennent mes domaines de prédilection.

De la même façon, l'enfant qui assimile telle discipline à vitesse grand V ne deviendra pas forcément un expert en la matière, et pourra se heurter à des limites infranchissables. Nous savons tous que bon nombre d'adultes poursuivent des carrières sans rapport direct avec leurs études initiales. Combien d'étudiants en anthropologie deviennent-ils anthropologues ? Les chemins les plus faciles ne nous conduisent pas toujours vers notre véritable destin.

LE DANGER DES COMPARAISONS

Une des plus grossières erreurs que vous puissiez commettre serait de vouloir comparer vos enfants entre eux. Pour peu que l'un d'eux ait le malheur d'apprendre moins vite que les autres, et vous auriez vite fait de croire qu'il a un sérieux problème.

Les sauteurs donnent l'impression de ne jamais progresser. Vous leur montrez comment disposer le couvert, et ils continuent à mettre le couteau à gauche et la fourchette à droite. Vous leur apprenez les bonnes manières, et ils persistent à oublier de dire s'il vous plaît. Vous leur faites réciter leurs tables de multiplication, et le lendemain ils ont tout oublié. Vous leur apprenez à s'exprimer clairement, et ils se murent dans leur silence. Vous leur montrez comment nouer leurs lacets et ils n'y arrivent jamais. Vous les aidez à faire leurs devoirs mais leurs notes ne s'améliorent pas.

Un tel enfant aura du mal à se sentir confiant s'il est puni pour sa lenteur. Il ne progressera que si vous évitez de le comparer aux autres, et qu'il se sent accepté avec ses forces et ses faiblesses. Chaque enfant est unique, et mérite d'être aimé tel qu'il est.

En vous replongeant de temps à autre dans ce chapitre, vous vous faciliterez considérablement la tâche. Notre frustration naît la plupart du temps de notre refus des différences. C'est en nous rappelant que les différences sont inévitables et normales que nous parviendrons, avec calme et sérénité, à trouver le style d'éducation le plus adapté à la personnalité de chaque enfant.

CHAPITRE 10

On a le droit de commettre des erreurs

En plus d'être unique, chaque enfant vient au monde avec son propre lot de problèmes et de handicaps. Aucun enfant n'est parfait. Mais aucun adulte non plus. Nous commettons tous des erreurs, et nous en commettrons toujours. Que l'enfant se sente tenu à une impossible perfection, et il s'estimera mauvais, faible, méprisable – en un mot : pas à la hauteur.

> *Attendez-vous à ce que vos enfants commettent des erreurs ; c'est plus que prévisible, et c'est tout à fait normal.*

Veillez à ne pas fixer la barre trop haut. Prenez soin d'adapter vos exigences aux facultés naturelles de votre enfant, qui évoluent avec l'âge. Dans certains domaines, il aura besoin de votre aide et de votre soutien, alors qu'il sera parfaitement autonome pour accomplir d'autres choses. En tout état de cause, qu'il comprenne qu'on a tous le droit à l'erreur, et que ce n'est pas parce qu'on ne réussit pas du premier coup qu'on est un bon à rien. C'est en lui faisant comprendre qu'erreur n'est pas synonyme d'échec que vous préserverez sa motivation et sa confiance naturelles.

DE L'INNOCENCE À LA RESPONSABILITÉ

Jusqu'à l'âge de neuf ans, l'enfant est incapable de faire la distinction entre les jugements portés sur ses actes, et ceux dirigés contre sa personne. Tout message négatif ou humiliant, qu'il s'agisse d'une punition, d'un reproche, ou d'un sermon, le culpabilisera. Pour lui, « J'ai fait quelque chose de mal » et « Je suis mauvais » se confondent. De même que « Je n'ai pas bien réussi » devient vite : « Je ne suis pas à la hauteur. »

Le meilleur moyen d'éviter que votre enfant se sente systématiquement fautif et en vienne à perdre toute estime de soi sera d'endosser vous-même la responsabilité de ses erreurs.

Même devenus adultes, de nombreux individus continuent à voir en leurs défaillances une preuve d'incompétence ou d'incapacité, voire de véritables fautes morales. Le plus souvent, c'est qu'ils n'ont jamais compris, dans leur enfance, qu'ils étaient fondamentalement innocents. Ils ont toujours grandi dans la honte et la culpabilité, et même s'ils parviennent aujourd'hui à raisonner de manière logique, ils gardent une image dévalorisée d'eux-mêmes.

À l'inverse, un adulte bien dans sa peau accepte ses erreurs, et sait qu'elles auront toujours quelque chose à lui apprendre. Voici quelques exemples de réactions logiques et saines :

- J'ai eu tort, mais je ne suis pas mauvais pour autant, parce que je ne voyais pas d'autre solution.
- J'ai eu tort, mais je ne suis pas mauvais pour autant, car j'ai aussi souvent raison.

247

- J'ai eu tort, mais je ne suis pas mauvais pour autant, car cette erreur me servira de leçon à l'avenir.
- J'ai eu tort, mais je ne suis pas mauvais pour autant, car je sais reconnaître mes erreurs et j'essaie toujours de les réparer.
- J'ai eu tort, mais je ne suis pas mauvais pour autant, car j'ai vraiment fait de mon mieux. Les autres aussi commettent des erreurs, et ce ne sont pas des gens mauvais.
- J'ai eu tort, mais je ne suis pas mauvais pour autant, parce que je n'ai pas fait exprès.
- J'ai eu tort, mais je ne suis pas mauvais pour autant, parce que c'était un accident.
- Ce que j'ai fait n'était pas suffisant, mais je suis quand même à la hauteur, car je vais persévérer jusqu'à ce que j'y arrive.
- Ce que j'ai fait n'était pas suffisant, mais je suis quand même à la hauteur, parce que nul n'est tenu d'être parfait.
- Ce que j'ai fait n'était pas suffisant, mais je suis quand même à la hauteur ; j'étais simplement malade, ou je traversais une mauvaise passe.
- Ce que j'ai fait n'était pas suffisant, mais je suis quand même à la hauteur, parce que c'était beaucoup plus dur que d'habitude.
- Ce que j'ai fait n'était pas suffisant, mais je suis quand même à la hauteur, parce qu'on ne peut gagner à tous les coups.
- Ce que j'ai fait n'était pas suffisant, mais je suis quand même à la hauteur, parce que je sais reconnaître mes erreurs, et je ferai mieux la prochaine fois.
- Ce que j'ai fait n'était pas suffisant, mais je suis quand même à la hauteur, parce que personne n'a fait mieux que moi.

Tous ces raisonnements logiques procèdent d'une distinction claire entre ce que l'on *fait*, et ce que l'on *est*. Mais l'enfant de moins de neuf ans est incapable de faire un tel distinguo. À ses yeux, ses erreurs sont ses faiblesses, un point c'est tout. Pour éviter cet écueil, vous devrez, en tant que parents, focaliser votre attention non pas sur les problèmes, mais sur les solutions.

Avant neuf ans, la moindre remarque négative culpabilise l'enfant.

Les reproches et les réprimandes sont toujours contre-productifs. Après neuf ans, vient le temps de la responsabilité. Vous pouvez alors montrer à votre enfant les conséquences de ses actes, et lui demander de réparer ses torts. Mais les neuf premières années de la vie sont le temps de l'innocence. Durant cette période, la seule attitude avisée sera de fermer les yeux sur ses erreurs involontaires.

Un enfant placé trop tôt en situation de responsabilité développe une culpabilité qui peut revêtir différents aspects, mais nuit toujours à son équilibre mental. L'enfant ne peut développer son aptitude naturelle à tirer les leçons de ses erreurs que s'il a préalablement grandi dans un fort climat d'innocence.

Au lieu de le blâmer ou de le punir pour ses bêtises, tournez-vous vers les cinq techniques de l'éducation positive. Plutôt que de souligner ce qui ne va pas, contentez-vous de lui demander ce que vous attendez de lui à l'avenir. Ne vous arrêtez pas au problème rencontré – passez tout de suite aux solutions.

Quand un enfant renverse un vase, gardez vos reproches pour vous. Dites-lui plutôt, sur un ton chaleureux et amical, quelque chose comme :

« Mince, ce magnifique vase est brisé. Nous devons faire attention aux vases de la maison ; ce sont des objets très fragiles. Viens, nous allons ramasser les débris et donner un coup d'aspirateur. »

Souligner une bêtise n'apporte jamais rien de bon.

Évidemment, dans ce cas de figure, vous pourriez facilement vous dire : « Je dois marquer le coup pour qu'il comprenne qu'il a fait une bêtise, et qu'il doit m'écouter. » Et voilà que vous le grondez pour qu'il comprenne le message. Mais c'est doublement déconseillé. D'abord parce que votre enfant ne gagnera qu'à se sentir coupable, ce qui ne l'incitera en rien à faire plus attention, ensuite parce que les techniques de l'éducation positive ont bien mieux à vous proposer : la coopération, tout simplement.

À la rigueur, peu importe que l'enfant reconnaisse que c'est bien lui qui a renversé le vase. La crainte d'être puni ou grondé peut le pousser à nier les faits. Dans ce cas, ce qui pose vraiment problème, ce n'est pas tant ce mensonge, que le fait qu'il a manifestement peur de ses parents. Il ne sert à rien de forcer un jeune enfant à avouer. Cela revient à accorder trop d'importance au problème, et pas assez à la solution, qui consiste simplement à obtenir une attitude plus coopérative.

Ce n'est pas en le punissant ou en le sermonnant qu'on lui fera prendre conscience de la valeur d'un vase. Avant l'âge de six ou sept ans, l'argent est une notion absconse ; cinq dollars, cinq cents dollars ou cinq mille dollars, c'est du pareil au même.

En recourant aux cinq techniques de l'éducation positive, vous obtiendrez de votre enfant qu'il se montre peu à peu plus attentif et vigilant, et pas seulement avec vos vases, mais avec tout le reste.

Même avec un préadolescent ou un adolescent, il ne servira à rien de s'attarder sur l'erreur commise s'il a décidé de nier les faits. Il considère souvent que vous n'avez rien à lui dire tant que vous ne pouvez pas prouver les faits incriminés. Au lieu de rentrer dans ce jeu malsain, demandez-vous plutôt pourquoi cet adolescent a peur d'assumer ses bêtises.

Expliquez-lui ce qui se serait passé s'il avait bien voulu reconnaître sa responsabilité. En comprenant qu'il n'aurait eu qu'à ramasser les débris, sans récolter de punition ni susciter de rancœur, il sera plus enclin à prendre ses responsabilités par la suite.

À QUI LA FAUTE, APRÈS TOUT ?

Du point de vue de l'éducation positive, quand un enfant de sept ans casse un vase par inadvertance, ce n'est pas sa faute. À supposer même qu'il ait conscience de la valeur de l'objet, et qu'on lui ait bien dit de faire attention, on ne peut s'attendre à ce qu'il y pense quand il est absorbé par ses jeux. Un enfant de sept ans est toujours un peu maladroit et tête en l'air, et nous devons accepter qu'il ne soit pas toujours maître de ses mouvements. Imaginez que les freins de votre voiture lâchent subitement, et que vous tamponniez un autre véhicule. Vous ne pouvez être tenu pour responsable de cet accident. Vous avez perdu le contrôle de votre voiture, et ce n'est pas de votre faute.

Quand vos freins de voiture lâchent,
l'accident qui s'ensuit n'est pas de votre faute.

D'un autre côté, qui d'autre que vous peut endosser la responsabilité de cet accident ? C'est vous qui avez heurté l'autre voiture, et vous êtes censé garder en toutes circonstances le contrôle de votre véhicule. Et puis, il faut bien que quelqu'un paye les réparations...

Cela dit, vous pouvez vous retourner contre votre mécanicien, qui n'aura pas su déceler l'état d'usure des freins. Ne serait-ce pas plutôt à lui de prendre la note à ses frais ? À moins que le vrai responsable ne soit le vendeur, qui vous aura refourgué une épave, ou encore le fabricant, qui n'aura pas rappelé à l'usine ses modèles défaillants.

Ce simple exemple vous montre que la question de la responsabilité est souvent délicate à trancher : elle nécessite parfois l'intervention d'experts, d'avocats et de juges. Partant de là, comment les choses pourraient-elles être si simples dans la tête d'un enfant ?

L'éducation positive propose des solutions autrement plus efficaces que de savoir qui doit payer. Cette question ne mérite même pas d'être posée. Seule compte votre capacité à partir des erreurs commises pour rendre vos enfants plus coopératifs. Un enfant élevé dans cette optique fera naturellement un adulte responsable, désireux de se perfectionner, et capable de reconnaître ses torts sans devoir mettre en branle la lourde machine judiciaire.

APPRENDRE À SE SENTIR RESPONSABLE

Plutôt que d'apprendre à nos enfants à avoir honte de leurs erreurs, montrons-leur comment tirer les leçons de leurs bêtises et, le moment venu, comment réparer leurs torts. Certains parents seront ravis de renoncer aux punitions et à la culpabilisation de leurs bambins, mais, ce faisant, craindront que ces derniers ne se sentent jamais vraiment responsables. Cet argument mérite qu'on s'y penche de plus près.

D'aucuns considèrent qu'on ne peut tirer les leçons de ses erreurs et réparer ses torts que si l'on a préalablement admis sa part de responsabilité. Si ce principe est tout à fait juste pour ce qui concerne les adultes, il ne peut s'appliquer de la même manière à nos enfants. Un enfant n'a pas besoin de reconnaître ses torts pour tirer les leçons de ses erreurs. Un nourrisson n'a pas la moindre notion de responsabilité individuelle, et pourtant il n'a de cesse d'apprendre et de progresser.

Contrairement aux adultes, l'enfant n'a pas besoin de reconnaître ses torts pour tirer les leçons de ses erreurs.

L'enfant n'acquiert une véritable conscience de soi qu'à partir de neuf ans. Mais rien ne l'empêche de s'autocorriger dès son plus jeune âge, et il apprend à bien se conduire non parce qu'il se sent coupable, mais parce qu'il cherche à imiter et à satisfaire ses parents.

Demander à un jeune enfant d'assumer les conséquences de ses bêtises, c'est aller à l'encontre de son instinct de coopération. C'est l'accabler inutilement. Pour qu'il progresse de jour en jour, laissez faire sa capacité d'autocorrection. La vie n'est qu'une succession de tentatives et d'échecs, et nous commettons tous des erreurs.

Ceux qui réussissent le mieux sont ceux qui sont capables de s'autocorriger, de tirer les leçons de leurs erreurs pour penser et agir autrement.

C'est lorsqu'il n'a ni honte, ni même peur de commettre des bêtises que l'enfant de plus de neuf ans acquiert la notion de responsabilité. Quand il sait que ses erreurs ne lui vaudront aucune punition et n'altèreront en rien l'amour que lui portent les siens, il n'hésite pas à reconnaître spontanément ses torts, et à en tirer – de manière consciente – des enseignements bénéfiques.

La peur de commettre des erreurs, et le sentiment d'insécurité qu'elles peuvent induire empêche les enfants comme les adultes de tirer les enseignements bénéfiques de leurs faux pas. Les punitions nourrissent cette peur, et accroissent l'anxiété de l'enfant. Dès lors, celui-ci n'est plus en mesure de suivre son instinct naturel de coopération, d'imitation, et donc d'autocorrection.

LA COURBE D'APPRENTISSAGE D'UN ENFANT

Comme pour n'importe quel domaine d'apprentissage, votre enfant progresse à son propre rythme. Même lorsque les punitions et les reproches sont bannis, la faculté d'autocorrection ne s'acquiert pas en un jour. De même que certains apprennent plus vite que d'autres à faire du vélo, ou à se coucher dès qu'on le leur demande, votre enfant aura plus ou moins de facilités à retranscrire de manière concrète les conséquences positives de ses erreurs.

Ni vous ni votre enfant n'êtes responsables de sa lenteur d'apprentissage ; il faut toujours laisser le temps au temps.

Votre rôle se limitera en l'occurrence à indiquer la marche à suivre et à montrer l'exemple, en vous remettant vous-même en question. Le reste, c'est à l'enfant de le faire, à son rythme, et sans être bousculé.

Les parents sont généralement pleins de patience, d'indulgence et d'amour jusqu'à ce que leur enfant soit capable de communiquer. Mais passé ce stade, ils ont facilement tendance à croire que l'enfant peut saisir l'aspect logique de toutes leurs requêtes. Grave erreur...

Croire que son enfant va cesser de dessiner sur les murs parce qu'on lui a dit que ça ne s'effaçait pas, c'est lui demander un effort de réflexion qu'il n'est pas encore capable de fournir. Et s'attendre à ce qu'il monte se coucher sans protester pour être en forme le lendemain, c'est le créditer d'une capacité de raisonnement qu'il ne possède pas encore.

Quand un bébé renverse son assiette par terre, on ne lui en tient pas rigueur, parce qu'on se dit qu'il agit sans réfléchir. Mais dès lors qu'il sait parler, on s'attend à ce qu'il cesse illico ce petit jeu. Comme s'il suffisait d'édicter un interdit et de le justifier en termes logiques pour que l'affaire soit entendue... Ce n'est pas parce que l'enfant comprend vos mots qu'il en saisit la portée ou qu'il est prêt à l'assimiler.

Il faudra parfois répéter deux cents fois la même chose avant qu'un enfant s'exécute. Selon la nature de vos requêtes, il agira en sprinter, en marcheur, ou en sauteur. Chaque enfant possède sa propre courbe d'apprentissage, qui devra être respectée avec force patience et amour.

LA NÉCESSAIRE RÉPÉTITION

Prenons l'exemple d'un enfant qui veut frapper une balle à l'aide d'une batte de base-ball. Il lui faudra peut-être s'y reprendre plusieurs dizaines de fois avant de maîtriser sa frappe et d'envoyer la balle dans la direction de son choix. Mais une fois qu'il y sera parvenu, cette faculté lui sera acquise pour de bon.

De la même façon, vous devrez peut-être réitérer plusieurs dizaines de fois de suite une requête du style : « Cesse de jeter la nourriture par terre » avant que l'enfant y réponde favorablement. En attendant, vous devrez continuer à protéger votre moquette ou votre parquet...

N'oubliez jamais que le cerveau d'un enfant se développe jour après jour, à son rythme, et que les facultés de communication précèdent de beaucoup la raison et la logique. C'est par la répétition de requêtes et d'instructions simples, et non par la réflexion, que l'enfant apprend à se corriger.

Nous avons parfois l'impression trompeuse qu'un enfant a de lui-même tiré les leçons de ses erreurs. Mais jusqu'à l'âge de neuf ans, seules l'imitation et la coopération guident sa conduite. Lorsque vous lui montrez qu'une chose vous déplaît, il développe la même aversion que vous. Mais cela relève de la simple imitation, en aucun cas d'un raisonnement logique.

Quand il commet une bêtise et que vous vous emportez contre lui, vous lui faites peut-être passer l'envie de recommencer. Mais vous ne lui apprenez rien de plus qu'à craindre vos réactions et à s'auto-censurer. L'éducation positive repose au contraire sur l'art d'amener nos enfants à coopérer d'eux-mêmes. Car c'est ainsi qu'ils apprennent le mieux.

APPRENDRE DE SES ERREURS

Sachez-le, un enfant de moins de neuf ans est inca-pable de tirer, de manière logique, les enseignements de ses erreurs. Et vouloir qu'il le fasse ne ferait que le pousser à en commettre davantage. L'enfant pro-

RCPE Laval

M. Boucher.

450 - 686 - 9243

8h 45

Cours 4

Parents efficaces

Mettre l'importance à sa place

EFFETS SUR MOI :

1) Quand j'écoute vraiment l'autre, je prends le temps, je prête l'oreille, je suis attentif et je prends en considération ce qu'il me démontre. **Si j'ai développé cette écoute pour l'autre, je vais aussi davantage m'écouter.** Ce sera important si je veux parler de moi. **Je m'écouterai davantage.**

2) Puisque l'autre a ressenti cette écoute, **il lui sera donc plus facile de m'écouter lorsque je lui parlerai de ce qui m'affecte, me blesse ou m'irrite.** En effet, il sera plus apaisé et plus disposé à entendre et prendre en considération ce qui est important pour moi (mes aspirations) ou mes difficultés. **IL M'ÉCOUTERA DAVANTAGE.**

Ce qui est beau , ce que j'aime de l'autre, je lui reflète.

JE LE FAIS POUR MOI. Pour me sentir bien. Cela me donne de l'énergie, me nourrit, me stimule. **JE LE FAIS POUR L'AUTRE. Pour qu'il se découvre et voit le beau en lui.**

Ce que je n'aime pas, ce qui n'est pas beau (pour moi), je ne lui reflète pas, je lui dis là où ça m'affecte.

JE LE FAIS POUR MOI. Pour me libérer.

gresse en s'appropriant les attitudes de ses aînés, et non en regardant dans le rétroviseur.

Cela dit, le fait qu'il ne tire aucune analyse consciente ou rationnelle de ses erreurs ne l'empêche pas de s'autocorriger en permanence. Par l'écoute et l'imitation, il améliore constamment ses qualités de respect, de serviabilité, d'attention, de coopération et de partage.

À force d'être guidé et orienté, l'enfant finit par apprendre ce qui est bien.

Quand un enfant continue à commettre de grosses bêtises, ou qu'il oublie systématiquement ce que vous lui dites, c'est souvent le signe d'un manque de structures, de rythme, ou d'encadrement. Autrement dit, il ne peut être tenu pour responsable de ses manquements.

Jusqu'à l'âge de neuf ans, l'enfant n'est pas capable de se prendre en charge lui-même ; il ne peut qu'imiter et reproduire. Entre neuf et dix-huit ans, il apprend peu à peu à se sentir responsable et à assumer ses actes. Et ce n'est que vers dix-neuf ans, lorsqu'il est tout à fait responsable, qu'il peut voler de ses propres ailes dans un monde qui n'hésitera pas à lui demander des comptes.

De nombreux parents s'attendent à ce que leurs bambins aient le même sens des responsabilités qu'un adolescent de dix-neuf ans.

Les enfants apprennent le respect des biens et des personnes non pas en étant responsabilisés, mais en imitant leurs parents. Quand ils sont grondés ou frappés, ils font la même chose à leurs petits camarades ou frères et sœurs. À l'inverse, quand un père et une mère montrent qu'ils se respectent et savent l'un l'autre se demander pardon, leurs enfants deviennent à leur tour plus respectueux d'autrui, et sont d'autant mieux préparés à se sentir responsables passé le cap des neuf ans. L'enfant est mieux disposé à tirer les leçons de ses erreurs lorsqu'il a au préalable vécu une longue période d'innocence.

Les enfants n'ayant pas connu neuf années d'innocence seront tout autant capables d'apprendre de leurs erreurs, mais ils auront plus de mal à être indulgents vis-à-vis d'eux-mêmes. Plus susceptibles que les autres, ils seront souvent sur la défensive, ce qui ralentira parfois leur rythme de progression.

Avant neuf ans, l'enfant sait comment il doit se comporter ; il n'a qu'à suivre les requêtes de ses parents. C'est en coopérant, et non en analysant ses erreurs, que l'enfant apprend à distinguer le bien du mal. Aussi, ce serait une grave erreur que de lui imposer un temps mort pour qu'il réfléchisse à ce qu'il a fait. Le temps mort sert à reprendre le contrôle d'un enfant, en aucun cas à lui apprendre ce qui est bien et ce qui est mal.

Lorsqu'il se montre coopératif, et que cela lui vaut d'être récompensé et encouragé, l'enfant devient très réceptif aux attentes, besoins, et désirs de ses parents. Son comportement semble alors exemplaire, d'où l'idée de le qualifier de « responsable ». Mais il ne s'agit en fait que d'une excellente coopération.

APPRENDRE À RÉPARER SES TORTS

Quand un enfant ne grandit pas dans la peur bleue de commettre des bêtises, il peut alors apprendre à « rattraper le coup ». Ses parents devront lui montrer, par l'exemple, comment réparer ses torts, ou se racheter une conduite.

Imaginez que votre fils ait blessé un copain au cours d'un jeu qui a dégénéré. Prenez-le par la main, et rendez-vous auprès de l'enfant blessé. Dites-lui, devant votre fils : « Je suis navré(e) pour ce qui vient de se produire. Nous allons essayer d'arranger cela. » Avec l'aide de votre fils, allez chercher de la glace et pressez-la contre la blessure de l'enfant. Au lieu de gronder votre fils pour avoir commis une bêtise, vous lui faites ainsi partager l'expérience de la douleur ou du chagrin.

Montrez-lui qu'on a toujours une chance de se racheter quand on a commis une faute ou offensé quelqu'un. En apprenant ainsi à faire amende honorable, et à contrebalancer le tort qu'il peut causer aux autres, l'enfant devient de plus en plus déterminé à faire les choses bien du premier coup, ce qui, par la suite, favorisera sa capacité à reconnaître ses erreurs.

On a toujours une chance de se racheter quand on a commis une faute ou offensé quelqu'un.

C'est en voyant que ses parents savent reconnaître leurs erreurs que l'enfant apprendra à assumer les siennes. Prendre ses responsabilités, c'est à la fois corriger ses propres travers et tâcher de réparer ses torts. Les parents ont souvent tendance à cacher leurs erreurs, et rechignent à s'excuser, comme s'ils craignaient que cet aveu de faiblesse ne restreigne leur ascendant sur l'enfant.

Mais la meilleure façon de rendre un enfant responsable, c'est encore et toujours de montrer l'exemple. Quand vous arrivez à l'école en retard, au lieu de vous justifier en expliquant les raisons de ce contretemps, prenez soin d'écouter votre enfant, de lui présenter vos excuses, et de « rattraper le coup ».

*Au lieu d'expliquer les raisons de votre retard,
prenez soin d'écouter votre enfant, de lui
présenter vos excuses, et de rattraper le coup.*

Dites-lui par exemple : « Je suis désolé(e) pour ce retard. Pour me faire pardonner, je t'offre ta friandise préférée. » Ou bien dispensez-le à titre exceptionnel de l'une de ses corvées, ou proposez-lui une distraction qui sorte de l'ordinaire. En déclinant ainsi toute une série de compensations ou de façons de se racheter, vous le préparerez à devenir un adolescent puis un adulte responsable.

Avant neuf ans, la capacité d'autocorrection des enfants ne se développe que lorsqu'ils sont dégagés des conséquences de leurs actes. Par la suite, ils apprennent à assumer leurs responsabilités et à se racheter de leurs erreurs en prenant exemple sur leurs parents.

*L'enfant devient responsable
quand ses parents lui montrent l'exemple.*

Inversons maintenant l'exemple précédent. Vous êtes allé chercher votre adolescent quelque part, et c'est lui qui est en retard. Outre qu'il doive apprendre les règles de la ponctualité, il est également tenu de réparer son erreur. Le message à faire passer est le suivant : « Puisque tu me fais perdre un temps précieux, que peux-tu m'offrir en contrepartie pour me faciliter la vie ? »

S'il a vu, étant enfant, ses parents faire souvent amende honorable, il sera spontanément disposé à se racheter une conduite. Il dira par exemple :

– Je suis désolé. Comment puis-je me faire pardonner ?

En d'autres circonstances, il proposera de lui-même une solution :

— Je suis navré de t'avoir fait attendre. Pour me faire pardonner, veux-tu que je lave la voiture le week-end prochain ?

Une autre réaction positive serait :

— Désolé de t'avoir fait attendre. À charge de revanche.

Par ces mots, l'adolescent se déclare conscient d'avoir une dette envers vous, et disposé à l'honorer dès que vous aurez besoin de son aide. Autre solution : les compteurs seront remis à zéro si, la fois suivante, c'est vous qui arrivez en retard.

Si votre enfant n'a pas été élevé dans l'esprit de l'éducation positive, ce sera peut-être à vous d'annoncer la couleur : « Que me proposes-tu pour te faire pardonner ? », ou tout simplement : « C'est à charge de revanche, d'accord ? »

Cet adolescent prendra très rapidement ce pli, ravi de pouvoir troquer les punitions de son enfance contre cet honnête devoir de réparation, qui ne le rendra que plus responsable et confiant.

NE PUNISSEZ PAS, AJUSTEZ

Si l'éducation positive rejette catégoriquement toute forme de punition, rien ne vous empêche, lorsque cela s'avère nécessaire, de revenir sur certaines libertés accordées à vos enfants. Si votre fils de huit ans persiste à sauter sur le canapé du salon, vous pouvez lui interdire de jouer dans cette pièce en votre absence. Mais cet ajustement ne doit survenir qu'en dernier recours, c'est-à-dire si les cinq techniques de l'éducation positive ont échoué.

En annonçant cette restriction à l'enfant, faites-lui bien comprendre qu'elle n'a rien d'irréversible : « Quand tu m'auras montré que tu es capable de jouer dans le salon sans sauter sur les sièges, alors tu pourras de nouveau y venir quand je ne serai pas là. » Dans le cas présent, vous n'êtes pas en train de punir ; vous usez simplement de votre droit de changer les règles du jeu.

Imaginez maintenant que votre fille de seize ans ait le droit de sortir jusqu'à une heure du matin le samedi soir, mais qu'elle regagne systématiquement ses pénates en retard. Là aussi, un ajustement peut s'avérer nécessaire. Le couvre-feu devra être avancé d'une heure ou deux, non à titre de sanction, mais simplement parce qu'elle vous aura montré qu'elle n'était pas suffisamment responsable pour rester dehors si tard. Si elle n'est pas capable de consulter sa montre et de respecter votre couvre-feu, c'est qu'elle n'a rien à faire dans les rues à une heure du matin.

Quand un adolescent dépasse systématiquement l'heure du couvre-feu, avancez ce dernier d'une heure ou deux.

Toutefois, avant d'en venir à une telle mesure, laissez à votre fille l'occasion de faire amende honorable. Ce n'est qu'après avoir constaté que les différentes techniques précitées ne pouvaient rien contre son retard, que vous pourrez – et devrez – en conclure que vous avez eu tort de lui accorder un couvre-feu si tardif.

Dites-lui alors : « Tu sais bien que tu dois respecter le couvre-feu. Je peux comprendre que tu aies parfois quelques minutes de retard, mais cela ne peut être systématique. Nous en avons déjà parlé à plusieurs reprises, et rien n'a changé. Je sais que tu fais de ton mieux, mais je pense pour ma part que je t'ai laissé une trop grande liberté. Désormais, tu devras être rentrée pour minuit. Si tu t'y tiens trois fois de suite, tu gagneras une demi-heure de rab, et lorsque tu m'auras montré que tu es capable de surveiller ta montre, nous pourrons envisager de revenir à la permission d'une heure. »

COMMENT RÉAGIR
QUAND LES ENFANTS FONT DES BÊTISES

Jusqu'à l'âge de neuf ans, considérez les erreurs de votre enfant comme des choses normales et inévitables. Il est trop tôt pour lui demander de s'excuser ou de réparer ses torts. S'il casse un objet, vous ne pouvez vous en prendre qu'à vous-mêmes — vous n'avez pas été suffisamment vigilants.

Quand il frappe un autre enfant, ne le punissez pas, et ne l'obligez pas à présenter ses excuses. Contentez-vous de mieux l'encadrer. Là aussi, vous êtes les seuls responsables de ces débordements. D'une façon ou d'une autre, vous n'avez pas su répondre à ses besoins. Peut-être manque-t-il d'attention, de compréhension, de structures, ou de rythme.

Quand deux enfants se chamaillent, demandez-leur de faire la paix, mais n'exigez pas qu'ils demandent pardon. Dites quelque chose du style :
— Allez, enterrons la hache de guerre et soyons de bons amis. Je suis navré(e) que vous vous soyez fait mal. Je vais vous proposer un jeu...

Un enfant demandera que son rival soit puni seulement s'il a lui-même l'habitude d'être puni pour ses fautes. Et n'exigera des excuses que s'il est lui-même tenu de s'excuser quand il agit mal. Vous verrez qu'en endossant vous-mêmes la responsabilité de leurs erreurs, les relations entre frères et sœurs s'en trouveront grandement pacifiées.

Si nous avons tant de mal à accepter les erreurs de nos enfants, c'est parce que nous avons du mal à accepter les nôtres. Nous sommes spontanément tentés de punir nos bambins, parce que nous étions nous-mêmes soumis à ce régime-là. Heureusement, l'éducation positive supporte tout à fait les petites fautes de parcours. Il ne sera jamais trop tard pour vous excuser d'avoir élevé la voix et pour rassurer votre enfant en lui montrant que nous ne lui faites pas grief de ses erreurs.

Vous pourrez dire :

– Maman a commis une erreur en te grondant pour ce vase cassé. Je n'aurais pas dû crier. Je suis désolée. Ce n'était pas si grave, après tout. Nous pourrons toujours le remplacer. Ce n'était qu'une petite bêtise, et nous en commettons tous.

S'il est plus âgé, dites plutôt : « Excuse-moi de m'être emportée l'autre jour. Je n'aurais pas dû te gronder. Il se trouve que j'étais énervée pour d'autres raisons. Mais ce n'était vraiment pas si grave. On pourra toujours trouver un autre vase. »

Quand un enfant brise un vase auquel vous tenez, il est tout à fait normal de se sentir contrarié. Mais vous ne devez pas retourner cette colère contre l'enfant. Ni contre vous-même, du reste. Vous croirez peut-être épargner votre enfant en vous sentant coupable de ses bêtises, mais vous ne lui donnerez en vérité qu'un mauvais exemple. L'indulgence et le pardon commencent par soi-même.

L'éducation positive est une approche trop récente pour que vous en possédiez d'emblée toutes ses techniques. Aussi, vous trouverez-vous souvent pris au dépourvu lorsque votre enfant commettra une bêtise. Pour savoir réagir de la bonne façon, voici une série de questions à même de nourrir votre réflexion. Prenez quelques minutes pour essayer d'y répondre.

- La journée fut bonne, vous vous sentez reposé(e), et l'avenir semble radieux. Comment réagissez-vous quand votre enfant renverse le vase ?
- Votre enfant est conciliant, attentionné ; il écoute toujours ce que vous lui dites. Comment réagissez-vous quand il renverse le vase ?
- Votre enfant vous aide à faire la poussière. Au moment d'épousseter le vase, une bruyante alarme se déclenche dans le voisinage, qui le fait sursauter et lâcher l'objet. Comment réagissez-vous quand le vase se brise ?
- Vous avez invité votre patron à dîner. Il renverse le vase par mégarde. Comment réagissez-vous ?
- Vous avez autorisé votre fils à jouer au foot dans le salon avec ses copains. Le ballon renverse le vase. Comment réagissez-vous ?
- Si ce vase n'avait aucune valeur à vos yeux, comment réagiriez-vous ?
- Un de vos amis non voyant renverse le vase. Comment réagissez-vous ?

Dans chacun de ces cas de figure, il est fort probable que vous réagiriez à l'incident avec calme et indulgence. Vous seriez sûrement désolé(e) de perdre cet objet, et de devoir ramasser les débris, mais vous n'en feriez pas une montagne. Il ne vous viendrait pas à l'idée de vous mettre en rogne contre votre enfant, votre patron, votre ami, ou contre vous-même. Vous classeriez cet incident parmi les impondérables de l'existence. Vous vous soucieriez davantage du bien-être de votre entourage que du sort de ce pauvre vase. Vous ne voudriez mettre personne mal à l'aise. Eh bien, dites-vous que cette réaction saine et positive sera toujours de mise, quelles que soient les circonstances de l'incident.

Forts de cette prise de conscience, refaites à présent cet exercice à partir d'une bêtise qu'un de vos enfants aura commise dernièrement.

Par exemple, si votre enfant a mis sa chambre sens dessus dessous sans rien ranger, demandez-vous comment vous auriez réagi après avoir passé une excellente journée, etc. Reprenez successivement l'ensemble des sept questions et imaginez votre réaction. Vous comprendrez ainsi quelle est la meilleure façon de réagir aux bêtises de vos chérubins : avec indulgence et amour.

Quand votre enfant casse un vase,
il mérite toujours une réaction bienveillante,
quelles que soient les circonstances.

Maintenant, changeons radicalement de contexte, pour voir quelles sont les réactions à *éviter*. Demandez-vous, en toute sincérité, ce qui se passerait dans les six cas de figure suivants :

- Ce fut une journée épouvantable. Vous êtes lessivé(e), débordé(e), et abattu(e). Comment réagissez-vous quand votre enfant renverse le vase ?
- Votre enfant casse tout ce qu'il touche et ne vous écoute jamais. Comment réagissez-vous quand il renverse le vase ?
- Vous avez dit à votre enfant de ne pas jouer au salon, ou de ne pas toucher à ce vase, mais il le fait quand même. Comment réagissez-vous quand le vase se brise ?
- Votre femme de ménage est particulièrement maladroite ; elle a déjà cassé plusieurs assiettes. Comment réagissez-vous quand elle renverse le vase ?
- Ce vase est une pièce rare ; il a énormément de valeur à vos yeux. Comment réagissez-vous quand votre enfant le casse ?
- Vous avez demandé à votre époux(se) de mettre ce vase à l'abri, ce qu'il(elle) a oublié de faire. Le

vase est accidentellement renversé. Que dites-vous
à votre époux(se) ?

À moins que vous ne soyez capable d'un puissant
self-control, vous réagiriez sûrement de manière bru-
tale. Après une dure journée, vous passeriez vos
nerfs sur votre enfant. Cet incident serait la goutte
d'eau qui ferait déborder... le vase. Malheureusement, devant votre emportement, votre enfant se
croira entièrement responsable de l'incident, et se
sentira terriblement coupable.

**Quand personne d'autre ne veut endosser
la responsabilité d'un incident,
l'enfant se sent excessivement coupable.**

Si votre enfant avait la fâcheuse habitude de ne
jamais écouter ce qu'on lui dit, vous prendriez la
balle au bond pour lui montrer ce qui arrive quand
on n'écoute pas ses parents. En vous emportant,
vous le feriez payer pour toutes les fois précédentes.
Ce qui serait à la fois injuste et inefficace – comme
pour votre conjoint, d'ailleurs.

**Quand un enfant fait une bêtise,
le moment est mal choisi pour lui rappeler
ses erreurs précédentes.**

Dans l'hypothèse où il aurait bravé votre interdit
– « ne touche pas à ce vase » –, vous pourriez être
tenté(e) de le punir pour qu'il comprenne la leçon
une fois pour toutes. Mais ce serait oublier que les
sanctions ne servent à rien, qu'elles n'ont aucune
vertu pédagogique, et appartiennent définitivement
au passé. Quand un enfant prend un malin plaisir à
vous défier, qu'il semble vous tester en permanence,
la punition est une façon de rentrer dans son jeu.

Dans ce type de situation, la meilleure marche à suivre, c'est encore de prendre un air indifférent ou blasé. Ne vous attardez jamais sur les ratés de ce type. Attachez-vous seulement à le remettre sur les rails en lui donnant des instructions précises. Dans le cas qui nous occupe, demandez-lui simplement de vous aider à ramasser les morceaux.

Ne vous attardez jamais sur les bêtises de vos enfants.

Il y a fort à parier que votre emportement serait proportionnel à la valeur – monétaire ou affective – de ce vase. Mais n'oubliez pas que les enfants ne font jamais exprès de faire du grabuge. De votre côté, ne tentez pas le diable : prenez soin de protéger vos biens les plus précieux. Si votre enfant est adolescent, vous êtes en droit d'attendre qu'il répare ses torts, mais ne lui demandez pas la lune. N'allez pas exiger qu'il rembourse l'objet. Son pouvoir d'achat n'est en rien comparable au vôtre. Faites-lui ramasser les morceaux, passer un coup d'aspirateur, et demandez-lui éventuellement de participer à l'achat d'un nouveau vase. Mais ne lui faites pas supporter l'intégralité de la dépense.

Imaginez maintenant qu'il invite des copains, et que ceux-ci détériorent ou volent votre ordinateur. Voyez avec lui comment il peut rattraper le coup. Si vous optez pour une réparation financière, établissez son montant en rapport avec vos revenus respectifs.

Pour que la réparation soit équitable, comparez ses ressources aux vôtres.

Outre les punitions et les réparations disproportionnées, un troisième écueil serait de considérer que votre enfant avait été prévenu. Vous seriez en droit de reprocher à votre conjoint d'avoir oublié de faire ce que vous lui auriez demandé. Mais n'oubliez pas que les enfants oublient très facilement ce qu'on leur dit. Il faut s'y reprendre à plusieurs fois pour qu'ils retiennent les instructions, et le stress les rend facilement tête en l'air.

IL SUFFIT DE FAIRE DE SON MIEUX

Vous devez faire comprendre à vos enfants qu'il suffit qu'ils fassent de leur mieux pour que vous soyez satisfaits, et que les erreurs sont un passage obligé vers la vie adulte. C'est en essayant, en échouant, puis en réessayant que l'on comprend peu à peu ce qui est bon pour soi, comme pour les autres. Ce qui compte, ce n'est pas tant de réussir à tous les coups, que d'être toujours sincère dans sa démarche. Tout va bien tant que l'on fait de son mieux.

Pour autant, ce message positif n'est pas toujours utilisé à bon escient. Lorsqu'un enfant commet une bourde, ses parents y voient souvent un signe de mauvaise volonté. S'il avait voulu, se disent-ils, il aurait pu. Mais l'enfant ne voit pas les choses de la même façon. Il se dit que même quand il fait de son mieux, ce n'est jamais suffisant. Et l'enfant d'en conclure qu'il n'est tout bonnement pas à la hauteur.

Avec les adolescents, nous commettons souvent l'erreur de croire qu'ils ont passé l'âge d'oublier, et que leurs omissions signifient qu'ils ne veulent faire aucun effort. Mais la volonté n'a rien à voir avec la mémoire. On se souvient, ou on ne se souvient pas, et les oublis ne sont rien de plus qu'une erreur parmi les autres.

La meilleure attitude à adopter vis-à-vis d'un enfant ou d'un adolescent un peu étourdi sera de réitérer sa requête comme si c'était la première fois. Au fond de lui, un petit air de déjà-vu lui fera prendre conscience de son oubli. Et cette prise de conscience, parce que exempte de tout reproche, l'aidera à renforcer sa capacité de mémorisation.

Le stress est un puissant facteur d'oubli. Plus l'enfant est tendu, et moins il retient ce qu'on lui dit. Vous comprendrez, dès lors, que les reproches ou les sarcasmes n'arrangeront rien à l'affaire. Si la mémoire de votre enfant flanche plus souvent qu'à son tour, prenez soin, en fin de semaine, de le récompenser pour tout ce dont il se sera souvenu.

Quand un enfant se trompe ou commet une bêtise, ses parents en déduisent à tort qu'il n'a pas fait de son mieux.

Consternés par les bêtises de leurs rejetons, les parents expriment sans le vouloir toute une série de messages blessants qui nourrissent chez l'enfant un sentiment de honte, de culpabilité, et de malaise. En voici quelques exemples :

- Je te croyais mieux avisé.
- Tu peux mieux faire.
- Tu aurais dû le savoir.
- Comment as-tu pu oublier ?
- Je te l'avais déjà dit.
- Je t'avais pourtant prévenu.
- Si tu m'écoutais davantage...
- Qu'est-ce que j'ai fait au bon Dieu ?
- Tu m'avais habitué(e) à mieux.
- Qu'as-tu dans la tête ?
- Tu ne m'écoutes jamais.

Il n'y a rien de pire que de reprocher à un enfant de ne pas donner le meilleur de lui-même. C'est vouloir le motiver à coups de reproches. Or nous savons maintenant que l'arme de la culpabilité est non seulement inutile, mais parfaitement inefficace avec les jeunes d'aujourd'hui.

L'éducation positive part du principe que l'enfant fait toujours de son mieux. Les erreurs font partie intégrante de son processus d'apprentissage. Un enfant qui se disperse ou s'égare est un enfant qui manque de quelque chose. Mais quels que soient ce manque et les erreurs qu'il entraîne, dites-vous bien que votre enfant fait toujours ce qu'il peut.

L'éducation positive part du principe que l'enfant fait toujours de son mieux.

L'enfant ne se réveille pas chaque matin en se demandant : « Comment vais-je pouvoir être nul aujourd'hui ? Que puis-je faire pour échouer sur toute la ligne ? Comment vais-je empoisonner la vie de mes parents au point qu'ils me détesteront ? » Personne ne pense jamais en ces termes, à moins d'être profondément meurtri. Et quand bien même ce serait le cas, il ne s'agirait là que d'une façon, certes malavisée, d'essayer par tous les moyens de se faire entendre.

Faire de son mieux ne veut pas dire être au mieux de sa forme, mais seulement au maximum de ses capacités du moment. Voici un exemple tiré de ma propre expérience.

Hier, j'ai battu un record personnel. J'ai écrit trente pages d'affilée, ce qui est considérable pour un écrivain. Lorsque j'ai commencé à rédiger ce livre, je parvenais au mieux à pondre trois pages par jour. Et aujourd'hui, malgré ma fatigue, j'ai réussi à en commettre cinq. La preuve, s'il en est, que la meilleure volonté du monde peut produire les résultats les plus variés...

N'allez donc pas jauger la motivation de vos enfants à l'aune de leurs performances. Quelles que soient ces dernières, n'oubliez jamais qu'ils font toujours tout leur possible.

QUAND L'ERREUR N'EST PAS TOLÉRÉE

Un enfant qui n'a pas le droit à l'erreur développe une attitude malsaine. En voici les symptômes les plus prévisibles :

1. Il cherche à dissimuler ses erreurs, quitte à mentir à ses parents.
2. Il revoit ses ambitions à la baisse, et renonce à prendre des risques.
3. Il cherche à se défendre en justifiant ses erreurs ou en accusant les autres.
4. Il se déprécie et se punit lui-même.

L'enfant naît avec la faculté d'aimer ses parents, mais il ne sait pas encore s'aimer ni se pardonner lui-même. L'acquisition de cette capacité dépendra de la façon dont ses parents réagiront à ses erreurs. Quand l'enfant n'a pas à payer pour ses bêtises, il apprend qu'on n'a pas besoin d'être parfait pour être aimé. Il peut alors s'aimer lui-même, en acceptant ses imperfections.

> *L'amour de soi dépend, entre autres choses, de la façon dont les parents savent tolérer l'erreur.*

Quand un parent reconnaît ses torts et présente ses excuses à son enfant, ce dernier lui pardonne automatiquement. Et c'est ainsi qu'il apprend petit à petit à se pardonner lui-même, ce dont il était incapable au départ. Mais la réciproque est hélas vraie : quand ses parents se montrent incapables de demander pardon, l'enfant n'apprend jamais à tolérer ses propres erreurs.

L'indulgence vis-à-vis de soi-même permet de dissiper sa culpabilité. Les parents qui admettent leurs erreurs apportent la preuve vivante que l'on peut être faillible tout en restant digne d'être aimé.

Vers l'âge de neuf ans, l'enfant commence à ressentir une certaine gêne quand il trouve que ses parents se comportent d'une manière étrange, comme lorsque sa mère se met à chanter dans les rayons d'un supermarché. Il se soucie de plus en plus du regard des autres, et de l'image qu'il renvoie de lui-même. C'est à cette période de sa vie qu'il prend pleinement conscience de ses propres imperfections. Il saura d'autant mieux accepter celles-ci qu'il aura grandi dans un climat d'indulgence et de pardon.

Voyons maintenant plus en détails les quatre réactions susceptibles de se produire lorsque l'erreur n'a pas droit de cité.

DISSIMULER SES ERREURS, QUITTE À MENTIR À SES PARENTS

Un enfant qui craint d'être puni ou de perdre l'amour de ses parents apprend à cacher ses erreurs, même s'il doit pour cela se réfugier dans le mensonge. Cette forme de double jeu n'est pas sans conséquence sur son épanouissement. L'enfant se sent pris en porte à faux. S'il continue à recevoir l'amour de ses parents, il pense au fond de lui-même qu'il n'en est pas tout à fait digne. Pour chaque compliment reçu, une petite voix intérieure lui dit : « Ils ne diraient pas ça s'ils savaient la vérité. » Ce qui l'empêche, au bout du compte, de profiter pleinement de ces marques d'affection. Sans le montrer, il s'interdit de les accepter, convaincu qu'il ne les mérite pas.

Quand l'enfant cache ses erreurs, il ferme lui-même la porte à l'amour de ses parents.

Un manque de soutien et de confiance nourrit chez l'enfant un terrible sentiment d'insécurité. À cet égard, rien n'est plus néfaste que de signifier à un enfant qu'il doit cacher des choses — ses erreurs ou celle des autres — à ses parents : cela conduit à briser le lien de confiance qui l'unit à sa famille.

Ce silence imposé est encore plus dommageable lorsqu'il émane de l'un des deux parents. Bien que d'apparence anodine, une phrase telle que : « Je veux bien t'offrir cette glace, mais n'en dis rien à papa » aura pour seul effet de dresser l'enfant contre son père, ou de l'amener à se méfier de lui.

Mais il y a encore pire : acheter son silence en menaçant de le punir. Imaginez qu'un père maltraite son fils ou sa fille, et lui dise en substance : « Pas un mot à ta mère, ou je te frappe. » Dans ce cas de figure, le secret imposé s'avère encore plus néfaste que la maltraitance en question, pour ce qu'il condamne l'enfant à ne jamais en voir le bout.

LES ENFANTS DE PARENTS DIVORCÉS

Un enfant qui partage son temps entre deux domiciles a souvent du mal à raconter ce qui se passe dans l'un quand il se trouve dans l'autre. Aussi ne peut-il confier qu'une part de sa vie à sa mère, et une autre à son père. Les enfants de parents divorcés ont souvent l'impression que la simple évocation de l'ex-conjoint rend l'autre furieux ou jaloux. Le scénario est classique : une petite fille raconte à sa mère la merveilleuse journée qu'elle a passée avec son père à la fête foraine. La mère est furieuse, parce qu'elle en déduit que son ex-mari ne lui a pas fait faire ses devoirs. Alors elle empoigne son téléphone et lui passe un savon. On peut être sûr que cette petite fille réfléchira à deux fois avant d'évoquer son père de nouveau, si celui-ci ne lui interdit pas tout simplement de le faire.

Il n'est jamais facile pour un enfant de se confier ouvertement à ses parents, alors ne lui compliquons pas la tâche. Les attitudes négatives, médisantes, ou réprobatrices ne pourront que le réduire au silence. Il en viendra à se méfier de vous, à craindre vos réactions, et vous perdrez ainsi votre autorité.

C'est lorsque l'enfant ou l'adolescent peut se confier librement, sans craindre d'être blessé ou de blesser les autres, lorsqu'il peut, en somme, être lui-même, qu'il se montre le plus coopératif. Ne l'oubliez jamais.

REVOIR SES AMBITIONS À LA BAISSE, ET RENONCER À PRENDRE DES RISQUES

Quand ses bêtises lui valent des remarques blessantes, l'enfant a peur d'en commettre davantage. Pour ne pas décevoir ou contrarier ses parents, il choisit la carte de la sécurité. Il n'entreprend que ce qu'il est sûr de réussir. Mais en optant pour le confort du terrain connu, non seulement il se dévalorise, mais il en vient vite à s'ennuyer, faute de défis stimulants.

En jouant la carte de la sécurité,
non seulement l'enfant se dévalorise,
mais il est vite gagné par l'ennui.

D'autres réagissent au contraire aux messages désobligeants en redoublant d'efforts, quitte à s'épuiser. Ne supportant pas d'être déconsidérés, ils en font toujours plus. Mais lorsque cette obstination porte ses fruits, ils demeurent malgré tout insatisfaits. Ils considèrent qu'ils peuvent toujours mieux faire, ou qu'ils ne sont jamais à la hauteur. Et pour cause... Il suffit d'une seule note inférieure, même d'un point, sur un bulletin scolaire rempli de 20 pour que leurs parents fassent la grimace. Déçus d'avoir perdu un match de foot, ils s'entendent dire : « Ton équipe n'aurait pas perdu si tu n'avais pas raté cette passe décisive. » Les psychologues sont bien placés pour savoir combien d'adultes dépressifs ou angoissés leur rapportent de tels propos démobilisateurs. En général, les parents agissent ainsi seulement par maladresse, parce qu'ils ne savent pas comment exprimer autrement leur amour. Ils n'ont pas conscience de faire du mal à leurs enfants. Ils croient au contraire les aider, en leur donnant l'envie de se battre, d'aller toujours plus loin.

Un enfant qui se sent tenu à la perfection renoncera souvent à prendre des risques. Ce qui est fort regrettable, car la prise de risque est un passage obligé pour affirmer sa personnalité et se découvrir soi-même. Échaudé par ses revers et ses humiliations, il refusera, même inconsciemment, de travailler sans filet. Même les battants joueront la carte de la sécurité dans certains domaines de leur vie.

Privé de cette sécurité intérieure, l'enfant dira par exemple : « Je n'aime pas les goûters d'anniversaire », seulement parce qu'il a peur de se sentir rejeté. Plutôt que de risquer de ne pas être à sa place, ou de ne pas réussir à s'intégrer dans le groupe, il préfère ne pas prendre part à la fête. Cette peur traduit sa crainte de perdre quelque chose à la moindre erreur ou maladresse.

Ce type de résistance n'est pas toujours dû à la peur ou à l'insécurité. Certains enfants possèdent une timidité naturelle, qui rend leur vie sociale moins évidente. C'est notamment le cas des enfants réceptifs, qui ne vont pas spontanément vers les autres et redoutent la nouveauté ; ou encore des enfants sensibles, qui ont souvent peur de ne pas être acceptés par leurs pairs. Mais il est évident qu'en leur refusant le droit de commettre des erreurs, nous ne ferons que renforcer cette propension naturelle à rester en retrait.

En leur déniant le droit de commettre des erreurs, nous ne ferons que renforcer cette propension naturelle à rester en retrait.

Pour ne plus souffrir des reproches de leurs parents, certains enfants cesseront tout simplement de les écouter, ou de se soucier de leur avis. Cela se produit notamment au moment de l'adolescence. L'adolescent qui, toute son enfance durant, aura essuyé les critiques et les sarcasmes de ses parents, et grandi dans la peur panique du faux pas, ira chercher auprès de ses amis la reconnaissance qu'il n'aura jamais eue. Il tournera le dos à ses parents, et se fera un point d'honneur de n'en faire qu'à sa tête.

Heureusement, quelles que soient les erreurs que

vous ayez pu commettre par le passé, les cinq techniques de l'éducation positive vous permettront toujours de réparer vos torts et de repartir sur de nouvelles bases. On a tous le droit de commettre des erreurs.

CHERCHER À SE DÉFENDRE, EN JUSTIFIANT SES ERREURS OU EN ACCUSANT LES AUTRES

Quand un enfant craint d'être puni parce qu'il frappe son frère, il dit : « C'est lui qui a commencé. » S'il est naturel de chercher à se défendre, la peur d'être puni pousse à grossir le trait ou à faire preuve de mauvaise foi. Un parent éclairé – qui aura exclu la punition de ses méthodes éducatives – saura bien plus facilement mettre fin à ces empoignades. L'enfant qui n'a pas peur est plus enclin à coopérer, et n'éprouve pas le besoin de s'en prendre aux autres ni de se justifier pour « sauver sa peau ».

Nous autres adultes ne pouvons tirer les leçons de nos erreurs que si nous en assumons l'entière responsabilité. Dieu sait pourtant s'il nous arrive, à nous aussi, d'accuser les autres pour justifier nos actes. Dans ces moments-là, nous nous comportons exactement comme un enfant qui aurait peur de se faire punir.

Tant que nous justifierons nos actes en accusant les autres, nous ne pourrons tirer les leçons de nos erreurs.

Un jour, une dénommée Carol se présenta à mon cabinet. Elle ne savait pas si elle devait rester avec Jack, son nouveau mari, ou le quitter pour de bon. À plusieurs reprises, sous le coup de la colère, il s'était montré particulièrement violent. Dernier incident en date : il avait passé toutes ses affaires par la fenêtre, ce qui l'avait enfin décidée à venir consulter. Pris de remords, il la suppliait maintenant de revenir. Dans ses bons moments, il savait lui montrer son amour, mais il semblait décidément incapable de se comporter en adulte.

Carol voulait savoir ce que j'en pensais. Je lui dis que je souhaitais d'abord m'entretenir avec lui. Quand ils vinrent me voir ensemble, je demandai à Jack s'il était sûr de ne jamais recommencer. Il me répondit, sur la défensive : « J'ai eu tort d'agir ainsi, mais ce qu'elle a fait ne valait pas mieux. Tant qu'elle ne redira pas tout ce qu'elle m'a dit, je n'aurai pas recours à la violence. »

Après une longue discussion, je vis qu'il était impossible de le faire changer d'avis. Je voulais l'aider à comprendre que ce qu'il avait fait était mauvais en soi, quels que soient les torts de son épouse. Mais il s'y refusait obstinément. Carol comprit qu'il n'était pas assez mûr pour la vie de couple. Pour Jack, les paroles déplacées de Carol justifiaient tous ses écarts de conduite. Autrement dit, il n'était guère disposé à se remettre en cause. Pour moi, il ne faisait aucun doute que Jack n'avait pas grandi dans un climat de pardon et d'indulgence. Il n'avait jamais appris à assumer ses erreurs, ni à en tirer les leçons ; il avait seulement appris à se défendre en accablant les autres.

Un enfant qui n'a pas le droit de se tromper gas- pille énormément de temps, d'énergie et de salive à justifier son attitude, en expliquant ce qui s'est passé, pour quelle raison, et pourquoi il était écrit que ça devait se produire. Pour épargner cette épreuve à tout le monde, faites-lui comprendre qu'on a tous droit à l'erreur. L'enfant qui n'a pas peur ne campe pas sur ses positions ; il écoute ce qu'on lui dit. Quand il commet une erreur, sachez tourner la page pour le remettre sur les rails. Revenir sur le passé ne mène jamais nulle part.

L'enfant qui n'a pas peur de se tromper
ne cherche pas à se justifier ;
il écoute ce qu'on lui dit.

Justifier ses erreurs et accuser les autres, c'est renforcer l'idée selon laquelle on est incapable de régler ses propres problèmes. En rejetant la faute sur autrui, nous nous interdisons d'apprendre, de progresser – en un mot : de nous assumer.

LES ADOLESCENTS MEURTRIS

Jadis, j'ai été chargé de conduire pour la ville de Los Angeles un programme de suivi et d'accompagnement d'adolescents victimes de graves maltraitances. Ces enfants présentaient tous de sérieux troubles du comportement, et cultivaient une image très négative d'eux-mêmes. En préambule à ce cycle d'ateliers, j'insistai pour que soient également présents des enfants n'ayant pas connu les mêmes difficultés familiales.

Afin que l'expérience se déroule de manière satisfaisante, aucun enfant n'avait connaissance du passé des autres. Petit à petit, à mesure qu'ils confièrent chacun les messages négatifs qu'ils avaient reçus dans leur enfance, nous découvrîmes qu'ils souffraient tous, peu ou prou, du même mal. 90 % d'entre eux éprouvaient les mêmes craintes et angoisses face à l'avenir. Il leur arrivait à tous de se sentir incompris, inutiles, déconsidérés, et injustement traités.

Bien souvent, et en toute bonne foi, les psychologues mettent l'accent sur une expérience traumatisante, et laissent le patient en conclure qu'elle est à l'origine de tous ses maux. Mais ce serait une erreur de croire que le malheur d'un individu peut reposer sur un facteur unique. C'est bien ce qu'a démontré notre panel d'adolescents « épargnés » : ils connaissaient tous la peur, la colère, la déception, la douleur, l'exclusion, l'injustice, la culpabilité, le chagrin, le ressentiment et la confusion. Si les adolescents maltraités avaient eu leur lot de traumatismes réels, je compris que l'ensemble de ces jeunes payait le prix de mauvaises approches éducatives.

N'étant pas toujours conscients d'éprouver les mêmes difficultés que leurs semblables, les adolescents continuent à imputer leur malaise du moment aux blessures de leur petite enfance. Mais cette mentalité revancharde les empêche d'aller de l'avant et de résoudre leurs problèmes.

Les thérapies collectives ou individuelles pourront toujours aider à refermer les plaies du passé, mais le mieux sera encore d'éviter que le mal ne se produise en premier lieu, en s'efforçant de créer un climat de respect et de confiance dans lequel personne n'aura peur de se tromper.

SE DÉPRÉCIER ET S'AUTOPUNIR

Le regard que les enfants portent sur eux-mêmes dépend de la manière dont ils sont traités. Victimes de négligences, ils ont tendance à se déprécier, parce qu'ils ne reçoivent pas ce dont ils ont besoin. Il suffit que leurs parents se montrent frustrés, fâchés, blessés, gênés, ou préoccupés par leur comportement pour qu'ils multiplient les complexes.

Au lieu d'avoir une image valorisée d'eux-mêmes, ces enfants se disent qu'ils ne sont pas à la hauteur. Alors ils cherchent à être parfaits pour satisfaire leurs parents. Mais ils n'y parviennent jamais, parce que personne n'est parfait. Ils ont beau se tenir de manière irréprochable, ils continuent à se déprécier. Ils s'en veulent de ne pas rendre leurs parents heureux.

Ces enfants ont beau se comporter de manière irréprochable, ils continuent à se déprécier.

Les parents expriment des sentiments négatifs quand leurs enfants ne répondent pas à leurs attentes. Quoi qu'ils disent pour les convaincre de leur amour, leurs enfants ne sont pas dupes : ils voient bien que leurs parents ne tolèrent pas leurs erreurs ou leurs faiblesses. L'enfant ne mesure sa valeur qu'à l'aune du regard de ses parents. Aussi, pour qu'il se sente en paix avec lui-même, ses parents devront sans cesse ajuster leurs attentes pour mettre un terme aux messages négatifs qu'ils lui adressent.

Les enfants se sentent en paix avec eux-mêmes quand leurs parents estiment que tout va bien.

En se montrant heureux, tolérants, respectueux, compréhensifs, attentifs, et confiants, les parents signifient à leurs enfants qu'ils sont résolument bons, et leur permettent ainsi de s'accepter tels qu'ils sont. Ils ont carte blanche pour aller au bout de leur potentiel et de leurs limites. Ils se sentent pousser des ailes. Ils sont détendus, parce qu'ils ne se sentent pas tenus d'atteindre des objectifs hors de leur portée. Ils partent du principe qu'ils sont tels qu'ils sont censés être et font ce qu'ils sont censés faire. Le fait de pouvoir, durant les neuf premières années de sa vie, se tromper sans devoir en assumer les conséquences procure à l'enfant un formidable sentiment de sécurité.

Imaginez un instant que vous soyez libres de faire tout ce qu'il vous plaît sans vous attirer d'ennuis, et que tout ce que vous entrepreniez se révèle positif. Que serait votre vie, sans peur pour vous retenir ni culpabilité pour vous brider ? Songez à la liberté et à la sérénité que vous ressentiriez à être tout simplement vous-même, et à toute la joie et l'assurance que vous procureraient vos nouvelles expériences.

Tel est le cadeau que vous pouvez offrir à vos enfants à l'âge de l'innocence. Après neuf années de maturation, cette sensation de bien-être ne s'efface jamais. Même si, en grandissant, l'enfant apprend à assumer ses responsabilités, son sentiment d'innocence reste profondément ancré en lui. Devenu adulte, il parvient facilement à se pardonner ses erreurs et à se remettre en question. Il sait faire preuve de compassion et de respect envers les autres, parce qu'il n'éprouve pas le besoin de se défendre ou de se justifier.

Après neuf ans de développement,
le sentiment d'innocence ne s'efface jamais.

Quand les parents endossent la responsabilité des erreurs de leur enfant, celui-ci comprend qu'il est innocent. À l'inverse, quand il est puni ou sermonné pour ses bêtises, il en vient à se dire qu'il n'est pas digne d'être aimé.

De nombreux adultes n'osent pas prendre de risques, car ils sont trop sévères avec eux-mêmes. L'idée qu'ils puissent échouer ou se tromper les terrifie, car ils se disent que les conséquences en seront forcément redoutables, même s'ils ne les connaissent pas à l'avance. Cette peur irraisonnée est souvent liée aux punitions qu'ils ont reçues dans leur enfance. Bien qu'affranchis du joug parental, ils ont inconsciemment gardé l'idée que toute erreur mérite punition. Ils sont en général bien plus exigeants avec eux-mêmes que les autres ne le sont à leur endroit.

Quand un enfant est puni pour ses bêtises,
il conserve à jamais la peur bleue de l'erreur.

Dans certains cas, ils essaieront d'être moins durs avec eux-mêmes en se montrant intransigeants à l'extérieur. Pour échapper aux punitions, ils puniront les autres. Mais le phénomène inverse est également possible : un individu peut tolérer tous les abus sur sa personne, dès lors qu'il ne se croit pas digne d'amour et de respect. D'une certaine manière, il se dit qu'il mérite d'être maltraité.

En tout état de cause, une personne punie finit toujours par punir à son tour, que ce soit elle-même ou un tiers. Les filles ont tendance à se punir elles-mêmes, tandis que les garçons s'en prennent plus volontiers aux autres. Une fille ira par exemple se jeter dans les bras d'un amant brutal, ou se torturera l'esprit à coups d'autocritique ou de complexes en tous genres. Le garçon, quant à lui, accusera les autres de ses propres erreurs et sanctionnera à tout va.

L'ERREUR FAIT PARTIE DE LA VIE

Hier encore, la culpabilisation et la punition étaient les seuls outils dont nous disposions pour contrôler et protéger nos enfants. On pensait qu'un excès de compliments pervertirait les enfants, les rendrait faibles et égoïstes. On considérait la punition comme le seul moyen de leur apprendre à distinguer le bien du mal.

À mesure que vous mettrez en œuvre les techniques de l'éducation positive, n'oubliez pas que les parents aussi commettent des erreurs. Nos enfants disposent d'une formidable capacité d'adaptation ; ils savent donner le meilleur d'eux-mêmes en dépit des erreurs de leurs aînés. Vivre, c'est apprendre à surmonter les erreurs – les siennes comme celles des autres. C'est par ce processus que l'enfant parvient à donner le meilleur de lui-même et devient un adulte épanoui.

Si, à la lumière de ce livre, vous prenez conscience d'avoir pu blesser vos enfants d'une manière ou d'une autre, soyez indulgents avec vous-mêmes, comme vous aimeriez que vos enfants le soient avec eux-mêmes. Dites-vous bien que l'on fait toujours de son mieux, avec les moyens dont on dispose. Ne vous formalisez pas de vos erreurs passées. Soyez plutôt heureux de disposer maintenant d'une meilleure approche.

Ne gaspillez pas votre énergie à maudire vos parents pour leurs erreurs ; pardonnez-leur, comme vous aimeriez que vos enfants vous pardonnent, et consacrez cette énergie à perfectionner votre approche du rôle de parent. *Les enfants viennent du paradis* vous servira de repère et de guide tout au long du voyage. Faites-en profiter votre entourage, et partagez vos expériences. À mesure que vous tracerez votre propre courbe d'apprentissage, vous saurez mieux accepter celle de vos enfants.

CHAPITRE 11

On a le droit d'exprimer des sentiments négatifs

Les contraintes et contretemps de l'existence éveillent en chaque enfant des sentiments négatifs. Ceux-ci sont non seulement naturels, mais nécessaires pour ce qu'ils aident l'enfant à assimiler et à accepter les limites qui s'imposent à lui. Les outils que vous offre l'éducation positive, notamment l'écoute et les temps morts, permettront aux enfants d'apprendre à exprimer de façon adaptée leurs émotions et sentiments négatifs.

Nos ancêtres cherchaient à contrôler leurs enfants en muselant leurs émotions. Mais punir ou gronder un enfant parce qu'il est contrarié revient à réfréner ses passions et à briser sa volonté. En signifiant à l'enfant qu'il a le droit d'exprimer des sentiments négatifs, nous le rendons plus fort ; il assoit sa détermination et sa volonté, et commence à savoir où il veut aller. Mais ce regain de pouvoir peut également s'avérer dangereux, si les parents ne maîtrisent pas suffisamment les techniques visant à la coopération.

En punissant ou en grondant un enfant parce qu'il est contrarié, nous réfrénons ses passions et nous brisons sa volonté.

Cette liberté d'expression ne doit pas se retourner contre les parents. Tolérer et écouter les sentiments négatifs d'un enfant ne signifie en aucun cas céder à ses caprices. Non seulement cette faiblesse ferait de lui un enfant gâté, mais elle éveillerait en lui une certaine insécurité.

> *Ne cédez pas aux caprices de votre enfant.*

Quand un enfant fait une scène, la plupart des parents se disent soit qu'il est vilain, soit qu'ils sont de mauvais parents. Bien entendu, ces deux réponses sont fausses. L'enfant a simplement besoin d'apprendre à sentir, à exprimer, et à évacuer ses émotions négatives. C'est en acquérant cette maîtrise et cette connaissance de soi qu'il développera sa créativité et sera le mieux armé pour relever les défis de l'existence.

MAÎTRISER SES SENTIMENTS : UNE APTITUDE VITALE

Maîtriser ses sentiments, c'est d'abord et avant tout savoir les rendre acceptables, pour soi-même comme pour les autres. Lorsqu'il comprend que les sentiments négatifs ne sont pas condamnables en soi, l'enfant est en mesure d'écouter son cœur de manière décomplexée, et, ce faisant, il apprend petit à petit à exprimer et libérer ses angoisses autrement qu'en tapant du poing sur la table.

> *Maîtriser ses sentiments, c'est d'abord et avant tout savoir les rendre acceptables, pour soi-même comme pour les autres.*

Une fois qu'il sait percevoir et communiquer ses émotions négatives, l'enfant apprend à se démarquer de ses parents (il acquiert une conscience de soi) ; il se découvre des trésors de créativité, d'intuition, d'amour, de volonté, d'assurance, de joie, de compassion, et se montre capable de tirer les leçons de ses erreurs.

Les individus qui réussissent le mieux sont ceux qui savent rester à l'écoute de leurs sentiments profonds, et surmonter leurs émotions négatives. Ils sont capables d'analyser et de circonscrire leurs tourments pour mieux les évacuer et repartir du bon pied, au contraire de ceux qui les refoulent ou les ignorent, et du coup n'arrivent jamais à s'en défaire totalement.

Lorsqu'une personne vit une situation d'échec ou d'insatisfaction permanente, l'explication réside en général dans l'une des trois causes suivantes : elle demeure sourde à ses émotions profondes ; elle fonde ses décisions sur des sentiments négatifs ; ou elle reste embourbée dans la peur, la colère ou la rancœur. Dans les trois cas, quelque chose l'empêche de réaliser ses rêves. Pour rester au fait de ses aspirations profondes et être capable de parvenir à ses fins, il faut avant tout savoir écouter son cœur. Les techniques de l'éducation positive permettront à vos enfants de gérer au mieux leurs émotions négatives, pour en faire quelque chose de positif.

Un individu se trouve en situation d'échec lorsqu'il n'est pas en phase avec ses sentiments profonds, ou qu'il reste embourbé dans la peur, la colère ou la rancœur.

Refouler ses émotions négatives, c'est fermer la porte à ses sentiments positifs. C'est s'interdire d'aimer, d'être heureux, d'avoir confiance – en un mot : de se sentir bien. C'est en cernant et en évacuant tout ce qui nous mine le moral que nous pouvons renouer avec le bonheur, et prendre des décisions positives et avisées.

APPRENDRE À MAÎTRISER SES SENTIMENTS

Que les émotions négatives ne doivent jamais être un sujet tabou ne veut pas dire que l'on puisse les exprimer n'importe où et n'importe comment. On ne peut tolérer d'un enfant qu'il fasse sa loi à coups de caprices et de crises de rage. Pour autant, cette nécessaire fermeté des parents ne doit pas contraindre l'enfant à s'autocensurer.

L'écoute et les temps morts vous permettront d'offrir à vos enfants des « plages » régulières d'expression pour qu'ils puissent comprendre et confier ce qu'ils ont sur le cœur.

Le bon moment pour exprimer ses émotions négatives, c'est lorsque le père ou la mère est prêt à écouter, ou bien lors d'un temps mort. Le fait de multiplier ces occasions d'échanges évitera que l'enfant choisisse les pires circonstances pour se défouler. Sachant que son heure viendra, il sera capable de se discipliner, et d'attendre que ses parents soient disponibles pour confier ce qu'il a sur le cœur.

Jusqu'à l'âge de neuf ans, l'outil prioritaire sera le temps mort. Il n'y a rien de tel pour calmer un enfant et éviter qu'il ne sorte de ses gonds à l'improviste.

Grâce aux techniques de l'éducation positive, l'enfant comprend qu'il a le droit d'exprimer des émotions négatives, mais que son père et sa mère restent les seuls maîtres à bord. Quand ils décident que la négociation est terminée, c'est que la discussion est close. S'il persiste malgré tout à râler ou à se plaindre, c'est qu'il a besoin d'un bon temps mort pour finir d'évacuer son stress derrière une porte fermée. Comme nous l'avons vu dans le chapitre 8, quelques minutes suffiront pour qu'il surmonte tour à tour sa colère, sa tristesse, et sa peur, et qu'il reprenne de lui-même le chemin de la coopération.

SURMONTER SES MALHEURS

Les enfants ont souvent des émotions plus intenses que les adultes, car ils ne sont pas encore capables de se raisonner. Quand quelqu'un se montre méchant avec eux, ils pensent que « tout le monde » est méchant, qu'ils méritent d'être maltraités, et qu'il en sera toujours ainsi.

Ils ne disposent pas du recul suffisant pour se dire que « tout le monde » n'est pas à mettre dans le même sac, qu'ils n'ont rien fait pour mériter ça, ou que la personne qui leur a causé du tort était simplement de mauvaise humeur. Étant incapables de relativiser les événements, ils ont l'impression que le ciel leur tombe sur la tête, et le moindre incident prend vite des proportions alarmantes.

Pour autant, il ne sert à rien d'essayer de les raisonner. Cela reviendrait à minimiser leurs tourments, ce qu'ils ne seraient pas prêts à entendre. Partez toujours du principe que, de son point de vue, l'enfant a toujours raison d'être inquiet ou contrarié. Dès lors, contentez-vous de le laisser s'exprimer, et c'est seulement lorsqu'il aura évacué son stress que vous pourrez le rassurer par des paroles bienveillantes.

De son point de vue, l'enfant a toujours de bonnes raisons d'être contrarié.

Aujourd'hui, la plupart des adultes ont compris qu'il est sain et bénéfique de laisser parler sa peur, sa colère, son inquiétude ou son chagrin. Que cela leur permet de surmonter les épreuves de la vie et de repartir du bon pied. Dans des moments de grande frustration ou de deuil, il suffit parfois de pleurer un bon coup pour aussitôt se sentir mieux. Pour le jeune enfant, ce travail de cicatrisation passe par les coups d'éclat. C'est en faisant une scène qu'il isole et évacue ses sentiments négatifs, et se range ainsi aux règles imposées par ses parents. Ce n'est qu'après l'âge de neuf ans, et à la condition qu'il ait toujours pu s'exprimer librement, qu'il apprendra à réguler son stress sans devoir l'étaler sur la place publique.

Les enfants d'aujourd'hui sont plus sensibles que jamais. Ils ont un fort besoin d'écoute et de compréhension. La plupart des problèmes dont souffre la jeunesse actuelle, de l'hyperactivité à la violence en passant par les comportements d'autodestruction, seraient évités si nous avions appris à nos enfants à maîtriser et à réguler leurs émotions.

SOULAGER SON CŒUR

C'est en soulageant leur cœur que les enfants comprennent ce qu'ils ressentent au plus profond d'eux-mêmes. C'est ainsi qu'ils découvrent ce qu'ils sont, ce dont ils ont besoin, ce qu'ils veulent et désirent. Ce faisant, ils apprennent également à percevoir et à respecter les attentes des autres. En les écoutant exprimer leurs émotions négatives, nous leur permettons ainsi de développer leur sensibilité.

En prenant le pouls de nos propres sentiments, nous comprenons qui nous sommes, ce que nous voulons, et ce que nous attendons.

En laissant nos enfants libres d'exprimer, en toute sécurité, des sentiments de colère, de tristesse, et de peur, nous les faisons renouer avec leur besoin premier : l'amour de leurs parents. Aussitôt, l'objet de leur contrariété devient secondaire. Un enfant qui pique une colère noire parce qu'on lui refuse un biscuit a simplement oublié qui est le chef, et à quel point l'amour de ses parents compte bien plus qu'un vulgaire gâteau. Si nous l'encourageons à soulager son cœur, nous le ramènerons aussitôt sur le chemin de la coopération, en réveillant son besoin d'amour et son envie de combler ses parents.

L'enfant qui pique une colère a provisoirement oublié qui est le chef, et combien l'amour de ses parents est essentiel.

À mesure que son besoin d'amour se rappelle à lui, son envie de gâteau s'atténue, et sa colère se dissipe. Nous voilà revenus à des sentiments coopératifs. L'enfant se retrouve lui-même, renoue avec sa nature première – joyeuse, aimante, confiante et sereine. Il suffit pour cela de lui laisser toute latitude pour rouspéter sans avoir peur de se faire gronder ou de ne plus être aimé.

La compassion et les temps morts sont les deux meilleurs biais pour faire comprendre à l'enfant qu'il a le droit d'exprimer des sentiments négatifs. Il peut même, s'il le désire, contester les temps morts. Il se mettra en rogne, dira peut-être de vilaines choses, mais ce ne sera pas un problème. Le temps mort permet à l'enfant d'aller au bout de sa résistance pour finalement retomber dans vos bras. Le temps mort vous permet de reprendre le contrôle de la situation. Dès lors, votre enfant ne doit surtout pas se sentir coupable de s'y opposer ou d'en avoir besoin. Cela fait simplement partie de son processus de développement.

Surtout, ne cédez jamais à un caprice dans le seul but d'éviter les coups d'éclat. Ce serait prendre le risque de les voir se produire au pire moment, c'est-à-dire lorsque vous êtes le moins en mesure d'y répondre de manière appropriée. L'enfant doit sentir qu'il est sous le contrôle de ses parents, faute de quoi il cherchera à prendre le pouvoir, en se montrant insatiable ou en piquant de grosses colères.

LE POUVOIR DE LA COMPASSION

Pour aider nos enfants à exprimer leurs émotions négatives, nous devons faire montre de compassion. Il ne suffit pas d'aimer nos enfants ; encore faut-il le leur signifier de manière idoine. La compréhension et la compassion comptent à ce titre parmi les plus beaux cadeaux que vous puissiez leur faire.

La compassion permet de faire sortir les émotions négatives, en même temps qu'elle les soulage. Elle reconnaît, respecte, et valide les chagrins ou préoccupations de l'enfant. Les parents semblent toujours pressés de vouloir réconforter leurs enfants. Mais cela ne peut marcher que s'ils leur ont préalablement tendu une oreille attentive. L'enfant ne sera rassuré que s'il a senti que vous compreniez pleinement son point de vue.

La compassion ouvre la porte au soutien et au réconfort.

Quand un enfant est furieux de ne pas avoir obtenu ce qu'il voulait, de nombreux parents s'échinent à vouloir le calmer sur-le-champ. Ce faisant, ils l'arrachent trop tôt à son sentiment de frustration.

Je m'explique : lorsque l'enfant se sent écouté, ses émotions se transforment. Soit elles franchissent un nouveau palier dans le négatif (de la colère à la peur en passant par la tristesse), soit elles virent au positif. Dans un cas comme dans l'autre, non seulement l'enfant reçoit ce dont il a besoin pour se sentir mieux, mais il constate qu'il est capable d'évacuer et de surmonter les sentiments les plus pesants.

Or, en se voyant tout de suite offrir des solutions, l'enfant n'acquiert aucune autonomie émotionnelle ; son bien-être repose entièrement sur les gestes que vous êtes prêts à consentir, et il n'apprend jamais à accepter les infortunes de l'existence. Son bonheur ne tient pas à l'amour qu'il reçoit, mais reste tributaire des circonstances du moment.

En recevant, avant toute chose, assez d'écoute et de compassion, l'enfant développe souplesse et conciliation, qui lui permettent ensuite d'échafauder ses propres solutions, une fois le moral revenu. De nos jours, la plupart des adultes ne disposent pas de cette autonomie, faute d'avoir été suffisamment compris dans leur enfance. Ils ont sans cesse besoin de l'aide des autres, comme ils dépendaient autrefois de celle de leurs parents.

LA PAUSE DE CINQ SECONDES

Face à un enfant mécontent, triste, dépité ou inquiet, l'éducation positive préconise de ne rien faire du tout, sinon se mettre à sa place, l'espace de cinq secondes, pour tâcher de ressentir ce qu'il éprouve. N'essayez pas de lui mettre du baume au cœur ou de lui offrir une solution. En silence, compatissez à ses tracas cinq secondes durant, puis dites quelque chose du style : « Je comprends que tu sois déçu(e). » Ces simples paroles suffisent déjà à lui montrer que la situation n'a rien de dramatique, que la déception fait partie de la vie. Dès lors, son humeur peut revenir au beau fixe. Il comprend que la vie est belle même si on ne gagne pas à tous les coups.

En se voyant proposer des solutions toutes faites, l'enfant se sent désavoué, voire incompétent. Voyant avec quelle facilité vous prétendez résoudre ses tracas, il se dit qu'il a eu tort d'être contrarié, ou qu'il aurait dû avoir votre idée avant vous. Bien que partant d'un bon sentiment, les solutions hâtives produisent souvent l'inverse de l'effet recherché. Les bons conseils ne sont bienvenus que lorsque l'enfant a retrouvé ses esprits, ou qu'il vous demande de lui-même comment faire.

Quand vos enfants ne vous écoutent plus, c'est que vous leur donnez trop de bons conseils.

Parfois, même lorsqu'il semble demandeur, l'enfant n'est pas encore prêt à entendre vos solutions. Sous le coup de l'angoisse ou de la contrariété, il dira facilement : « Je ne sais pas comment faire. » De nombreux pères sauteront sur l'occasion pour jouer les Monsieur Dépannage, ce qui ne leur vaudra qu'une série de « mais » : « Mais ce n'est pas possible », « Mais ça ne marchera pas, parce que... », ou encore « Mais tu ne comprends rien ! », etc.

Cette dernière phrase aura le don d'aviver la susceptibilité d'un père, qui cherchera alors à se justifier, si bien que les rôles s'en trouveront subitement inversés : ce ne sera plus au père de comprendre son enfant, mais à ce dernier de comprendre son père ! Vous comprendrez qu'un tel retournement de situation ne puisse déboucher sur une quelconque solution.

Quand votre enfant vous dit : « Tu ne comprends

pas », n'allez pas plus loin. Ravalez votre orgueil, et rangez-vous à son point de vue. Il a forcément raison : vous n'avez pas bien compris ce qu'il ressentait. Dans ce cas, demandez-lui simplement de vous réexpliquer, puis contentez-vous de compatir à ce qu'il vous raconte.

Voici quelques exemples de conseils ou de jugements fréquents, avec leurs alternatives en mode compassionnel.

Conseil, jugement	Alternative (compassion)
Ne pleure pas.	Attendez cinq secondes, puis dites : « Je comprends que tu sois déçu(e). »
Ne t'inquiète pas.	Attendez cinq secondes, puis dites : « Je sais que c'est difficile, et que ça te fait peur. »
Ça ira mieux demain.	Attendez cinq secondes, puis dites : « C'est vraiment dur. Je sais que tu as de la peine. »
Ce n'est rien du tout.	Attendez cinq secondes, puis dites : « Je sais que tu as du chagrin. Viens dans mes bras. »
On ne peut pas réussir à tous les coups.	Attendez cinq secondes, puis dites : « Je sais que tu es triste. Je le serais autant, à ta place. »

Allez, c'est la vie.	Attendez cinq secondes, puis dites : « Il y a de quoi être en colère. Je le serais autant, à ta place. »
Ce pourrait être pire.	Attendez cinq secondes, puis dites : « Je vois bien que tu as peur. Moi aussi, j'aurais peur dans cette situation. »
Tout ira bien, tu verras.	Attendez cinq secondes, puis dites : « Je sais que tu as peur. Ces choses-là font toujours peur. »
Mais quelle importance, après tout ?	Attendez cinq secondes, puis dites : « Tu as le droit d'être jaloux(se). Je le serais autant à ta place. »
D'autres chances se présenteront.	Attendez cinq secondes, puis dites : « Si ça m'était arrivé à moi, je serais tout aussi déçu(e). »

QUAND L'ENFANT REJETTE VOTRE COMPASSION

Il n'est pas rare que les messages compatissants soient déclinés ou rectifiés par un enfant mécontent. Il vous dira que vous n'avez pas vu juste avant d'expliquer en quoi vous vous trompez. Surtout, laissez-le faire. Qu'importe que vous ayez raison ou tort : ce qui compte, c'est qu'il se sente encouragé à dire ce qu'il a sur le cœur.

L'enfant blessé est toujours traversé d'une multitude d'émotions, qui l'amèneront à vous contredire, voire à se contredire lui-même : « Je ne suis pas furieux, je suis triste », dira-t-il par exemple. Mais un tel revirement est plutôt bon signe, pour ce qu'il témoigne de son changement progressif d'humeur. Or c'est en déclinant l'un après l'autre l'ensemble de ses sentiments négatifs que l'enfant parvient à les surmonter.

Quand l'enfant rejette vos messages compatissants, souvenez-vous que c'est à vous de l'écouter, et non l'inverse.

S'il n'a pas eu l'occasion de soulager son cœur depuis un certain temps, vos marques de compassion pourront faire remonter à la surface une série de griefs jamais pardonnés – tout ce qu'il aura été contraint de garder pour lui depuis votre dernier échange à cœur ouvert. Ne vous en formalisez pas, et laissez-le vider son sac, même s'il semble parfois s'écarter du sujet. Cela ne pourra que lui faire du bien. Il parviendra ainsi à tirer un trait sur le passé, et vous saura gré de l'avoir écouté.

QUAND CE SONT LES PARENTS QUI EXPRIMENT DES ÉMOTIONS NÉGATIVES

Les émotions négatives ont ceci de particulier qu'elles sont très contagieuses. Il suffit qu'un de nos proches soit triste pour que notre moral en prenne un coup ou que quelqu'un nous en veuille pour que nous ayons à notre tour une dent contre lui. Et en présence d'une personne inquiète, nous nous mettons à douter nous-mêmes.

Ce phénomène de vases communicants explique que nous ayons parfois tant de mal à écouter un enfant se plaindre, ou à adopter une attitude compatissante. Après une dure journée ou dans une période

298

de stress, la contrariété et les soucis de l'enfant ont vite fait d'aviver les nôtres. Nous perdons patience, et nos efforts d'écoute ou d'assistance prennent vite la forme d'arguties ou d'empoignades.

Quand les parents réagissent aux émotions d'un enfant en perdant leur sang-froid, l'enfant se sent en danger. Les réactions négatives des adultes sont toujours impressionnantes et intimidantes. Alors l'enfant prend peur, garde ses blessures pour lui, et reste sourd à ses émotions.

Pour un enfant, les réactions négatives des adultes sont toujours intimidantes.

Pour reprendre le contrôle de leurs enfants, les mères auront tendance à pousser des cris aigus, à forte charge émotionnelle, et les hommes à employer une grosse voix menaçante et autoritaire. Dans les deux cas, si leur emportement semble ramener un peu de calme dans la maison, il a pour seul effet de réduire leurs enfants au silence, de les contraindre à l'obéissance en jouant sur leur peur. Cette méthode doit être écartée d'emblée. Elle déconnecte les enfants de leurs sentiments et brise leur volonté. Au pire, elle produit des êtres soumis et mollassons, incapables de coopérer et, au mieux, des adolescents rebelles et incontrôlables.

Pour aider nos enfants à maîtriser leurs sentiments, nous devons d'abord balayer devant notre porte. Pour qu'ils ne fassent pas les frais de notre propre stress, nous devons prendre le temps de régler nos propres problèmes, faute de quoi nous serons incapables de compatir à leurs soucis de manière efficace et sereine. L'enfant renoncera à se confier s'il doit marcher sur des œufs en permanence.

---

*Pour apprendre à nos enfants à gérer
leurs sentiments, nous devons commencer
par maîtriser les nôtres.*

Nous apportons bien plus à nos enfants lorsque nous menons une vie d'adultes épanouis, c'est-à-dire lorsque nous prenons le temps de satisfaire nos propres besoins d'amitié, d'amour, d'indépendance. Car c'est là que nous sommes les mieux armés pour mettre en œuvre les techniques de l'éducation positive.

GARDEZ VOS SENTIMENTS POUR VOUS

Dans les années soixante-dix, les adultes ont pris conscience de l'importance que jouaient les sentiments sur l'épanouissement personnel. Afin de sensibiliser leurs enfants au registre des émotions, les parents « éclairés » entreprirent de confier les leurs. Si l'intention était louable en soi, les résultats furent plus mitigés.

Encore une fois, il n'y a lieu de se confier qu'auprès de nos semblables. Toute confidence implique le besoin d'être entendu, de trouver auprès d'une âme bienveillante la compassion et le soutien qui nous font défaut. Dès lors, confier ses émotions négatives à un enfant revient à le charger d'une terrible responsabilité. Parce qu'il cherche par-dessus tout à faire plaisir à ses parents, il aura vite fait de se sentir coupable s'il voit que ces derniers vont mal. Il se croira tenu de rendre ses parents heureux par tous les moyens, ce qui revient purement et simplement à inverser les rôles. Prises dans cet engrenage, les filles auront tendance à faire don de leur personne au mépris de leurs propres besoins, tandis que les garçons refuseront d'endosser une telle respon-sabilité et se retrancheront dans l'indifférence.

Un enfant ne doit jamais se sentir responsable du bien-être de ses parents.

Il est déjà assez difficile pour un adulte de ne pas se sentir responsable ou coupable quand son conjoint est perturbé, pour que nous infligions cette peine à nos enfants. D'autant qu'il en faut très peu pour attiser leur susceptibilité.

Lorsque vous dites à un enfant : « J'ai peur que tu te fasses mal », ou bien « Je suis déçue que tu ne m'aies pas appelée », il aura vite fait de se sentir manipulé, victime d'un chantage affectif en bonne et due forme. Il sera bien plus efficace de dire sim-plement : « Je veux que tu te montres prudent », ou « La prochaine fois, passe-moi un coup de fil. »

En remplaçant vos doléances par des instructions précises, vous éviterez qu'ils fondent leurs décisions sur des émotions négatives, qui sont rarement bonnes conseillères.

DEMANDER AUX ENFANTS CE QU'ILS RESSENTENT

De même que l'enfant ne doit pas se sentir res-ponsable des émotions négatives de ses parents, il ne doit pas avoir l'impression que les siennes ont force de loi. S'il n'y a rien de mal à lui demander ce qu'il ressent ou désire, gardez-vous de lui demander systématiquement son avis avant de prendre une décision. Votre enfant a certes besoin d'écoute et de compréhension, mais il ne doit pas croire pour autant que c'est lui qui décide de tout.

Ainsi, plutôt que de lui demander : « Que dirais-tu

d'aller rendre visite à oncle Robert ? », dites simplement : « Préparons-nous à aller voir oncle Robert. »

Si cette perspective ne l'enchante guère, ou qu'il avait d'autres projets, dites-vous bien qu'il ne manquera pas de vous le faire savoir.

En tout état de cause, sachez que l'enfant n'est pas toujours capable d'exprimer clairement ce qu'il ressent, et que des questions trop directes peuvent s'avérer plus déstabilisantes qu'autre chose.

La conscience de soi – et donc de ses émotions intimes – ne se développe qu'à partir de neuf ans. Les signes les plus manifestes de cette évolution sont une certaine gêne dans des situations données, ainsi qu'une plus grande pudeur. Tant qu'il n'aura pas franchi ce stade, évitez de lui demander directement ce qu'il éprouve, et optez plutôt pour des affirmations du style : « Je vois bien que tu es contrarié », qui l'inviteront à se confier sans aucune forme d'obligation.

Outre l'écoute et la compassion, on peut créer un environnement ouvert aux sentiments en racontant des histoires fondées sur sa propre enfance. Vous pourrez ainsi leur montrer que vous avez vos propres sentiments et émotions, sans devoir révéler ceux du moment.

---
*Montrez-leur que vous avez
vos propres sentiments en racontant
des souvenirs d'enfance.*

Imaginez que votre fille vous confie son trac à l'approche d'un spectacle de danse. Sautez sur l'occasion pour lui raconter votre propre expérience du trac lorsque vous étiez enfant. Ces échanges permettront non seulement de valider ses sentiments, mais également de la réconforter.

CE QUE VOUS REFOULEZ, VOS ENFANTS L'EXPRIMENT

Il n'y a pas que les sentiments exprimés de vive voix qui puissent affecter un enfant. Tout ce que les parents accumulent de contrariété, de frustration, de tristesse ou de rancœur finit toujours par influer sur le comportement de leurs bambins.

En général, c'est l'enfant le plus sensible de la famille qui reprend à son compte l'ensemble des problèmes émotionnels de ses parents. Il en devient à la fois le récepteur et l'émetteur. Aujourd'hui, la plupart des psychologues s'accordent à reconnaître que les troubles des enfants sont souvent liés aux problèmes de leurs parents.

C'est généralement l'enfant le plus sensible de la famille qui reprend à son compte les problèmes de ses parents.

Si vous avez toujours peur d'être en retard dans votre travail, ne vous étonnez pas que votre enfant se plaigne d'être débordé et de manquer de temps. Vous vous sentez seul(e) et incompris(e) ? Que votre enfant se désole de ne pas être suffisamment écouté est naturel. Dans ces deux exemples, votre enfant perçoit et fait siennes vos émotions refoulées. Votre attitude en dit plus long que vos paroles. À votre seul contact, l'enfant s'imprègne de ce qui est en vous. Vous pouvez lui transmettre aussi bien l'amour et la compassion que vous recevez des autres, que l'angoisse, la tristesse, la déprime, la colère, la peur ou la rancune qui vous rongent au quotidien. Quels que soient vos efforts pour les dissimuler, l'enfant les reçoit d'une manière ou d'une autre, et les exprime à votre place.

Ce phénomène de transfert explique par ailleurs pourquoi c'est précisément lorsque vous êtes contrarié(e) ou débordé(e) que votre enfant se montre le plus capricieux. Quand vos propres tourments s'ajoutent aux siens, la pression devient trop forte pour ses frêles épaules, et il n'a d'autre solution que d'exploser un bon coup.

Le « test de la résistance » est un bon moyen de savoir si votre enfant pâtit de vos propres problèmes : si les sentiments de l'enfant vous contrarient, c'est le signe qu'ils expriment votre propre frustration. Et si vous êtes capable de l'écouter avec patience et compassion, c'est que ses émotions ne sont pas liées aux vôtres.

Rassurez-vous, cette contrariété ne fait pas de vous de mauvais parents. Elle signifie seulement que vous devez prendre le temps de penser un peu plus à vous-même pour assouvir vos propres besoins. Fort heureusement, dans ces moments où vous n'êtes pas disposé(e) à écouter attentivement votre enfant, vous pourrez quand même recourir aux temps morts. Quelle que soit l'origine des troubles de votre enfant, le temps mort l'aidera toujours à exprimer et à évacuer ce qui doit l'être.

Bien souvent, les parents aussi se sentent mieux après avoir imposé un temps mort, car ce dernier aura permis de révéler leurs propres émotions. Voilà pourquoi les fessées et les coups de martinet marchaient si bien autrefois : non seulement ils permettaient à l'enfant de faire l'expérience de la douleur, mais ils permettaient également aux parents de se défouler. Ce qui ramenait le calme à la maison. Provisoirement seulement, et non sans avoir causé de sérieux dommages psychologiques ou physiques à celui qui en était victime.

LA BREBIS GALEUSE DE LA FAMILLE

L'enfant qui hérite des émotions refoulées de ses parents passe souvent pour la brebis galeuse de la famille. Plongé dans un environnement qui ne laisse aucune place aux sentiments négatifs, il devient facilement acariâtre et turbulent, ou bien il retourne ces sentiments contre lui-même et se déprécie, quand ce n'est pas les deux à la fois.

Ces « brebis galeuses » sont incapables d'obtenir l'attention et la compassion dont elles ont besoin, ce qui ne fait qu'aggraver la situation. Ne supportant pas de les voir exprimer des émotions qu'ils ont eux-mêmes refoulées, leurs parents manifestent à leur égard résistance, rancœur et rejet.

Incapables d'obtenir l'attention dont elles ont besoin, les « brebis galeuses » se disent qu'elles ne sont pas normales.

Bien souvent, ces enfants ignorent jusqu'à la raison même de leur contrariété, et en concluent qu'ils ne sont pas normaux. Si l'un de vos enfants se trouve dans cette situation, efforcez-vous de prendre le temps de l'écouter vraiment. Rappelez-vous que tous les enfants sont différents et qu'il n'y a pas lieu de les comparer. Cet enfant gagnera à s'impliquer dans des activités à l'extérieur de la maison, entouré de gens compréhensifs qui sauront l'accepter tel qu'il est, et où il se sentira libre d'évoluer et de s'épanouir sans avoir à endosser les problèmes des autres.

LEVER LE TABOU SUR LES ÉMOTIONS NÉGATIVES

Tolérer la libre expression des émotions négatives est une approche éducative résolument nouvelle. Les enfants et les adultes n'ont jamais été aussi sensibles. Le défi qui nous est lancé – lever le tabou sur les émotions négatives – est considérable. Sur ce terrain-là, nos parents en étaient encore aux balbutiements. Mais les techniques de l'éducation positive vous permettront d'y arriver.

Libérés de la censure, vos enfants n'en seront que plus créatifs, et seront capables de mener leur barque en accord avec leurs rêves. En phase avec leurs sentiments les plus profonds, ils finiront par trouver leur véritable identité, ainsi que le sens de leur passage sur terre. Ils auront leur lot d'épreuves et de coups durs, parfois plus sévères encore que ceux de leurs parents, mais ils disposeront de la ressource nécessaire pour atteindre leurs objectifs et réaliser leurs rêves.

CHAPITRE 12

On a le droit
de réclamer davantage

Un enfant qui ne sait pas ce qu'il veut ni ce qu'il attend de la vie ne parvient jamais à se connaître lui-même ni à affirmer son individualité. Alors il s'en remet aux autres, s'approprie leurs aspirations, et devient ce qu'eux veulent qu'il soit. Mais en tirant ainsi un trait sur sa personnalité, il demeure incapable de distinguer ce qui est important de ce qui ne l'est pas.

**Faute de savoir ce qu'ils veulent,
les enfants s'approprient les envies des autres.**

Trop souvent, les enfants s'entendent dire qu'ils sont vilains, égoïstes, ou trop gâtés quand ils demandent plus que ce qu'ils ont, ou qu'ils se plaignent de ne pas obtenir ce qu'ils désirent. Autrefois, ils devaient se contenter de ce qu'on voulait bien leur laisser. Le simple fait de réclamer était inadmissible. Cet interdit se justifiait dans la mesure où les parents ne savaient pas comment faire face aux sentiments de contrariété ou de frustration pouvant résulter de ces demandes insatisfaites. Laisser les enfants réclamer davantage, c'était leur donner trop de pouvoir.

Maintenant que les techniques de l'éducation positive nous ont appris à faire face aux émotions négatives, nous pouvons enfin lever cet interdit. Les enfants peuvent demander davantage sans que cela remette en cause notre autorité. Et c'est en formulant librement leurs attentes qu'ils découvriront ce qu'ils sont vraiment, et ce à quoi ils sont destinés.

LORSQUE LES DÉSIRS FONT PEUR

On croit souvent qu'en donnant la permission à un enfant de revendiquer davantage, nous le rendrons insatiable et incontrôlable. Certes, il est toujours plus facile d'élever un enfant qui se contente de ce qu'on lui donne, mais ce n'est pas ainsi qu'il parviendra à affirmer son tempérament et ses ambitions. Tant qu'il reçoit suffisamment d'amour et de soutien pour maîtriser ses sentiments, la liberté de réclamer ne rend pas l'enfant plus capricieux. Au contraire, les refus et les obstacles qu'il rencontre lui inculquent de précieuses leçons de patience et d'autodiscipline.

D'autres craindront de rendre leur enfant plus égoïste. Ce risque existe seulement si vous cédez systématiquement à ses moindres désirs. Ce n'est pas tant le fait qu'il obtienne ce qu'il demande qui corrompt l'enfant, que le fait qu'il parvienne toujours à ses fins à coups de colères et d'ultimatums. Autrement dit, l'enfant devient gâté quand ses parents font systématiquement passer ses envies avant les leurs.

L'enfant devient gâté quand ses parents font passer ses envies avant les leurs.

308

Pour éviter cet écueil, vous devrez savoir dire non et recourir aux temps morts pour dissiper les coups d'éclat. C'est en mesurant quelles sont les limites à ne pas dépasser que l'enfant apprend à ajuster ses désirs et à mieux apprécier ce qu'il a déjà, sans pour autant revoir ses ambitions à la baisse.

En visant à la coopération, et non à l'obéissance aveugle, l'éducation positive stimule la volonté et les désirs de l'enfant, mais sans déposséder les parents de leur pouvoir. Pour obtenir de la coopération, il n'est pas besoin de brider la volonté de l'enfant. Un enfant peut très bien accepter de se coucher tôt dans le seul but de faire plaisir à ses parents ; dans cet exemple, sa volonté ne s'efface pas, mais s'accorde à la leur. L'éducation positive autorise les enfants à exprimer leurs propres souhaits, mais elle laisse toujours le dernier mot aux parents.

En fin de compte, le seul inconvénient que l'on puisse trouver à cette forme de libre expression, c'est qu'elle demande parfois du temps pour obtenir la coopération souhaitée. L'enfant n'est pas toujours disposé à vous suivre d'entrée de jeu. Il faudra prendre soin d'écouter son point de vue et d'évaluer le bien-fondé de ses demandes pour qu'il se sente compris et soutenu. Mais dites-vous que cet effort de patience est un précieux investissement : l'enfant qui se sent écouté et respecté saura se montrer conciliant dans les moments où vous serez moins disponibles.

Tous les enfants viennent au monde débordants d'enthousiasme. C'est de là qu'ils puisent leur volonté et leur force de caractère. Quand ils ont le droit de demander plus que ce qu'ils ont déjà, cette volonté se renforce et se développe en harmonie avec celle de leurs parents. À l'inverse, quand leurs désirs sont réprimés, la flamme qui brûle en eux s'éteint peu à peu. Ils perdent alors leur enthousiasme pour la vie et l'amour, ainsi que leur soif d'apprendre et de grandir.

Stimuler la volonté de l'enfant,
c'est nourrir son enthousiasme.

En apprenant à exprimer leurs attentes et à honorer celles de leurs parents, les enfants acquièrent les valeurs de respect, de partage, de coopération, de compromis, et de négociation. Mais privés de ce droit d'expression, ils apprennent seulement à se sacrifier pour les autres, jusqu'au jour où ils décident de se rebeller pour être enfin eux-mêmes.

LES VERTUS DE LA GRATITUDE

En général, les parents montrent bien plus d'empressement à enseigner les vertus de la gratitude qu'à laisser leurs bambins réclamer davantage. Combien d'adultes s'interdisent eux-mêmes de demander plus que ce qu'ils ont, de peur de passer pour des ingrats ?

Autrefois, les sacrifices religieux étaient monnaie courante. En nous dépossédant de nos biens les plus précieux, nous pouvions communier avec Dieu. La privation était le seul moyen d'éveiller des sentiments qui demeuraient jusqu'alors enfouis en nous-mêmes. Aujourd'hui, nous n'avons plus besoin de nous sacrifier pour être en phase avec nos sentiments. Il nous suffit de formuler nos attentes pour être au fait de nos aspirations.

Notre mission consiste à édifier un monde de prospérité et d'abondance. Jamais nous n'avons eu tant de ressources à portée de main. Aujourd'hui, nos enfants ont les moyens de réaliser leurs rêves, de réussir leur vie dans tous les sens du terme. Mais la clé de cette réussite réside dans leur capacité à demander davantage que ce qu'ils ont. Privés de ce droit, ils cesseront de rêver, et seront condamnés à reproduire l'existence de leurs aînés.

Le secret de la réussite, c'est d'être à la fois satisfait de ce que l'on possède, et désireux d'aller plus loin. Gratitude et ambition sont les deux facteurs décisifs du succès. Quand l'enfant n'obtient pas ce qu'il demande, mais qu'il sait surmonter sa déception, il reste reconnaissant envers ses parents pour l'amour et le soutien qu'ils lui témoignent. Et cette gratitude lui permet de rester en phase avec ses rêves, au lieu de se convertir aux projets des autres.

LA PERMISSION DE NÉGOCIER

En laissant vos enfants libres de réclamer davantage, vous aurez de bonnes discussions en perspective, qui vous prendront parfois du temps. Mais c'est aussi comme ça qu'ils apprendront l'art de la négociation. Je suis fasciné par la façon dont mes filles savent me convaincre de faire certaines choses que je refusais au départ. Mais je suis surtout fier de voir la détermination dont elles font preuve, et leur refus catégorique de toute forme de soumission aveugle.

Quand un enfant a le droit de demander ce qu'il veut, il accroît sa force de conviction. Il ne s'arrête pas au premier « non » venu. Il persiste, peaufine ses arguments, revient à la charge, et finit parfois par vous faire changer d'avis. Mais il n'y a rien de mal à cela. Changer d'avis ne veut pas dire céder à un caprice. Dans le premier cas, vous êtes convaincus d'agir comme il le faut, et dans l'autre, vous capitulez pour avoir la paix.

*Il y a une grande différence entre céder face
à un enfant capricieux et se laisser convaincre
par un brillant négociateur.*

De nombreux adultes éprouvent les plus grandes difficultés à exprimer leurs attentes, faute d'avoir eu suffisamment de pratique dans leur enfance. Et lorsqu'ils y parviennent malgré tout, ils demeurent incapables de négocier. La vie serait beaucoup plus simple si nous étions tous capables de plaider notre cause, et de parvenir à un terrain d'entente avec nos pairs sans devoir en passer par un avocat...

Les enfants qui ont appris à négocier ne baissent jamais les bras et ne connaissent pas le ressentiment. Ils savent qu'une réponse négative n'est jamais qu'un obstacle provisoire, et qu'il suffira d'un bon argument pour le lever. Ils savent que non ne veut pas dire jamais, et que leur créativité et leur persévérance seront leurs meilleurs atouts.

*C'est en ayant la permission de demander
ce qu'il veut que l'enfant comprend
ce qu'il est en droit d'espérer.*

Vous aurez parfois l'impression que votre enfant vous demande des choses extravagantes ou inacceptables. Dans ces moments-là, gardez-vous de le reprendre ou de le sermonner. Ayez toujours une attitude ouverte et compréhensive. L'enfant ne peut savoir d'emblée quelles sont les limites à ne pas franchir. Il ne peut les découvrir qu'au fur et à mesure, par tâtonnements.

APPRENDRE À DIRE NON

Ce n'est pas parce que vous vous montrerez ouverts à toutes les demandes que vous y répondrez toujours favorablement. N'ayez aucun complexe à dire non quand la requête vous semble infondée ou déraisonnable. De toute façon, tant que vous ne direz pas non, votre enfant ira toujours plus loin, quitte à demander la lune. Plus vous tarderez à lui signifier ses limites et plus il réagira violemment à vos refus, ce qui pourra vous obliger à lui imposer un temps mort afin qu'il évacue sa colère, sa tristesse et sa peur.

> *Tant que vous ne direz pas non,*
> *votre enfant ira toujours plus loin,*
> *quitte à demander la lune.*

De même, lorsque votre enfant essaie de négocier votre consentement, c'est à vous de fixer la durée limite de l'exercice. Quand vous estimez en avoir assez entendu, et que vous savez qu'il ne vous fera pas changer d'avis, le moment est venu de lui dire : « Je comprends que tu sois déçu(e), mais la discussion est close. »

S'il insiste, contentez-vous de répéter cette phrase, en lui demandant de s'arrêter : « La discussion est close. Je veux maintenant que tu te taises. »

S'il persiste malgré tout, c'est qu'il échappe à votre contrôle, et qu'il a donc besoin d'un temps mort.

Vous verrez qu'après avoir purgé plusieurs temps morts, il saura s'arrêter à temps. Il aura compris que lorsque vous passez en mode de commandement, un non est un non, ferme et définitif.

La plupart du temps, notamment avec les plus jeunes, vous pouvez mettre fin aux négociations en leur proposant autre chose. Une mère déclarera par exemple : « Je comprends que tu sois déçu(e). J'aimerais tant avoir une baguette magique pour te donner ce que tu demandes, mais c'est impossible. En attendant, je te propose la chose suivante... »

Vous pourrez être amenés à dire non dans deux types de situation. Premier cas de figure : votre enfant résiste à votre requête. Par exemple, vous lui demandez de mettre son manteau, mais il veut continuer à jouer. Deuxième cas de figure : c'est vous qui refusez d'accéder à sa requête. Par exemple, votre fille souhaite jouer avec vous, mais vous avez prévu autre chose. Dans les deux cas, dites non de manière calme mais brève. Ne vous attardez pas sur les motifs de votre refus – dites simplement non. Et si l'enfant insiste, réitérez votre réponse avec plus de fermeté. Voici quelques exemples de « non » efficaces :

DIX MANIÈRES DE DIRE NON

1. Non, j'ai autre chose à faire.
2. Non, car j'ai prévu autre chose.
3. Non, mais peut-être une autre fois.
4. Non, je suis pris(e) par autre chose.
5. Non, voici ce que nous allons faire...
6. Non, car pour l'instant je veux que tu...
7. Non, mais j'ai une meilleure idée...
8. Non, ce n'est pas le bon moment.
9. Non, car voici ce qui est prévu...
10. Non, j'ai besoin d'être seul(e) quelques instants.

En disant « non » de manière claire et brève, non seulement vous montrez à vos enfants quelles sont les limites à ne pas dépasser, mais vous leur permettez également d'améliorer leurs facultés de négociation. N'hésitez pas à dire non, c'est votre rôle. Et ne sacrifiez jamais votre propre bien-être pour faire plaisir à votre enfant. En vous tenant à ces deux principes, vous leur donnerez le meilleur exemple qui soit. À leur tour, ils apprendront à dire non face aux sollicitations extérieures.

OSER DEMANDER

Un jour, vers l'âge de six ans, ma fille Lauren vint me demander de l'emmener en ville pour lui offrir une bonne madeleine, conformément à notre petit rituel hebdomadaire. Voyant que je m'y refusais, elle commença à plaider sa cause. Un de nos voisins, qui se trouvait là par hasard, intervint aussitôt :

— Laisse donc ton père tranquille, Lauren. Tu vois bien qu'il est occupé. Il ne pourra pas dire non si tu insistes tant.

Du tac au tac, mes trois filles répondirent à l'unisson :

— Bien sûr que si !

Je n'oublierai jamais cet épisode. J'étais vraiment fier de mes filles. Chacune d'elles avait parfaitement compris qu'elle avait toujours le droit de demander, et que j'avais toujours le droit de dire non.

Quand les parents se mettent en quatre pour accéder aux moindres désirs de leurs enfants, ces derniers doivent alors trouver par eux-mêmes jusqu'où ils peuvent aller. Au bout du compte, ils finissent par ne plus oser demander, craignant de dépasser les bornes. De même qu'ils autoriseront leurs enfants à demander davantage, les parents devront s'autoriser eux-mêmes à dire non. Ce que nous résumons, dans notre petite famille, par le proverbe suivant : « Qui ne demande rien n'obtient rien, et qui demande obtient... parfois. »

---

*Qui ne demande rien n'obtient rien,
et qui demande obtient... parfois.*

Une fois que vous avez donné la permission à vos enfants de demander, il vous reste à leur apprendre comment faire. Comme d'habitude, le mieux sera encore de montrer l'exemple.

APPRENDRE À DEMANDER

Comme nous l'avons vu dans le chapitre 3, veillez à agrémenter vos requêtes de « Veux-tu ? », « Voudrais-tu ? », « S'il te plaît », et « Merci ». De même, lorsque vos enfants usent d'un ton autoritaire avec vous, plutôt que de les rappeler à l'ordre, reformulez leur requête à leur place.

Si votre fils de quatre ans vous dit : « Papa, donne-moi ça ! », répondez-lui : « Papa, voudrais-tu me donner ceci ? Volontiers, mon fils. » Et donnez-lui la chose en question comme s'il avait de lui-même employé ces mots.

De même, si votre fille est contrariée et vous dit : « Sors de ma chambre ! », corrigez le tir en disant simplement : « Voudrais-tu me laisser seule, s'il te plaît ? Comme tu voudras, chérie. » Et sur ces mots, quittez la pièce. Ne perdez pas votre énergie à lui dire : « Tu n'as pas à me donner d'ordres. Si tu veux que je sorte, tu me le demandes poliment. » Cette approche ne ferait que provoquer des tensions inutiles.

Croyez-moi, cette méthode vous facilitera considérablement la tâche, et vous évitera des empoignades inutiles. Dites-vous bien que vos enfants font toujours de leur mieux. Lorsqu'ils semblent vous manquer de respect, cela relève souvent de la simple maladresse, voire de l'ignorance. Ne leur faites pas

316

la morale ; contentez-vous de leur montrer l'exemple. C'est en voyant ce qui marche qu'ils prendront de bonnes habitudes. Les enfants ne doivent pas avoir peur de vous adresser la parole, pas plus que la teneur de vos réponses ne doit dépendre de la façon dont ils vous parlent.

QUAND L'ENFANT REÇOIT TROP

Si votre enfant ne semble jamais satisfait de ce qu'il reçoit et qu'il réclame toujours davantage, le diagnostic est clair : vous lui donnez trop. Dans ce cas, la solution est fort simple : pensez un peu plus à vous-même et cessez de vous mettre en quatre pour ses beaux yeux.

Un jour, comme nous faisions des courses dans un supermarché, Lauren eut soudain envie d'un esquimau. J'étais pressé, je devais remplir mon chariot de mille autres choses plus importantes, mais elle insistait. Alors je lui offris sa glace. Une fois aux caisses, elle décida que son esquimau ne l'intéressait plus. Elle voulait autre chose, et sur-le-champ s'il vous plaît. Si j'acceptais, je devais céder ma place dans la file d'attente, et perdre encore un temps précieux. Mais, malgré tout, j'accédai à cette nouvelle demande. En regagnant les caisses, Lauren vit que j'étais contrarié et m'en demanda la raison. Je lui dis, agacé, que je ne supportais pas de perdre mon temps pour des futilités. Elle parut terriblement confuse. Je compris soudain que je me comportais de manière injuste.

Que pouvais-je lui reprocher, après tout ? D'avoir déposé les armes ? Un enfant cherche toujours à aller au bout de ses limites. Il teste, il tente le coup, et tant que ses requêtes sont entendues, il n'a aucune raison de s'arrêter en si bon chemin. Il ne tenait qu'à moi de dire tout simplement non. Je n'avais pas le droit d'en vouloir à ma fille pour une chose que j'avais accepté de faire. Je ne pouvais m'en prendre qu'à moi-même. Ce jour-là, je compris que je ne rendais service ni à ma fille ni à moi-même en faisant toujours don de ma personne. Et qu'elle aurait tout à gagner à se voir signifier clairement ce qu'elle pouvait obtenir, et ce qui restait du domaine de l'impossible.

LES ENFANTS VEULENT TOUJOURS PLUS

Si vous permettez à vos enfants de réclamer davantage, vous verrez qu'ils ne s'en priveront pas. Ils demanderont toujours plus de disponibilité et d'attention que vous ne pourrez leur accorder, au point que vous aurez parfois l'impression de les décevoir, ou de ne pas être à la hauteur de leurs attentes. Mais gardez-vous bien de culpabiliser : ce n'est pas en obtenant systématiquement ce qu'il demande que l'enfant s'épanouit mais au contraire en apprenant à apprécier ce qu'il a déjà.

Après avoir essuyé un refus et fait l'expérience des contraintes et des limites qui s'imposent à lui, l'enfant renoue avec ses besoins premiers. En surmontant sa frustration ou sa colère, selon le processus précédemment décrit, son besoin d'amour reprend le dessus. Dès lors, voyant que l'affection que vous lui portez reste intacte, il comprend que l'on peut être heureux sans obtenir tout ce que l'on désire, et il apprend en outre les vertus de la patience.

Dans ces conditions, évitez de lui mâcher le travail en lui proposant des solutions ou en cédant devant son insistance. Les enfants trop couvés ne font jamais des adultes heureux. Ayez toujours à l'esprit

318

l'exemple du papillon : c'est en luttant pour s'extraire de son cocon qu'il acquiert la force pour s'envoler.

LES ENFANTS DE PARENTS DIVORCÉS

Au fond d'eux-mêmes, tous les enfants voudraient voir leurs deux parents épris l'un de l'autre. Si les couples séparés ont besoin de temps et d'efforts pour surmonter l'échec de leur relation, il en va de même pour leurs enfants. En général, ce travail de deuil ne commence que lorsque papa ou maman se met à fréquenter de nouveaux partenaires.

C'est en voyant son père ou sa mère faire de nouvelles rencontres que l'enfant fait son deuil du divorce de ses parents.

Parfois, les parents divorcés s'interdisent de nouer de nouvelles relations pour ne pas contrarier leurs enfants. Soit parce que ces derniers verraient d'un mauvais œil que leur papa ou leur maman soit « remplacé(e) », soit parce qu'ils se sentent tenus de compenser l'absence de l'ex-conjoint en se montrant présents pour deux. Dans un cas comme dans l'autre, bien que ce sacrifice parte d'un bon sentiment, il mène droit à une impasse. Outre qu'il revienne à céder, ne serait-ce que par anticipation, aux caprices de l'enfant, il empêchera celui-ci de faire cet indispensable travail de deuil. Plutôt que de lui éviter les affres de la privation ou de la déception, aidez-le au contraire à surmonter ses sentiments négatifs.

Si votre enfant refuse que vous fréquentiez de nouvelles personnes, dites-vous que tous les enfants de parents divorcés réagissent ainsi dans les premiers temps suivant la rupture. Mais ne négligez jamais votre propre bien-être. En donnant un second souffle à votre vie sentimentale, vous vous sentirez mieux dans votre peau, ce qui vous permettra d'apporter bien plus à votre enfant. En somme, ce qu'il perdra en termes quantitatifs – vous serez un peu moins disponible – sera largement compensé d'un point de vue qualitatif : un parent heureux fait un enfant épanoui.

LA QUÊTE DU BONHEUR

La quête du plus ou du mieux est le lot commun de l'humanité. L'enfant qui sait à la fois cultiver ses ambitions et apprécier ce qu'il a déjà est paré pour relever les défis de l'existence. Les êtres qui réussissent sont ceux qui savent conjuguer patience et persévérance. Et l'échec ne condamne que ceux qui baissent les bras, tirant un trait sur leurs rêves, leurs attentes et leurs désirs. Avec un cœur ouvert et une volonté à toute épreuve, rien ne pourra arrêter nos enfants.

Les enfants volontaires et décidés ne tomberont jamais dans les bras des tyrans, pas plus qu'ils ne chercheront à écraser les autres. Ayant grandi dans un esprit de coopération, ils sauront obtenir la coopération des autres, ce qui constituera le véritable moteur de leur réussite.

Les enfants qui ont toujours pu réclamer davantage ont les idées larges et des objectifs élevés. Ils voient les choses en grand, et se sentent capables de soulever des montagnes. Ils auront, devenus adultes, des opportunités que nombre d'entre nous ne pouvions même pas espérer.

CHAPITRE 13

On a le droit de dire non, mais ce sont papa et maman qui décident

La liberté est la pierre angulaire de l'éducation positive. Chacun des cinq messages offre à l'enfant la liberté de développer pleinement ses potentialités, et de franchir avec succès les obstacles qui se dressent sur son chemin sans devoir renoncer à ce qu'il est ni à ce qu'il veut.

Résister à l'autorité, c'est se trouver soi-même.

Si, de prime abord, l'éducation positive peut sembler permissive, elle vous permet en réalité de reprendre le contrôle de vos enfants — tout en évitant le recours aux punitions ou aux menaces. Laisser un enfant libre de dire non ne signifie nullement s'en remettre à son bon vouloir : il s'agit en fait d'écouter son point de vue, de le respecter, puis de lui offrir l'occasion de coopérer. Et c'est précisément parce qu'il se sentira entendu qu'il sera plus enclin à vous suivre, même s'il traînait des pieds au départ.

Il y a une grande différence entre *ajuster* ses envies et *renoncer* à ses envies. Dans le premier cas, l'enfant adapte ses aspirations à la volonté de ses parents ; dans le second, il les range dans sa poche et courbe l'échine – et cette forme de soumission a vite fait de briser sa volonté.

Or la volonté est cette arme précieuse qui empêche l'enfant de succomber aux mauvaises influences de son entourage. L'être soumis se fait facilement manipuler et exploiter. Pire, lorsqu'il est convaincu d'être foncièrement mauvais ou incompétent, il peut être littéralement attiré par la maltraitance, pour ce qu'elle lui évitera de devoir s'affirmer tel qu'il est. C'est de cette distinction entre ajustement et renonciation que naît l'opposition coopération-obéissance.

Permettre à l'enfant de ressentir et d'exprimer sa résistance l'aide non seulement à développer sa conscience de soi, mais le rend également plus coopératif. Chaque fois qu'il vous dit non mais que vous tenez bon contre vents et marées, votre obstination lui rappelle que ce sont bien son père et sa mère qui décident – autrement dit, qu'il n'est pas livré à lui-même. Mine de rien, cette prise de conscience est formidablement sécurisante pour lui ; parce qu'il sait que vous voulez son bien, il sera plus enclin à vous imiter et à faire ce que vous lui demandez, sans se sentir en danger ni devoir renoncer à une partie de ce qu'il est.

**L'enfant qui a le droit de résister
est plus facilement contrôlable.**

LE RÔLE MOTEUR DES PARENTS

Pour réussir dans la vie, l'adulte fait appel aux ressources qu'il porte en lui. Citons parmi celles-ci l'amour, la sagesse, l'assurance, l'intégrité, la moralité, la créativité, l'intelligence, la patience et le respect. C'est la somme de ces qualités qui définissent sa conscience, c'est-à-dire aussi bien sa perception du monde que sa notion du bien et du mal. L'enfant qui se sent en phase avec ses parents profite pleinement de leur conscience, laquelle permet d'éclairer et de guider ses propres faits et gestes.

La conscience des parents éclaire et guide les faits et gestes de l'enfant.

Cette conscience « partagée » procure à l'enfant un sentiment de sécurité et de confiance qui l'aide à affirmer sa personnalité, comme à tirer de lui-même les leçons de ses erreurs. Il suffit qu'un adulte se trouve à ses côtés pour que l'enfant se comporte de manière sensée et créative. Vous aurez remarqué que l'enfant apprend toujours mieux lorsqu'il est encadré par un enseignant ou un parent. Ce soutien sera d'autant plus efficace que les liens unissant l'enfant à l'adulte seront forts et harmonieux.

SURMONTER SES ÉMOTIONS NÉGATIVES

Avant l'âge de neuf ans, l'enfant n'est pas capable de raisonner. Dès lors, pour surmonter ses angoisses, il a besoin d'être écouté et rassuré. Si l'enfant qui pleure dans les bras de ses parents est vite consolé, celui qui sanglote dans son coin, sans personne à qui confier sa détresse, ne parvient pas à évacuer son chagrin. Ses problèmes demeurent entiers. Chez l'enfant, le présent et l'avenir se confondent. De lui-même, il est incapable de se dire que ses chagrins seront éphémères, et que demain sera un autre jour.

Si quelqu'un se montre cruel, il imagine que cette personne sera toujours cruelle. Si quelqu'un reçoit plus d'amour que lui, il se dit qu'il en sera toujours ainsi. Pour peu que le journal télévisé parle de cambriolages ou d'agressions, il sera persuadé d'être la prochaine victime sur la liste. Il n'est pas capable de se dire qu'il ne craint rien parce que la porte d'entrée est verrouillée. Dans chacun de ces trois exemples, seuls ses parents pourront le rassurer, après l'avoir écouté attentivement.

Ce n'est pas parce que l'enfant sait imiter et communiquer qu'il est capable de raisonner.

Au temps où je cherchais une bonne école pour mes filles, je me souviens qu'un parent d'élève m'avait dit : « Qu'importe de savoir sur quel genre d'enseignants ou de camarades nos enfants vont tomber. Tôt ou tard, il faudra bien qu'ils apprennent que la vie est une jungle impitoyable. Alors autant qu'ils sachent à quoi s'en tenir dès maintenant. » Si un tel raisonnement peut paraître somme toute avisé, sachez qu'il n'en est rien. Tant qu'ils ne sont pas en âge d'apprécier le monde qui les entoure avec suffisamment de recul, nous devons préserver nos enfants de tout ce que cette société comporte de négatif et de malsain. De la même façon que le fœtus se développe en sécurité dans le ventre de sa mère, ou qu'un jeune arbuste doit être protégé des intempéries, l'enfant de moins de neuf ans doit grandir dans un climat le plus sécurisé possible. Il est faux de croire que l'on prépare nos enfants aux mauvaises expériences en leur infligeant de mauvaises expériences. Il nous appartient au contraire de leur offrir

les meilleures chances de réussite, loin des enseignants médiocres, des influences néfastes, des jour-
naux télévisés, etc.

LE DÉVELOPPEMENT DES FACULTÉS COGNITIVES

Ce n'est qu'à partir de quatorze ans que l'enfant
peut réellement raisonner de manière abstraite et
logique, comprendre et formuler des hypothèses
théoriques, et analyser une situation selon différents
points de vue. Nous autres adultes avons souvent
oublié quelle était notre vision du monde avant que
nous ayons acquis ces facultés. Pour l'enfant, le
monde extérieur regorge de mystères, de menaces et
de dangers. Et les technologies modernes ne font
qu'accentuer cette vision angoissante de la réalité pla-
nétaire, qui nous bombardent d'informations et de
stimulations négatives à longueur de journée.

> *Jamais les enfants n'ont été à ce point*
> *bombardés d'informations*
> *et de stimulations négatives.*

Dès qu'un enfant est enlevé, violé, ou assassiné
quelque part dans le monde, l'histoire s'affiche à la
une de tous les médias. Quand elle parvient jusqu'aux oreilles ou aux yeux de nos enfants, c'est
comme si le drame était survenu dans leur immeuble.
Ils se disent que la même chose pourrait très bien
leur arriver. Une surexposition aux malheurs du
monde peut s'avérer très néfaste ; à terme, et par
simple réaction de défense, l'enfant finit par refouler
sa sensibilité naturelle, et tend à croire que ses
parents ne peuvent pas faire grand-chose pour lui.

> *Une surexposition à la violence tend à banaliser les choses les plus abjectes.*

Jamais les enfants n'ont été à ce point soumis à l'étalage des atrocités du monde. Même les adultes ont aujourd'hui du mal à faire face à toutes ces nouvelles horribles qui affluent des quatre coins de la planète, alors qu'ils sont les mieux armés pour les relativiser. Dès lors, tout ce que vous pourrez faire pour épargner à vos bambins ce sinistre spectacle sera le bienvenu.

LE BESOIN D'ÊTRE RASSURÉ

Tant qu'il n'est pas en mesure de tenir des raisonnements logiques, l'enfant a constamment besoin d'être rassuré. Car il a vite fait de se laisser miner par des conclusions ou des croyances erronées. En voici quelques exemples :

• Quand l'enfant ne se sent pas aimé, il se dit qu'il ne le sera jamais.
• Pour lui, un objet perdu l'est pour toujours, et ne sera jamais remplacé.
• S'il ne peut obtenir un biscuit tout de suite, il croit qu'il ne l'obtiendra jamais.
• Quand ses parents s'en vont, il se dit qu'ils ne reviendront peut-être jamais.

Ce n'est pas avec des arguments rationnels que vous couperez court à ces angoisses, mais en faisant preuve d'écoute et de compréhension. En lui montrant que vous le comprenez et que vous compatissez à ses craintes, vous lui transmettrez un message rassurant.

---

*Ce n'est pas avec des arguments, mais
par l'écoute que l'on peut rassurer un enfant.*

L'enfant se sent rassuré quand vous parvenez à créer un climat de complicité. Parce qu'il vous fait confiance, il s'en remet à votre propre expérience de la vie, et il suffit alors de lui dire que tout ira bien pour que l'affaire soit entendue.

LA MÉMOIRE DU JEUNE ENFANT

Jusqu'à l'âge de neuf ans environ, l'enfant est capable de mémoriser des mots, des pensées, et des actions concrètes, mais cela procède davantage de la répétition et du mimétisme que d'un véritable raisonnement. Vivant dans le présent, l'enfant est incapable de prendre des décisions en prévision du futur. Aussi sera-t-il illusoire, par exemple, de lui demander de penser à emporter un casse-croûte pour ne pas être affamé à l'école. Il n'est pas encore capable d'anticiper les événements, ni de réfléchir en termes de causes et d'effets. Dans notre exemple, contentez-vous de lui dire de prendre son sandwich, en gardant vos explications logiques pour vous.

On ne peut attendre d'un enfant qu'il se souvienne de tout ce qu'on lui dit. La terrible phrase : « Comment as-tu pu oublier ? » n'a jamais lieu d'être prononcée. Car l'enfant n'oublie pas : il ne mémorise pas au départ. Autrement dit, les seuls à avoir oublié quelque chose, dans cette histoire, ce sont bien les parents, qui auront oublié ce qu'ils étaient en droit d'attendre d'un enfant de moins de neuf ans.

LES DEUX CONSÉQUENCES DE LA PERTE DE CONTRÔLE

Quand l'enfant ne reçoit pas suffisamment de soutien ou d'écoute, et que le lien de complicité qui l'unit à ses parents se trouve affaibli, il ne répond plus à son instinct naturel de coopération. Ayant l'impression d'être livré à lui-même, et de devoir se débrouiller seul avec ses problèmes et ses tourments, il tombe dans l'un des deux travers suivants : la fuite en avant – surtout chez les garçons – ou le repli sur soi – plus fréquent chez les filles.

> *D'une manière générale, lorsqu'ils sont livrés à eux-mêmes, les garçons pratiquent la fuite en avant, tandis que les filles se replient sur elles-mêmes.*

Le garçon aura tendance à devenir turbulent, dissipé et réfractaire à l'autorité, ce qui le rendra vulnérable aux mauvaises influences de son entourage. Échappant à la protection de ses parents, il se laissera entraîner par des camarades encore plus rebelles que lui. Son hyperactivité et ses angoisses insurmontables l'attireront vers des comportements agressifs et violents, seul ou en groupe. Le sexe et la drogue exerceront sur lui un pouvoir de fascination, ses résultats scolaires seront en chute libre, et il se désintéressera des activités familiales. Il va sans dire que cet engrenage infernal l'empêchera de développer pleinement ses potentialités...

Les filles, de leur côté, intérioriseront plutôt ce sentiment d'abandon. Elles perdront foi en l'avenir et se mettront à douter d'elles-mêmes, parfois jusqu'à se haïr. Désespérant de trouver du réconfort auprès de leurs parents, elles se tourneront vers les garçons et useront de leur sexualité pour attirer leur attention et se revaloriser.

Au contraire des garçons qui deviennent agités et perdent leurs facultés de concentration, les filles feront une fixation sur leurs défauts et leurs faiblesses. Ne parvenant à s'accepter telles qu'elles sont, elles se réfugieront dans la boulimie, les commérages, les crasses entre copines, la drogue, les relations bancales, et seront particulièrement exposées aux risques de grossesse précoce, de dépression et de suicide.

LES CYCLES DE NEUF ANS

L'enfant doit accomplir trois cycles de neuf années pour atteindre la maturité qui fera de lui un adulte équilibré et épanoui. Durant les neuf premières années de sa vie, l'enfant grandit dans un climat de confiance, en totale dépendance vis-à-vis de ses parents. Au cours des neuf années suivantes, il apprend peu à peu à compter sur lui-même et à prendre ses propres décisions. Et ce n'est que dans la troisième période, qui va de ses dix-huit à ses vingt-sept ans, qu'il devient parfaitement autonome.

Dans la première phase, les parents doivent assumer d'un bout à l'autre tout ce que fait ou dit leur enfant. Dans la seconde, la tâche est un peu plus ardue : il s'agit de conserver son ascendant sur le (pré)adolescent et l'adolescent, tout en lui accordant une marge de manœuvre de plus en plus grande. L'enfant n'acquiert confiance en lui que s'il a l'occasion de faire ses preuves et de prendre ses responsabilités. Sachez cependant qu'il commettra inévitablement des erreurs : tout apprentissage se fait par tâtonnements.

Les préadolescents et les adolescents ont besoin de marges de manœuvre pour acquérir le sens des responsabilités.

Dans la troisième phase, après que l'enfant a atteint ses dix-huit ans, les parents doivent se mettre en retrait et le laisser assumer l'entière responsabilité de ses choix. Pour autant, vous êtes toujours tenus de lui apporter votre aide jusque dans sa vingt-septième année. Mais ce soutien n'a de sens que si c'est lui qui vous en fait la demande. Vos conseils, votre argent ou votre toit seront les bienvenus à condition qu'ils correspondent à ses attentes. Le temps n'est plus à vous faire du mauvais sang pour cet enfant-là. Au contraire, il a désormais besoin de gagner votre admiration, de voir ses efforts reconnus et encouragés. Il prendrait votre inquiétude pour un manque de confiance, voire un signe de désaveu ou de désapprobation. Les parents qui voudraient profiter de cette période pour rattraper leurs erreurs passées, en imposant leur aide financière ou morale, ne feraient que nourrir le ressentiment de l'enfant.

LE DÉVELOPPEMENT DE LA RESPONSABILITÉ

Dans les neuf premières années de sa vie, le devenir de l'enfant repose entièrement sur le soutien de ses parents. En l'absence d'un contrôle parental de tous les instants, il est en quelque sorte contraint de grandir trop vite, ce qui le fait passer à côté de l'essentiel. Car il ne peut acquérir cette nécessaire confiance en soi que s'il a pu compter sur ses parents auparavant.

L'enfant peut être comparé à un apprenti funambule face à une corde raide. Il ne mettra jamais un pied devant l'autre s'il doit d'entrée de jeu se risquer à vingt mètres au-dessus du vide. Il doit y aller progressivement, en commençant par s'entraîner sur un fil tendu à quelques centimètres du sol. Puis, à mesure qu'il acquerra la technique nécessaire, on pourra rehausser la corde, en installant un filet de sécurité. Sans filet, le funambule n'osera pas se risquer à nouveau dans les airs. Il a besoin de savoir que ses faux pas ne seront pas fatals.

L'enfant ne progresse que s'il se sent en sécurité. Il conquiert son indépendance et son autonomie lorsqu'il sait qu'il peut compter sur le soutien total de ses parents. Tant que ces derniers ne lui signifient pas clairement qu'ils ont la situation en main, l'enfant se croit responsable de tout ce qui lui arrive. L'enfant est égocentrique, au sens propre du terme : incapable de voir la vie sous un autre point de vue que le sien, il se considère comme le centre du monde. Quand il se sent aimé, il se dit que c'est parce qu'il le mérite, que c'est lui qui amène les autres à l'aimer. De même, il pense toujours que c'est sa faute si d'autres ne l'aiment pas.

_____

***Les enfants se croient facilement responsables
de tout ce qui leur arrive.***

_____

Quand ses parents sont de mauvaise humeur, semblent contrariés, ou se chamaillent, l'enfant croit toujours qu'il en est l'unique fautif. Tant que ses parents n'assument pas l'entière responsabilité de leurs tracas, en expliquant à l'enfant qu'il n'y est pour rien, il se sent forcément coupable.

_____

***Il suffit que ses parents soient
de mauvaise humeur ou se disputent
pour que l'enfant se sente fautif.***

_____

331

Si vous ne pouvez vous empêcher de vous prendre le bec avec votre conjoint, faites-le dans une autre pièce, en toute discrétion. Ne mêlez pas vos enfants à des problèmes qui ne les concernent pas. Veillez au contraire à toujours donner une bonne image de vous-même. Car pour que l'enfant accepte, et en vienne à apprécier la mainmise de ses parents, encore faut-il que ceux-ci soient capables de se contrôler eux-mêmes.

RESPECTER LA FRONTIÈRE GÉNÉRATIONNELLE

Par définition, parents et enfants appartiennent à deux générations distinctes. La frontière qui les sépare doit être strictement respectée. Elle peut être assimilée à une sorte de ligne rouge qu'aucune des deux parties ne doit jamais franchir. Au-dessus se trouve le champ de la responsabilité et du contrôle. En dessous, celui de la dépendance.

Tant que les parents se montrent calmes, posés, attentionnés, compréhensifs et respectueux, ils sont maîtres d'eux-mêmes et restent au-dessus de la ligne. Leurs enfants, qui demeurent en dessous, peuvent alors s'appuyer sur leurs ressources et leur conscience pour approfondir à leur tour ces qualités qu'ils portent depuis la naissance, à savoir le respect, la coopération, la tolérance, l'indulgence, l'autodiscipline, le partage, l'amour, la persévérance, et l'ouverture d'esprit.

En revanche, des parents qui se conduisent de manière irresponsable – l'un envers l'autre, vis-à-vis de leur entourage ou à l'égard de leurs enfants – n'ont plus rien à enseigner à quiconque. Incapables de se contrôler, ils repassent sous la ligne rouge. Dès lors, l'enfant n'a d'autre choix que de la franchir à son tour, pour rejoindre le champ de la responsabilité, bien obligé d'admettre qu'il ne peut décidément compter que sur lui-même.

De fait, les parents irresponsables obligent leurs enfants à grandir trop vite.

L'enfant qui se retrouve livré à lui-même passe en « mode de survie ». Il devient son propre parent. Mais en accédant prématurément à ce statut d'adulte, il laisse de côté certains aspects essentiels de son processus d'évolution. Ainsi n'apprend-il jamais à maîtriser et à surmonter ses émotions négatives ou ses désirs insatisfaits. Il apprend seulement à les refouler, car c'est pour lui le seul moyen de s'en sortir seul.

Il en va de même pour les enfants négligés ou abandonnés. Un enfant qui quitte le domicile familial à l'âge de douze ans démarre dans la vie avec de nombreuses lacunes. Il ne saura pas gérer ses émotions et son stress, aura du mal à demander de l'aide, à se confier à l'être aimé, et à entretenir des relations affectives durables. Même s'il accède à une certaine réussite, il lui manquera toujours quelque chose.

Pour que nos enfants deviennent des adultes épanouis et équilibrés, ils ont besoin de rester dix-huit ans durant en dessous de la ligne rouge qui les sépare de leurs parents. À aucun moment ne devront-ils avoir l'impression que l'autorité de leurs parents leur fait défaut.

DIVORCE ET FRONTIÈRE GÉNÉRATIONNELLE

Deux parents ne sont jamais de trop pour prendre soin d'une petite famille. Quand l'un deux vient à manquer, suite à une séparation, à un divorce, ou tout simplement parce qu'il aura « démissionné » de

333

son rôle de parent, les enfants ont tendance à franchir la ligne rouge pour soutenir et réconforter le conjoint blessé.

Mais c'est parfois ce dernier qui pousse son enfant à franchir cette ligne de démarcation, en voulant faire de lui son confident. Comme nous l'avons vu plus haut, ce scénario est à écarter. Le soutien psychologique doit être recherché auprès d'autres adultes, et non auprès de ses enfants.

Le soutien psychologique doit être recherché auprès d'autres adultes, et non auprès de ses enfants.

Voilà en outre pourquoi il est recommandé de refaire sa vie après avoir connu l'échec d'un divorce[1]. Il n'est jamais bon de compter sur ses enfants pour remplir son existence. Si le réflexe de se tourner spontanément vers ses enfants est compréhensible, il leur fait porter un lourd poids qui les empêche de grandir dans de bonnes conditions. Il les pousse à assumer trop de responsabilité trop tôt, ce qui provoque par la suite les symptômes classiques de ceux qui ont été privés d'enfance. En voici quelques exemples :

• Les enfants sensibles auront tendance à se dresser en victimes, et seront incapables de parvenir à leurs fins.
• Les enfants expansifs feront de parfaits courtisans, prêts à taire leurs aspirations pour satisfaire celles des autres.
• Les enfants réceptifs deviendront soumis, passifs, et perdront leur créativité.

---

1. Voir *Mars et Vénus refont leur vie*, paru aux éditions Michel Lafon en 1999.

- Les enfants actifs seront bûcheurs, mais autoritaires, acariâtres, et méprisants.

Quand les parents se montrent assez responsables pour rester au-dessus de la ligne rouge, ils permettent à leurs enfants de s'épanouir dans les meilleures conditions. Ils n'échapperont pas aux colères et aux bêtises, mais ils leur auront appris à surmonter leurs difficultés en leur épargnant celles des autres.

Cette prise de conscience devrait délivrer de nombreux parents célibataires de cette culpabilité qui les empêche de faire de nouvelles rencontres. Même si cela suscite, au début, quelques grincements de dents chez vos enfants, au moins vous leur montrerez que vous avez votre propre vie à mener, et que vous avez besoin de tierces personnes pour assouvir vos besoins d'amitié, de compagnie, d'échange, d'amour et de plaisir. Par ce simple message, vous leur ôterez en fait un énorme poids.

CONTRÔLER LES (PRÉ)ADOLESCENTS

Avec un adolescent, il est encore moins évident de trouver le juste milieu entre liberté et autorité. Les droits que vous lui accordez, que ce soit en matière de télévision, de téléphone, d'activités extra-scolaires, de langage, d'alimentation, de travail scolaire, de sorties, de fréquentations, de sexualité, de corvées, d'argent ou de bonnes manières, n'obéissent à aucune règle ou référence prédéfinie. Ce n'est qu'à force de tentatives et d'ajustements, de communication avec le jeune et d'échanges avisés avec d'autres parents ou enseignants, que vous parviendrez — ne serait-ce que provisoirement — à un point d'équilibre.

Si l'adolescent aspire, à juste titre, à toujours plus de liberté, les cinq techniques vous permettent, malgré son âge, de toujours reprendre le contrôle. Un enfant de seize ans qui vous défie ou vous manque de respect aura besoin d'un bon temps mort pour comprendre qu'il ne peut pas tout se permettre. Mais attention : ce n'est pas parce que votre enfant est plus mûr que vous pouvez revenir aux menaces, aux punitions, ou aux sermons. Les meilleurs outils pour vaincre la résistance d'un adolescent seront les récompenses et les directives.

Tant qu'ils vivent sous votre toit,
vos enfants ont besoin que vous soyez les chefs.

Les adolescents, comme les plus jeunes, ont besoin d'être encadrés. Même lorsque vous n'êtes pas physiquement présents à leurs côtés, il leur suffit de savoir que vous connaissez le programme de leur journée pour qu'ils se sentent en phase avec votre autorité. Mais ce lien précieux tend à s'effilocher lorsque les adolescents deviennent plus indépendants, qu'ils cessent peu à peu de se confier sur certains aspects de leur existence, tels que leur vie à l'école. D'où l'importance de rester au fait de leurs activités quotidiennes, en tâchant de vous y impliquer au maximum.

INTÉRESSEZ-VOUS À LEUR VIE SCOLAIRE

Après une question du style : « Comment s'est passée ta journée ? », ne vous attendez pas à ce que l'adolescent vous fasse un long discours. Tâchez plutôt de lui poser des questions précises, ciblées, qui montreront que vous êtes à la page de ses fréquentations, de ses cours et de son emploi du temps

336

– autant de signes qui l'inciteront plus facilement à se confier. Pour cela, ne faites pas l'impasse sur les réunions de parents d'élèves, et tâchez, autant que faire se peut, de participer aux activités de la communauté scolaire. Votre ascendant sur l'adolescent sera d'autant plus fort et équilibré que celui-ci n'aura pas lieu de vous croire « ringard » ou « à côté de la plaque ». Voici quelques exemples de questions ou de remarques éclairées :

- Ton exposé de sciences naturelles avance bien ?
- Comment s'est passé l'entraînement de foot ?
- Jessica a-t-elle été gentille aujourd'hui ?
- Comment ton professeur a-t-il jugé ta dernière dissertation ?
- Je te félicite pour ta note en mathématiques.

En lui montrant que vous vous intéressez de près à son quotidien, vous entretiendrez une formidable complicité qui le préservera des mauvaises influences de son entourage.

GAGNER LE SOUTIEN D'AUTRES PARENTS

Tant que vous ne partagerez pas votre expérience de l'éducation avec d'autres couples de parents, vos enfants détiendront trop de pouvoir. Ils se plaindront, par exemple, d'être les seuls de leur classe à devoir rentrer chez eux pour vingt-trois heures, et vous vous sentirez obligés de lâcher du lest, ignorant que la plupart de ses copains sont en réalité tenus au couvre-feu de vingt-deux heures. C'est en communiquant avec des parents confrontés aux mêmes enjeux et défis que les vôtres que vous parviendrez à fixer les règles et les limites les plus appropriées.

N'hésitez pas à constituer avec les parents de votre quartier un cercle de discussion mensuel, s'appuyant sur les préceptes de cet ouvrage, qui vous permettra de confronter vos expériences respectives et de nourrir la réflexion de chacun. Les parents qui se sentent isolés se compliquent inutilement la tâche. De même que vos enfants ont besoin de soutien et d'attention, vous avez également besoin de l'appui de vos pairs.

L'union fait la force, et c'est en ayant l'occasion de partager vos convictions et vos révélations que vous saurez au mieux mettre en œuvre les cinq messages de l'éducation positive.

Mettre les cinq messages en pratique

Chaque enfant possède une sorte de moteur interne. Quand nous l'actionnons, l'enfant se souvient qu'il est enclin à coopérer et qu'il cherche par-dessus tout à faire plaisir à ses parents. Les techniques et les messages de l'éducation positive constituent le carburant de ce moteur. En l'alimentant continuellement, nous obtenons le contrôle nécessaire pour guider nos chères têtes blondes qui, rappelons-le, progressent essentiellement à force de coopération et de mimétisme, quel que soit leur âge.

Quel que soit leur âge, les enfants progressent essentiellement à force de coopération et de mimétisme.

L'éducation positive fonctionne même avec ceux qui n'auront pas précédemment grandi dans l'esprit des cinq messages. Il n'est jamais trop tard pour devenir de bons parents et amener ses enfants sur le chemin de la coopération, afin qu'ils puissent donner le meilleur d'eux-mêmes.

LA RELATION MÈRE-FILLE

Les relations entre une mère et sa fille sont souvent les plus tendues et les plus complexes, notamment parce que la première persiste à vouloir régenter les moindres faits et gestes de la seconde. Sans s'en rendre compte, les mères ont tendance à étouffer leurs filles en prétendant régir leur vie avec force conseils et jugements. De plus, au moment de l'adolescence, de nombreuses filles font payer à leur mère le prix d'une trop grande soumission dans leurs jeunes années.

Quand une adolescente défie l'autorité de sa mère ou en vient à se rebeller, les cinq techniques permettent de gérer la situation sans recourir aux cris, aux ordres, aux confidences, au chantage affectif, aux menaces ou autres punitions.

LA RELATION PÈRE-FILLE

Les pères font souvent souffrir leurs filles en les abreuvant de solutions toutes faites sans chercher à en savoir plus. Les hommes ont bien du mal à comprendre que la gente féminine éprouve le besoin de se confier même lorsqu'elle n'a pas besoin d'aide. Ils semblent considérer que leur rôle est avant tout de jouer les dépanneurs de service, là où leurs filles ne demandent souvent qu'une oreille attentive.

Les pères étant souvent en première ligne pour subvenir aux besoins du foyer, ils sont moins disponibles pour les petites choses du quotidien. Ce que les filles prennent souvent pour un signe d'indifférence. Quels que soient les efforts d'un père pour assurer le confort matériel de sa progéniture, une fille retiendra facilement certains petits détails, comme le fait qu'il n'ait même pas remarqué sa nouvelle coupe de cheveux ou sa jolie robe.

Pour se rapprocher de leurs filles, les pères devront commencer par apprendre à les écouter, à leur poser des questions ouvertes, et à laisser leurs bons conseils dans leur boîte à outils.

LA RELATION MÈRE-FILS

Les mères se mettent facilement leurs fils à dos en leur donnant trop de consignes, puis en cédant à leurs caprices pour éviter les conflits. Puis elles se plaignent de ne jamais être entendues. D'une manière générale, les garçons aspirent à davantage d'indépendance et d'espace que les filles. Ils veulent prouver qu'ils sont capables de se débrouiller comme des grands. Les conseils et les coups de main intempestifs sont vite perçus comme un manque de confiance qui, à terme, les pousse à ne plus écouter leurs parents.

D'une manière générale, les garçons aspirent à davantage d'indépendance et d'espace que les filles.

Les mères usent souvent de leurs émotions négatives et de longs sermons pour contrôler leurs fils. Ce faisant, elles ne font que les éloigner davantage. Quand un garçon refuse de faire ce qu'on lui demande, il faut avoir le courage de le laisser rouspéter, puis de lui imposer un temps mort. Baisser les bras ou attendre que papa soit rentré pour lui faire part du problème revient à abdiquer tout pouvoir.

Qui plus est, la façon dont le père se comporte avec sa femme influe sensiblement sur l'attitude du fils vis-à-vis de sa mère. Lorsque maman doit s'y reprendre à plusieurs fois pour que papa daigne passer à table, le fils s'autorise naturellement la même désinvolture. L'enfant apprend en imitant. Il prend toujours modèle sur ses parents. C'est en outre la raison pour laquelle les disputes conjugales ou les reproches envers le conjoint ne doivent jamais parvenir aux oreilles des enfants. En se plaignant devant son fils de ne jamais être écoutée par son mari, une mère lui signifierait, sans s'en rendre compte, que son enfant peut à son tour lui manquer de respect.

LA RELATION PÈRE-FILS

Les liens entre pères et fils se nouent le plus fortement dans l'action. En faisant des choses avec lui, le garçon a l'occasion de gagner l'estime, l'admiration, et l'assistance de son père. S'ils n'ont pas forcément besoin de beaucoup parler, un père et son fiston ont en revanche besoin de contacts privilégiés. Pour ce faire, le père devra éviter de se montrer trop critique ou exigeant : le garçon a besoin de se sentir apprécié tel qu'il est, avec ses qualités et ses défauts, ses forces et ses faiblesses.

Le père devra éviter de se montrer trop critique ou exigeant à l'égard de son fils.

Le garçon raisonne plus spontanément en termes d'objectifs et de résultats. En cas d'échec, il doit pouvoir se confier à son papa sans craindre d'être jugé et avec l'assurance que ce dernier considérera toujours qu'il a fait de son mieux. Le père devra éviter d'expliquer systématiquement à son fils comment il aurait dû s'y prendre. Tous les enfants sont différents et suivent leur propre rythme d'apprentissage.

En revanche, il est souhaitable que le père souligne et encourage les efforts et les réussites de son fils.

Quand un père renonce à punir, il rend possible une relation très riche avec son fils. Car ce dernier se sent alors libre de solliciter ses conseils et de suivre son exemple durant toutes les années qu'ils passent sous le même toit.

L'AIR DE RIEN, LES ADOLESCENTS APPRÉCIENT LES LIMITES

Le statut de chef n'est pas compatible avec celui de meilleur copain. Ils vous arrivera de dire non, et les règles que vous fixerez ne feront pas toujours plaisir à vos adolescents. Sachez pourtant qu'au fond d'eux-mêmes, ils apprécieront de se voir imposer des limites. Ne serait-ce que parce qu'elles leur offriront d'excellents arguments pour résister à la pression et aux tentations de leur entourage. De même qu'ils n'hésiteront pas à vous égratigner auprès de leurs amis – c'est la loi du genre –, ils pourront arguer d'un interdit pour décliner les sollicitations douteuses.

Les interdits que vous édicterez permettront à vos enfants de résister aux pressions de leur entourage.

Dans un sens, ils n'auront pas tort de dire qu'ils s'attireront des ennuis s'ils bravent vos interdits. Ce n'est pas parce que vous aurez renoncé à les punir qu'ils auront carte blanche pour faire n'importe quoi. Leur bien le plus précieux étant la liberté que vous leur accordez, vous n'hésiterez pas à revenir sur leurs privilèges s'ils devaient s'en montrer indignes.

Comme dans l'exemple du couvre-feu cité précédemment, vous pourrez procéder à quelques ajustements temporaires, le temps que l'adolescent ait de nouveau apporté la preuve qu'il sait se conduire de manière responsable. Toutefois, n'oubliez pas que ces ajustements restrictifs ne doivent être employés qu'en dernier ressort, après l'échec avéré des autres approches, et qu'ils ne doivent en aucun cas être conçus comme des punitions.

Si les punitions sont toujours exclues, certains ajustements sont parfois nécessaires.

Pour garder le contrôle de vos enfants, l'idéal serait de savoir à tout moment où ils se trouvent, avec qui, pour quoi faire, et sous la surveillance de qui. Seulement, les adolescents eux-mêmes ne savent pas toujours ce qu'ils vont faire dans l'heure qui suit. Leurs sorties n'obéissent pas toujours à un but précis. Peu importe où ils atterrissent : du moment qu'ils sont entre copains, ils sont contents. S'ils ont leur permis de conduire, ils peuvent très bien se satisfaire de rouler au hasard des rues, sans destination particulière. D'où l'impossibilité réelle de les « suivre à la trace ».

Pour remédier à ce problème, à vous de faire preuve d'imagination. Vous pouvez par exemple demander à votre enfant de vous appeler à vingt-deux heures précises, ou bien de se munir d'un beeper ou d'un téléphone portable. Et s'il s'y refuse, avancez l'heure du couvre-feu jusqu'à ce qu'il s'y tienne pour de bon.

Même si les adolescents protestent facilement contre ces contraintes ou ces restrictions, en réalité ils sont plutôt rassurés de voir que vous gardez toujours le contrôle de la situation et que vous vous souciez de leur sécurité. L'adolescent qui peut joindre ses parents à tout moment pour leur dire ce qu'il fait, leur demander un conseil, se confier, ou même les appeler au secours sera moins exposé aux conduites à risques et à la toxicomanie.

COMMENT RÉAGIR QUAND VOTRE ENFANT SE DROGUE

Si votre enfant est pris en train de se droguer ou que vous le soupçonnez de le faire malgré ses démentis, tournez-vous vers les tests de dépistage, et faites comprendre à votre enfant que vous pourrez les lui administrer à n'importe quel moment. Le risque de se faire prendre en flagrant délit sera fortement dissuasif et l'aidera à dire non aux sollicitations de son entourage.

S'il s'avère que votre enfant se drogue, il ne sert à rien de le priver de sortie. Vous ne pourriez que l'inciter à vous tourner le dos. Vous deviendriez son ennemi, à un moment où il a le plus besoin d'aide. Privilégiez au contraire la voie du dialogue. Et plutôt que lui expliquer pourquoi il a tort, posez-lui une série de questions plus pertinentes, telles que :

- À ton avis, pourquoi suis-je contre le fait que tu te drogues ?
- Comment vois-tu les choses ?
- Quelle expérience as-tu de la drogue ?
- Que sais-tu des effets de la drogue sur l'organisme ?
- Qu'en penses-tu ?
- Que puis-je faire pour t'aider à ne pas consommer de drogue ?
- Qu'aimerais-tu que je fasse ?

En l'incitant à parler, vous cernerez mieux son état d'esprit. Et le fait de se sentir écouté forcera son respect. Un enfant qui se sent accepté et compris, même s'il ne partage pas les idées de ses parents, finit toujours par se ranger à leur volonté. Ne lui en déplaise, il finit toujours par coopérer.

QUAND VOTRE ENFANT VOUS MANQUE DE RESPECT

Une mère me demanda un jour combien de temps elle devait priver de sortie sa fille de seize ans pour lui avoir tenu des propos inadmissibles. Elle voulait savoir si deux semaines de réclusion étaient une sanction excessive ou pas. Quand je lui proposai de lui donner un simple temps mort, elle me jura ses grands dieux que cela ne serait d'aucun effet, vu qu'elle n'avait jamais procédé ainsi. Mais j'insistai, en soulignant que l'on ne devait jamais punir ses enfants. Ayant elle-même été élevée dans la peur et les punitions, elle ne connaissait pas d'autre méthode. Mais le moment était venu de tourner la page. Je lui expliquai par ailleurs que si sa fille se permettait de lui lancer des noms d'oiseaux à la figure, c'était simplement qu'elle échappait à son contrôle et qu'un bon temps mort lui rappellerait que ce sont ses parents qui décident. Pour un début, je lui suggérai d'en allonger sensiblement la durée. Ainsi, la prochaine fois que sa fille lui manquerait de respect, elle pourrait lui imposer un temps mort de deux heures – au lieu des seize minutes normalement requises pour son âge. Bien que sceptique, cette dame accepta de tenter le coup.

Pour que l'adolescent se montre respectueux à votre égard, il vous suffit de reprendre le contrôle.

Quelques jours plus tard, lorsque sa fille vint de nouveau à lui manquer de respect, la mère conserva son sang-froid et lui dit simplement :

346

— Je n'admets pas que tu me parles sur ce ton. Je suis ta mère, et tu dois me respecter. Aussi je veux que tu prennes un temps mort. Tu vas monter dans ta chambre et tu n'en sortiras que dans deux heures. Et je t'interdis de passer des coups de fil à tes amis pendant ce temps-là.

Elle fut surprise de voir sa fille monter sur ses grands chevaux :

— Comment oses-tu me dire ce que je dois faire ? Tes temps morts, tu peux te les garder ! Je te déteste !

Sa fille étant trop grande pour se faire emmener de force, la mère se contenta de réitérer ses instructions. L'adolescente finit par gagner sa chambre, furieuse, en proférant des insultes et en donnant des coups de pied dans le mur. La mère doutait fort que deux petites heures puissent suffire à enrayer tant d'animosité. Et pourtant, au bout des deux heures imparties, sa fille ressortit calmement de sa chambre et vint lui présenter ses excuses.

Si cette approche a si bien fonctionné, c'est parce que cette mère a réaffirmé son autorité sur sa fille. L'adolescente a ainsi pu reprendre conscience des liens qui l'unissent à ses parents, là où une privation de sortie n'aurait fait que jeter de l'huile sur le feu.

LA PERMISSION DE S'EXPRIMER LIBREMENT

Vers l'âge de douze ans, ma fille Lauren se mit à dire des gros mots. Chaque fois, je la reprenais en lui demandant de parler poliment. Jusqu'au jour où elle choisit de me tenir tête :

— Toi aussi, il t'arrive de dire des gros mots. Alors pourquoi pas moi ?

Je lui répondis qu'en tant qu'adulte je savais dans quelles situations je pouvais me permettre ces écarts de langage, ce dont elle n'était pas encore capable à son âge. Mais elle ne l'entendait pas de cette oreille. Tous ses camarades juraient dans la cour de récréation et elle ne voyait pas pourquoi elle n'en ferait pas autant à la maison. En parfaite préadolescente assoiffée de liberté, elle voulait me défier :

— Je refuse d'arrêter.

— J'ai bien compris que tes petits camarades employaient des gros mots, mais je te dis que ce n'est pas bien.

— De toute façon, tu ne pourras pas m'en empêcher.

— Je ne peux certes pas t'en empêcher quand je ne suis pas là, mais je peux t'empêcher de le faire devant moi. Je ne veux entendre que de jolis mots dans ta bouche.

— Et si je refuse ? Qu'est-ce que tu vas faire ?

— Je te demanderai d'arrêter et de surveiller ton langage.

— Et si je refuse malgré tout ?

— Si tu continues, tu devras purger un temps mort.

La discussion s'arrêta là. Nous restâmes quelque peu en froid le reste de la soirée, mais tout rentra dans l'ordre dès le lendemain.

Quelques jours plus tard, dans la voiture, Lauren recommença à jurer en évoquant une personne qu'elle détestait. Ma réponse fut la même :

— Je ne veux pas que tu parles comme ça devant moi.

— Mais c'est si dur de s'en empêcher, répondit-elle. Tous mes copains le font. C'est plus fort que moi. Parfois, il faut que ça sorte.

— Écoute, voici ce que je te propose. Je veux que tu fasses de ton mieux pour rester polie en ma présence. Si, exceptionnellement, tu sens que ça te démange, que tu dois à tout prix dire des gros mots pour soulager ton cœur, je veux bien que tu le fasses mais à une seule condition : que tu m'en demandes l'autorisation. Te souviens-tu, dans *Star Trek*, comment l'équipage demandait au capitaine Kirk la permission de parler librement ? Eh bien, nous allons faire pareil. Tu me poses la question, et je te dis si le moment est bien choisi pour parler ainsi.

Cette méthode a fonctionné à merveille. Quand Lauren meurt d'envie de dire des choses vulgaires ou méchantes, elle me demande à l'oreille : « Je peux parler librement ? » et je lui donne le feu vert si les circonstances le permettent. De cette manière, elle a appris à contrôler ses émotions et à surveiller son langage en société.

PRENDRE DES DÉCISIONS

Une autre façon de perdre le contrôle de ses enfants consiste à leur laisser une trop grande liberté de choix. Avant l'âge de neuf ans, une forte indépendance peut se révéler déstabilisante pour l'enfant. N'étant pas en mesure d'admettre et d'assumer pleinement les conséquences de ses erreurs, il se met à douter de lui-même, la vie lui fait peur, et il a toutes les chances de devenir un adulte indécis ou instable sur le plan affectif.

Si l'enfant doit pouvoir à tout moment confier ses sentiments, envies, désirs et besoins, il n'en reste pas moins que c'est à vous de prendre les décisions, au moins jusqu'à ce qu'il atteigne sa puberté.

Jusqu'à l'âge de neuf ans, l'enfant ne doit pas être livré à ses propres choix.

En demandant directement à votre enfant ce qu'il veut ou ce qu'il ressent, vous pourrez lui donner l'impression que c'est lui qui décide, même si telle n'est pas votre intention. Redoublez d'efforts et d'attention pour écouter votre enfant, mais ne lui posez pas de questions directes. Laissez-le venir à vous, ou montrez-lui que vous le comprenez sans avoir à lui poser des questions. Par exemple, dites « Je vois que tu es déçu de ne pas aller au parc » plutôt que « Tu n'es pas trop déçu de ne pas aller au parc ? ». Ainsi, il se sentira compris sans pour autant avoir l'impression de prendre le pouvoir.

LES CYCLES DE SEPT ANS

Durant les sept premières années de sa vie, l'enfant développe une conscience de soi basée exclusivement sur sa relation avec ses parents (ou avec la personne qui s'occupe de lui). De sept à quatorze ans entrent également en ligne de compte ses rapports avec ses frères et sœurs, ses copains, et la famille au sens large. Dans la troisième phase (entre quatorze et vingt et un ans), adolescents et jeunes adultes se tournent vers des personnes qui partagent les mêmes buts et centres d'intérêt qu'eux, ou qui incarnent le modèle de ce qu'ils veulent devenir.

Quand un enfant a reçu tout ce dont il avait besoin au cours de la première phase, puis qu'il a appris à s'amuser au cours de la deuxième, il est fin prêt pour développer ses facultés de travail et d'autodiscipline lors de la troisième phase.

Entre sept et quatorze ans, l'enfant a avant tout besoin de jouer et de s'amuser.

Ce serait une erreur que de brusquer l'enfant de moins de quatorze ans. Les deux premières phases de sa vie sont celles de l'apprentissage du bonheur. Le bonheur est une aptitude en soi ; on est heureux ou on ne l'est pas, indépendamment des circonstances. Cette aptitude est potentiellement présente en chaque enfant, mais encore faut-il permettre son éclosion. Pour cela, laissez le temps au temps. L'enfant qui serait poussé à mûrir trop vite passerait à côté de cette révélation fondamentale ; malgré ses réussites, il ne parviendrait jamais à être heureux dans sa vie adulte.

Le bonheur s'apprend à travers le jeu et le divertissement. L'enfant de plus de quatorze ans qui a eu son compte de divertissement est mieux disposé à accepter les devoirs scolaires, puis à retrousser ses manches pour se faire une place dans le monde des adultes. Mais l'enfant qui subit une trop forte pression au regard de ses résultats scolaires ou des corvées ménagères ne peut s'épanouir totalement. Il deviendra facilement allergique au travail, et n'éprouvera aucune joie dans l'effort.

Une trop forte pression au regard
des résultats scolaires ou des corvées ménagères
peut empêcher l'enfant d'accéder au bonheur.

POURQUOI LES ADOLESCENTS SE REBELLENT

Dans la troisième phase, l'adolescent a plus que jamais besoin de la reconnaissance de ses pairs, mais cela n'implique pas qu'il doive nécessairement rompre avec ses parents. Il a toujours besoin de leur assistance et de leur soutien. S'il a grandi dans l'esprit des cinq messages, il n'éprouvera pas le besoin de se rebeller pour affirmer son identité, ayant été libre d'être lui-même depuis sa naissance.

Les adolescents se rebellent quand ils n'ont
jamais été libres d'être eux-mêmes.

Pour qu'ils puissent résister aux mauvaises influences de leur entourage, les adolescents doivent se sentir soutenus chez eux. Ils ont toujours besoin de référents vers lesquels se tourner pour être écoutés, compris, conseillés et guidés. Autrement dit, ils ne vous éliront à ce rôle que si vous leur montrez que vous savez répondre à leurs besoins.

L'adolescent ne sollicite le soutien de ses parents que si ces derniers se montrent capables de répondre à ses besoins.

De nos jours, de nombreux adolescents se révoltent parce que leurs parents ont usé de la manière forte dans leur enfance. Ce besoin de rébellion disparaît sitôt que l'on renonce à la peur et aux sanctions pour mettre en œuvre les techniques de l'éducation positive. Toutefois, cette conversion doit s'accompagner d'une certaine émancipation. La résistance d'un adolescent est toujours le signe d'un déséquilibre entre le contrôle que vous lui imposez et la liberté dont il jouit.

APPROFONDIR LA COMMUNICATION AVEC L'ADOLESCENT

Évitez d'offrir à un adolescent des conseils qu'il n'a pas sollicités. Étant désormais capable de raisonner en termes abstraits et de forger ses propres opinions, il a d'abord besoin qu'on prête attention à ce qu'il dit. Et s'il vous demande ce que vous pensez d'une situation donnée, ne lui répondez qu'après avoir recueilli son propre point de vue.

En outre, pour renforcer les liens qui vous unissent, prenez soin d'aborder des sujets qui sortent du simple cadre de ce que vous attendez de lui.

N'hésitez pas à débattre de ce qu'il a appris à l'école, en histoire ou en science, par exemple.

Les adolescents ont toujours besoin d'affirmer leur différence, de se démarquer des idées de leurs parents. Même lorsque vous êtes en désaccord, sachez reconnaître la logique des propos adverses, à travers des phrases telles que : « Je n'aurais jamais pensé à ça », « Je ne vois pas les choses de cette façon, mais je reconnais le bien-fondé de tes arguments », ou encore « Nous sommes dans un pays libre, chacun a le droit de penser ce qu'il veut. »

En somme, montrez que votre ouverture d'esprit ne se limite pas à leur accorder la permission de minuit. En acceptant et en honorant la diversité des opinions qui s'expriment sous votre toit, ils se sentiront d'autant plus libres, et n'éprouveront pas le besoin de vous contredire par principe.

Montrez que votre ouverture d'esprit ne se limite pas à leur accorder la permission de minuit.

Les adolescents aiment rarement qu'on leur dise ce qu'ils doivent faire. Avant de passer en phase de commandement, laissez-les formuler leurs objections, et montrez que vous en tenez compte. Exemple : « Je vois que tu souhaites te faire tatouer, et j'ai bien compris que nombre de tes copains l'ont déjà fait. Je te promets de reconsidérer la question, mais pour l'instant tu devras attendre tes dix-huit ans pour passer à l'acte. » Autre exemple : « Je comprends que tu trouves cela injuste. Tu veux passer du temps avec tes copains, et moi je veux que tu restes ici pour voir tes cousins. Je sais que cette perspective te déplaît, mais je tiens vraiment à ce que tu sois là. Si tu te montres gentil et accueillant, tu pourras partir au bout de deux heures. »

Les adolescents raisonnent bien plus en termes de

justice et d'équité que les jeunes enfants. Quand leurs parents se conduisent en dictateurs, ils ne peuvent que se révolter.

RESPECTEZ LES OPINIONS DE VOS ADOLESCENTS

Autant il est toujours préférable de laisser un adolescent comprendre de lui-même pourquoi vous lui demandez une chose précise, autant vous devrez éviter de le faire compatir à vos sentiments négatifs. Ne lui dites jamais : « Sais-tu à quel point ce que j'entends là m'attriste ? » En mettant vos sentiments ou vos émotions dans la balance, vous ne parviendrez qu'à le culpabiliser et à l'éloigner de vous. N'oubliez jamais que vos enfants ne sont pas responsables de votre bien-être. Quand un adolescent vous tient tête, évitez de lui faire la morale, et invitez-le plutôt à analyser le bien-fondé de vos requêtes.

Ne vous attendez pas à ce que l'adolescent soit toujours d'accord avec vous. Vous n'avez pas besoin de ça pour garder le contrôle de la situation. Laissez-le libre d'exprimer sa différence et ses propres opinions, même si elles vous laissent perplexes. Tant que vous ne lui demanderez pas de les ranger dans sa poche, il n'aura aucune raison de se révolter, même s'il ne peut pas faire tout ce qu'il veut.

Les adolescents doivent être libres de penser différemment de leurs parents.

Quand un adolescent se confie à vous, essayez de voir s'il vous demande vraiment des conseils ou s'il cherche simplement à vous tester. Par exemple, s'il vous raconte au dîner les dernières bêtises de ses camarades, faites preuve de retenue : ne vous lancez pas dans de grandes leçons de morale, qui le dissuaderaient de continuer à vous parler.

Voici une série d'exemples de ce qu'un adolescent peut raconter en rentrant à la maison. Pour chacune de ces affirmations, imaginez votre réaction première, puis tâchez de trouver une réponse plus avisée.

- Harry a fait le contrôle de maths avec son cours sur les genoux.
- Tina a insulté son petit copain devant tout le monde.
- Chris a séché les cours et passé la journée avec sa copine dans la salle d'audiovisuel.
- Roger n'arrêtait pas de me tirer les cheveux, alors je lui ai mis une claque.
- M. Richard n'est qu'un gros naze. Il nous demande la lune.
- Susanne avait une salle mine aujourd'hui. Elle s'est pris une sacrée cuite la nuit dernière.

Généralement, de telles remarques sont faites pour voir ce que vous êtes prêts à entendre et jusqu'où va votre ouverture d'esprit. Alors ne tombez pas dans le panneau. Demandez-leur d'abord ce qu'ils en pensent. Puis ce qu'ils imaginent que vous pensez vous-mêmes.

***Plutôt que de répondre d'emblée,
demandez-leur d'abord ce qu'ils en pensent.***

S'il apparaît, à la lumière de ce que vous raconte votre enfant, qu'un de ses camarades court un grand danger (drogue, alcoolisme, violence, grossesse,

MST), il vous appartiendra d'en aviser ses parents ou ses professeurs. Mais ne le faites pas dans le dos de votre enfant. Il y verrait une véritable trahison. Au contraire, demandez-lui comment il voit les choses et voyez ensemble ce que vous pouvez faire. De même, si votre enfant se fait embêter par un autre enfant mais qu'il refuse que vous interveniez, restez-en là. En procédant ainsi, non seulement vous maintiendrez une communication ouverte basée sur la confiance réciproque, mais vous le rendrez également plus sensible à votre propre point de vue. Ce qui le préservera au mieux des mauvaises influences de son entourage.

ENVOYER L'ADOLESCENT AU VERT

Parfois, il faut plus qu'un temps mort pour ramener à la raison un adolescent gâté. En l'envoyant chez des cousins en rase campagne, en camp de scouts, ou sur un projet de développement dans le tiers-monde, vous lui permettrez de retrouver ses esprits en étant encadré par d'autres adultes. Son éloignement de la maison ravivera son besoin d'être guidé et soutenu par ses parents, ainsi que son désir de coopération.

De même, les petits jobs, les cours particuliers et les sports collectifs seront autant de moyens de lui rappeler qu'il a besoin de s'en remettre à l'autorité de tiers pour grandir.

REMPLACEZ LES « NE FAIS PAS CI », PAR « JE VEUX QUE TU FASSES ÇA »

Avant l'âge de neuf ans, c'est-à-dire avant que l'enfant soit doué de logique, les « ne fais pas ci » sont toujours contre-productifs. La raison en est simple : quand vous dites « Ne cours pas », l'enfant s'imagine aussitôt en train de courir. Si je vous dis : ne pensez pas à la couleur bleue, vous ne pouvez faire sans y penser. De même, quand vous dites à un enfant « Ne frappe pas ton frère », il se figure en train de mettre une rouste à son frère. Et cette image suffit à lui donner envie de le faire.

En disant « ne fais pas ci », vous incitez toujours l'enfant à faire la chose en question.

Fort de cette prise de conscience, remplacez vos interdictions par des consignes positives. La prochaine fois que vous vous surprendrez à dire « ne cours pas », corrigez le tir en ajoutant : « Je veux que tu ralentisses. »

ARGUMENTER SES REQUÊTES

Comme nous l'avons vu, il est vain de vouloir convaincre le jeune enfant du bien-fondé de vos requêtes. Ce n'est pas parce que vous lui expliquerez qu'il doit être en forme le lendemain qu'il voudra aller se coucher. En revanche, passé le cap des neuf ans, l'enfant devient réceptif à ce genre d'arguments. Voici quelques exemples de formulations adaptées aux enfants de plus de neuf ans :

- Veux-tu bien te taire ? J'aimerais t'expliquer ce que nous allons faire.
- Voudrais-tu cesser de frapper ta sœur ? Pour régler vos différends, utilise donc ta langue. Si tu lui fais mal, elle n'aura plus envie de jouer avec toi.
- Voudrais-tu m'aider ? J'aimerais que tu m'apportes

ton assiette, pour que je puisse rapidement finir la vaisselle.
- Voudrais-tu ranger ce bazar ? Quelqu'un pourrait trébucher sur tes jouets et se faire très mal. Et puis, cette pièce est bien plus belle quand tout est à sa place.
- Voudrais-tu mettre un peu d'ordre dans ta chambre ? Cela te permettra de retrouver plus facilement tes affaires.

Encore une fois, ces explications ne sont valables qu'à partir de neuf ans. Si un enfant plus jeune vous demande quelles sont vos raisons, vous pouvez lui répondre seulement s'il se montre enclin à coopérer. Autrement, s'il vous questionne dans le seul but de vous tenir tête, la seule réponse valable est la suivante : il doit coopérer parce que ce sont papa et maman qui décident.

LE DÉFI DE L'ÉDUCATION POSITIVE

Si l'éducation des enfants est toujours un défi en soi, l'éducation positive relève la barre d'un cran. Vous devrez redoubler d'efforts et vous armer de patience dans les premiers temps, mais vous verrez que le jeu en vaut la chandelle. Bien vite, votre tâche sera considérablement simplifiée et vos enfants en seront les grands gagnants. À chaque nouvelle étape de leur développement, vous serez préparés à faire face dans les meilleures conditions possibles.

En vous appropriant ces nouvelles techniques, vous commettrez forcément des erreurs – et qui n'en commet pas ? Vous ne pourrez jamais changer le cours du destin de vos enfants, ni rayer d'un trait de crayon leurs difficultés et leurs faiblesses, mais vous pourrez leur offrir le soutien et l'attention nécessaires pour faire face à l'adversité et accéder à la réussite.

Comme pour tout ce qui est nouveau, vous suivrez une courbe d'apprentissage convexe. Les premiers temps seront les plus difficiles. Vous croirez avoir tout compris, et soudain vous verrez vos certitudes s'effondrer comme un château de cartes. Chaque fois que vous vous sentirez désemparés ou perdus, replongez-vous dans ce livre. Vous retrouverez aussitôt ce que vous aviez oublié et vous repartirez du bon pied.

Vous aurez beau effectuer un parcours sans faute, les enfants ne sont jamais parfaits. Ils ont besoin de commettre des erreurs, d'essuyer des revers et de surmonter les obstacles que la vie dresse sur leur chemin pour forger leur personnalité et approfondir leurs talents.

Mais nous-mêmes ne serons jamais parfaits. C'est à force d'erreurs que nous apprenons et progressons. Les enfants ne deviendront jamais des êtres forts si tout leur tombe du ciel. Et ils ne pourront accepter leurs propres faiblesses que s'ils ont l'occasion de pardonner celles de leurs parents.

LA GRANDEUR À PORTÉE DE MAIN

En offrant à vos enfants la liberté de découvrir et d'affirmer leur véritable identité, vous leur permettez d'accéder à la grandeur. Tous les grands hommes, qu'ils soient philosophes, artistes, savants ou politiques, ont su remettre en cause l'héritage du passé pour porter leur imagination au pouvoir. Ils n'ont jamais renoncé à poursuivre leurs rêves. Face à leurs détracteurs, ils n'ont jamais baissé les bras, jamais cessé de croire en eux-mêmes. La grandeur se réalise toujours dans l'adversité, et la réussite est toujours une course d'obstacles.

Chacun des cinq messages de l'éducation positive concourt à l'affirmation de soi en nourrissant un élément spécifique de la grandeur humaine. Pour mémoire, les voici de nouveau :

1. Le droit d'être différent, qui permet à l'enfant de découvrir, d'apprécier, et d'approfondir ses propres potentialités et orientations.

2. Le droit de commettre des erreurs, qui apprend à l'enfant à tirer les leçons de ses échecs et à rebondir pour aller de l'avant.

3. Le droit d'exprimer des émotions négatives, qui incite l'enfant à écouter son cœur, le rend plus confiant, et développe ses facultés de compassion et de coopération.

4. Le droit de réclamer davantage, qui aide l'enfant à prendre conscience de ses limites et lui inculque l'art de la patience ; à viser toujours plus haut tout en appréciant ce qu'il possède déjà.

5. Le droit de dire non, qui permet à l'enfant d'asseoir son caractère et d'acquérir une fière et saine estime de soi. Cette liberté stimule et renforce son esprit, son cœur et sa détermination. Le droit de défier l'autorité constitue le point central de l'éducation positive.

J'espère que ce manuel d'éducation fera de vous les meilleurs éducateurs qui soient. Le métier de parent est ardu, mais nous savons tous qu'il est le plus beau du monde. Pour vous faciliter la tâche, partagez vos expériences avec d'autres parents adeptes de l'éducation positive.

Puisse cet ouvrage vous guider tout au long du

parcours. Puissent vos enfants devenir des êtres confiants, coopératifs et attentionnés. Puissent-ils réussir aussi bien leur vie professionnelle que leur vie privée. Puissent leurs rêves devenir réalité, et qu'ils soient à jamais entourés de l'amour de leurs proches.

Remerciements

Je remercie ma femme, Bonnie, et nos trois filles, Shannon, Juliet et Lauren pour leur amour et leur soutien sans faille. Sans leurs précieuses contributions, ce livre n'aurait jamais vu le jour.

Je remercie Diane Reverand, des éditions Harper-Collins, pour ses conseils avisés, et Laura Leonard, mon irremplaçable attachée de presse, ainsi que Carl Raymond, Craig Herman, Matthew Guma, Mark Landau, Frank Fonchetta, Andrea Cerini, Kate Stark, Lucy Hood, Anne Gaudinier, et toute la fine équipe de HarperCollins.

Je remercie mon agent, Patti Breitman, d'avoir cru en mon message et reconnu la valeur de *Les hommes viennent de Mars, les femmes viennent de Vénus*, il y a déjà neuf ans. Je remercie mon agent pour l'étranger, Linda Michaels, qui a permis la publication de mes livres dans plus de cinquante langues.

Je remercie les membres de mon équipe : Helen Drake, Bart et Merril Berens, Pollyanna Jacobs, Ian et Ellen Coren, Sandra Weinstein, Donna Dorion, Martin et Josie Brown, Bob Beaudry, Michael Najarian, Jim Puzan, et Ronda Coallier pour leurs encouragements permanents et leur énorme travail. Je remercie également Matt Jacobs, Sherri Rifkin, et Kevin Kraynick, qui ont su faire de *MarsVenus.com* l'un des meilleurs sites du web.

Je remercie mes nombreux amis et les membres de ma famille pour leur soutien et leurs suggestions éclairées : mon frère Robert Gray, ma sœur Virginia Gray, Clifford McGuire, Jim Kennedy, Alan Garber, Robert et Karen Josephson, ainsi que Rami El Batrawi.

Je remercie les centaines de bénévoles qui animent les ateliers Mars-Vénus à travers le monde, ainsi que les milliers d'individus et de couples qui ont suivi des stages au cours des quinze dernières années. Je remercie également les conseillers matrimoniaux de l'association Mars-Vénus qui donnent corps à ses idées phares au cours de leurs consultations.

Je remercie mon plus cher ami, Kaleshwar, qui m'a toujours aidé et soutenu dans mes entreprises.

Je remercie mon père et ma mère, Virginia et David Gray, pour leur amour et leur affection, qui ont su me guider dans le difficile apprentissage de la paternité. Et un grand merci à Lucile Brixey, qui fut une seconde mère pour moi.

Je remercie le Seigneur pour toute l'énergie, la force et la foi qu'Il m'a offertes pour mener à bien l'écriture de cet ouvrage.

John GRAY

Table des matières

Composition PCA
44400 – Rezé

Impression réalisée sur CAMERON par

BRODARD & TAUPIN

GROUPE CPI

La Flèche

pour le compte des Éditions Michel Lafon
en novembre 2000

Imprimé en France
Dépôt légal : novembre 2000
N° d'impression : 4861
ISBN : 2-84098-616-7
LAF : 085